O
BUDA
E O
CARA

O BUDA E O CARA

A secreta arte milenar para ter sucesso no trabalho e na vida

VISHEN LAKHIANI

CITADEL
Grupo Editorial

2022

Título original: *The Buddha and the Badass*
Copyright © 2022 by Vishen Lakhiani

O Buda e o Cara
1ª edição: Agosto 2022

Direitos reservados desta edição: CDG Edições e Publicações
O conteúdo desta obra é de total responsabilidade do autor
e não reflete necessariamente a opinião da editora.

Autor:
Vishen Lakhiani

Tradução:
Adriana Krainski

Preparação de texto:
3GB Consulting

Revisão:
Paola Caputo

Projeto gráfico e diagramação:
Manu Dourado

Design de capa original:
Tanya Tesoro

Adaptação de capa:
Jéssica Wendy

DADOS INTERNACIONAIS DE CATALOGAÇÃO NA PUBLICAÇÃO (CIP)

Lakhiani, Vishen
    O Buda e o Cara : a secreta arte milenar para ter sucesso no trabalho e na vida / Vishen Lakhiani ; tradução de Adriana Krainski. — Porto Alegre : Citadel, 2022.
    336 p.

Bibliografia
ISBN 978-65-5047-119-4
Título original: The Buddha and the badass

1. Desenvolvimento pessoal 2. Autoajuda 3. Desenvolvimento profissional 4. Sucesso I. Título II. Krainski, Adriana

22-4021   CDD 158.1

Angélica Ilacqua - Bibliotecária - CRB-8/7057

Produção editorial e distribuição:

contato@citadel.com.br
www.citadel.com.br

Para Hayden e Even. Acima de tudo e de todos.

E para minha família, Kristina, Roope, Liubov, Mohab, Virgo.

Para a minha equipe na Mindvalley.
E para todos os autores e alunos maravilhosos a quem dedicamos nossas vidas.

SUMÁRIO

Antes de começar   9
Quebrando regras estúpidas   13
Introdução   19

PARTE 1
TRANSFORME-SE EM UM ÍMÃ – RETRAIA-SE PARA ATRAIR

Capítulo 1. Desvende a sua marca espiritual   43
Capítulo 2. Atraia seus aliados   71

PARTE 2
ENCONTRE O SEU PODER – OS QUATRO ELEMENTOS QUE TRANSFORMAM O TRABALHO E MULTIPLICAM RESULTADOS

Capítulo 3. Desperte conexões profundas   103
Capítulo 4. Domine a infodibilidade   140
Capítulo 5. Faça do crescimento seu objetivo final   169
Capítulo 6. Escolha sua missão com sabedoria   201

PARTE 3

TORNE-SE UM VISIONÁRIO – UNINDO O BUDA E O CARA PARA MUDAR O MUNDO

Capítulo 7. Desperte o visionário que há em você	230
Capítulo 8. Funcionando como um cérebro uno	262
Capítulo 9. Melhore a sua identidade	290
Bibliografia	321
Agradecimentos	331
Sobre o autor	335

ANTES DE COMEÇAR

Saiba que este livro pode colocar em xeque algumas das suas crenças mais profundas sobre a vida.

Sempre escrevo sobre um assunto com a intenção de revolucionar. Em outras palavras, para forjar novas ideias na sua mente, entre o fluxo habitual de pensamentos que fluem no piloto automático. A consciência liberta. Ideias novas, antes inimagináveis, são as portas de entrada para uma versão melhor e mais poderosa de si mesmo. E os benefícios não se limitam a você, mas atingem também sua família, sua comunidade, o mundo todo.

Um grande amigo meu, o grande filósofo Ken Wilber, popularizou a importância das visões de mundo em seu trabalho sobre a Teoria Integral. Podemos simplificar sua obra e estabelecer que os leitores deste livro se enquadrarão em uma das suas quatro categorias de visão de mundo. A depender das suas visões, alguns aspectos deste livro poderão lhe cair bem, enquanto outros poderão afrontá-lo.

Você pode ser um racionalista. Nesse caso, vai gostar das ideias sobre negócios, mas vai me ridicularizar quando eu falar sobre a mágica da mente, sobre intuição ou sobre ouvir sua alma.

Você pode ser um tradicionalista. Nesse caso, vai gostar de tudo que o faça lembrar das suas crenças espirituais, mas pode se sentir ameaçado quando eu levantar questionamentos sobre sua cultura e suas regras tradicionais.

Ou você pode ser um natureba, o que significa que também deve ser um místico inveterado, e então irá adorar a conversa sobre magia, mas poderá se apavorar com as seções sobre como empreender e administrar um negócio.

Por fim, talvez você veja tudo isso de maneira integral. Isso significa ter cabeça aberta, que pode assimilar todas essas visões de mundo sem sentir seu ego ameaçado, escolhendo aquilo que faz sentido para você. É a forma mais produtiva de ler este livro.

Isso porque este não é um livro tradicional sobre empreendedorismo ou negócios. O mundo está mudando depressa. Quando comecei a dar aulas de meditação, em 2003, tive que esconder essa carreira dos meus amigos. Atualmente, empresas de meditação valem bilhões de dólares. E, hoje, quando me encontro com pessoas dos mais altos escalões do governo, dos esportes, de Hollywood, do Vale do Silício e dos negócios, elas me confidenciam suas crenças espirituais mais profundas e contam que deixaram de enxergar o trabalho e a carreira a partir de uma perspectiva puramente material.

Muitas delas já falaram disso inúmeras vezes em público. Destaco o astro do R&B Miguel, que contou à revista *Billboard* que praticava minha Meditação de Seis Etapas antes de seus shows (falo mais sobre isso no Capítulo 5). E também Tony Gonzalez, o famoso astro do futebol americano, por fazer o mesmo em inúmeras entrevistas. Além de Bianca Andreescu, que, em uma conversa com a imprensa após vencer Serena Williams no US Open aos 19 anos de idade, validou meu trabalho e meu livro, dizendo que os usava como ferramentas. Bilionários e empreendedores inovadores estão conversando em privado sobre algumas das ideias controversas deste livro. E meu objetivo é que essa conversa seja pública. Porque a hora é agora.

Portanto, este livro foi idealizado para revolucionar a forma como você vê o mundo e lhe dar as ferramentas para mudá-lo a partir de mudanças cognitivas na sua mente. Em síntese, ele cria uma transformação. Depois de enxergar os padrões que este livro revela, você não conseguirá voltar atrás.

A depender da sua visão de mundo, você pode amar ou odiar este livro. É da natureza dele. Porque o crescimento vem de um incômodo ou de uma iluminação, mas nunca da apatia.

Você pode ter encontrado este livro na seção de negócios de uma livraria. Mas, honestamente, não sei se é o lugar certo. Sim, ele trata da forma como trabalhamos hoje – porque a forma como trabalhamos fracassou completamente. Mas devo avisá-lo que o livro não trata sobre negócios de uma forma convencional, mas sim sobre transformar a forma como trabalhamos de dentro para fora – e como mudanças internas podem ecoar de forma a mudar o mundo.

Então sobre o que é este livro? É sobre dominar o seu trabalho e a sua vida, esteja você lançando uma *startup*, liderando uma grande empresa ou apenas começando no seu primeiro emprego. É para quem está desperdiçando energia em um emprego que não o satisfaz ou então para quem tem uma visão incrível sobre a própria empresa, mas não consegue encontrar um jeito de fazê-la mudar o mundo.

Mesmo não intencionalmente, meu primeiro livro, *O código da mente extraordinária*, se tornou uma bíblia para atletas de todo o mundo porque falava de desempenho. Este livro fala sobre trabalho em equipe, sobre tocar um negócio e sobre deixar uma marca no Universo. Gostaria que ele fosse uma bíblia para mudar a natureza do trabalho.

QUEBRANDO REGRAS ESTÚPIDAS

Se você já me conhece, sabe do que estou falando. Todos seguimos um conjunto de regras que nos são impostas. Essas crenças nos são enfiadas goela abaixo pelos nossos pais, professores, governos e pela imprensa. Em *O código da mente extraordinária*, criei um nome para essas crenças: REGRAS ESTÚPIDAS.

Elas estão por toda parte. E quando não as questionamos, elas nos armam uma cilada. Privam-nos de uma existência mais plena que poderíamos estar aproveitando. Agora é a hora de quebrar as velhas regras estúpidas sobre trabalho. Por quê? Bom, porque, se você estiver na média do mundo desenvolvido, passa 70% do tempo acordado no trabalho. E, se estiver na média, também está infeliz no trabalho por causa dessas regras estúpidas. Falaremos disso mais tarde.

Olha, não sou um consultor de negócios. Mas já fui um empreendedor batalhador, com tendência a questionar as regras. Ao tentar quebrar algumas das regras estúpidas tradicionais sobre como o trabalho deveria ser feito, criei uma empresa, um local de trabalho e uma vida mais do que extraordinários.

Meu laboratório de pesquisa foi minha própria vida e minha empresa. E codifiquei tudo o que aprendi aqui nestes passos explicativos. Aprendi que, quando o trabalho vai ao encontro do que amamos, ele deixa de ser trabalho.

O que você precisa entender é que, onde quer que esteja, tem poderes incríveis que precisa aprender a usar. Trabalho duro e correria como caminho para o sucesso são um mito moderno. Dentro de você há um espírito e uma alma que muitos de nós se negam a libertar na esfera do trabalho. Mas essa é uma regra estúpida. Quando levamos uma mente desperta ao trabalho, a mágica acontece.

Vamos nos aprofundar agora sobre a palavra *mágica*. Algumas das ideias que compartilho neste livro pertencem ao domínio espiritual. Em outras palavras, (ainda) não podem ser provadas pela ciência. Falarei de alma, de intuição, de sincronia e de *distorção da realidade*. Mantenha a cabeça aberta. Se você acha que essas ideias são besteira, lembre-se de que homens como Steve Jobs, que vemos como um dos maiores criadores e empresários de todos os tempos, as adotaram.

Se essas ideias não fizerem sentido para você, entregue este livro para alguém que possa tirar proveito dele. Porque o que importa é colocar as ideias em prática. Temos que consertar o trabalho. Estamos trabalhando segundo velhos modelos obsoletos. De acordo com a Gallup, 85% dos trabalhadores odeiam seu trabalho. A maioria das pessoas passa a vida trabalhando em algo que *não ama*. Ainda pior, mentem para si mesmas sobre isso. Fingem que meio que gostam do que fazem em troca de um salário. Se uma espécie de outro planeta olhasse para a Terra, certamente pensaria: *Qual é o problema com essas criaturas?*

Falando em termos globais, isso significa que cerca de 5.369 pessoas morrem a cada hora no mundo, todos os dias, sem ter atingido seu potencial mais elevado e sem ter sentido a mais profunda alegria. Muitos de nós deixam a própria felicidade e sonhos para amanhã, em uma tentativa de simplesmente sobreviver hoje. Mas esse é um erro catastrófico. A verdade inevitável é a seguinte: o tempo acaba.

Se você estiver lendo este livro, aposto que tem grandes ambições. Sonha em escrever livros, criar empresas de sucesso, candidatar-se a um cargo público ou fazer a diferença na sua comunidade. Então não perca tempo, pois ele é o seu bem mais precioso.

Quando se trata de trabalho, chegou a hora de deixar de lado tudo que não o fortalece. Esse será seu guia.

Como este livro foi escrito

Assim como meu primeiro livro, *O código da mente extraordinária*, este traz algumas metodologias de aprendizado exclusivas. A minha empresa, a Mindvalley, é especializada em transformação humana, então minha preocupação é fazer com que o aprendizado dure. Estes são os métodos que garantem que as ideias vão entrar na sua cabeça e criar raízes na sua vida.

Exercícios

Compartilho ferramentas, técnicas, experimentos mentais e práticas ao longo do livro e compilo as ferramentas e técnicas ao final de cada capítulo para facilitar a consulta. Quero que você interaja com o livro, tome notas, escreva nas margens e tome-o para si.

Também menciono técnicas de liderança disfarçada para adaptar algumas ideias a trabalhadores que não estão, no momento, comandando uma empresa ou equipe. Se você não lidera uma equipe, mas é membro de uma, compartilho maneiras sutis de criar mudança ao seu redor sem precisar de um título formal.

Histórias

Enquanto escrevia este livro, coletei histórias de algumas das mentes mais incríveis da atualidade. Sou eternamente grato porque minha empresa, a Mindvalley, permitiu que eu me tornasse um ponto de confluência para líderes incríveis, e minhas entrevistas e meu trabalho com centenas de pessoas das áreas de negócios, ciência, tecnologia, espiritualidade, educação e relacionamentos constituem a base do meu sucesso e das ideias que compartilho neste livro.

Ao escrevê-lo, passei duas semanas trocando ideias com Richard Branson e outros grandes empresários na ilha de Necker. Subi ao palco em eventos ao lado de Michael Beckwith, Jay Shetty e Gary Vaynerchuk. Sentei-me ao lado de Marianne Williamson, Dave Asprey, Ken Wilber, Keith Ferrazzi, Chip Conley e Shefali Tsabary, que falaram francamente nas nossas entrevistas. Posso citar tantos nomes incríveis que contribuíram com este livro. Não falo isso para me vangloriar. Credito meu sucesso a esses mentores e sou muito grato por poder chamar muitos deles de amigos. Essas relações me permitiram ligar os pontos, ver padrões e criar novos códigos para atingir níveis extraordinários de sucesso. Não acredito em gurus. Acredito que ninguém tem todas as respostas, nem mesmo eu, por isso meus livros agregam teorias e ideias que partiram de inúmeras cabeças.

Assim, irei compartilhar histórias pessoais de conversas que tive com os maiores visionários do nosso tempo. Meu livro é uma homenagem ao conhecimento que eles compartilharam comigo, bem como às lições que aprendi com as pessoas da minha própria equipe, muitas das quais não têm nem ideia do quanto me influenciaram.

Minha voz e minha história

Escrevo com honestidade. Não me contenho. Trago aqui histórias que me afligem só de contar. Mas não me importo em seguir reforçando a ideia de que qualquer um pode fazer o que eu fiz.

Deixei o Vale do Silício em 2003 para seguir a carreira de professor de meditação. Então, abri a Mindvalley, com US$ 700 e nenhum investidor ou capital de risco. E, enquanto escrevo este livro, estamos nos preparando para abrir o capital da empresa. E isso tudo não foi fácil. Meu sucesso começou nos fundos de um depósito, em um bairro de periferia em Kuala Lumpur, na Malásia. Não me surpreende se você não tiver nem ideia de onde fica esse lugar.

Espere ler histórias pessoais e encontrar um estilo de escrita franco e vulnerável, como se nós dois estivéssemos conversando frente a frente em uma mesa.

Experiência *online*

Para as pessoas que quiserem se aprofundar nos conceitos deste livro, irei compartilhar *links* para material extra a todo momento. Como engenheiro da computação de coração, criei diversas ferramentas *online* para ajudá-lo na jornada transformadora pela qual este livro irá conduzi-lo. Você encontrará horas de vídeos extras e treinamentos relativos a seções específicas deste livro, para que fique mais fácil aplicar na sua vida as ideias contidas aqui.

Definição de *empreendedor*

Uma observação importante sobre o uso da palavra *empreendedor*: para mim, a palavra *empreendedor* não significa que você administra uma empresa. Você pode trabalhar para uma empresa ou fazer parte de um grupo como a NASA e ainda assim ter mentalidade empreendedora. Significa que você inova, cria, aperfeiçoa habilidades e contribui com o mundo – em suma, que você não está simplesmente feito um *hamster* em uma gaiola, correndo atrás de um salário. Quando me refiro a *empreendedor* neste livro, aplica-se a todos que escolheram fazer a diferença no mundo dando o melhor de si no trabalho, seja como autônomo, seja como terceirizado, dono de uma companhia bilionária ou então trabalhando para uma empresa.

Conecte-se comigo

Adoro me conectar com meus leitores. Uso sobretudo o Instagram, onde compartilho experiências, histórias e ideias com frequência. Adoraria me conectar com você nessa plataforma. Mas, de todo modo, também uso o Facebook e o Twitter de vez em quando.

Instragram.com/vishen
Facebook.com/vishenlakhiani
Twitter.com/vishen

Meus *sites*

Para saber mais sobre mim e meu trabalho:
Mindvalley.com
Vishen.com

INTRODUÇÃO

> A natureza preza a coragem. Se você se compromete, a natureza vai reagir removendo os obstáculos intransponíveis. Sonhe um sonho impossível e o mundo não vai atrapalhar, mas sim colocá-lo para cima. Esse é o truque. É isso que entenderam todos os grandes professores e filósofos, aqueles que chegaram ao ouro alquímico. Essa é a dança xamânica na cachoeira. É assim que a mágica é feita: atirando-se no abismo e descobrindo que ele não passa de um colchão de penas.
>
> *Terence McKenna*

Em 2019 me vi no Caribe, participando de um encontro de *mastermind* de quatro dias para empreendedores. Foi em uma ilha belíssima, com praias de areia branca e um pôr de sol de tirar o fôlego. Certa manhã, após uma sessão matinal, fui para fora tomar um ar fresco. Sentei-me em um banco de madeira com vista para um penhasco rochoso. O mar estava calmo, parecia um espelho com pequenas imperfeições. Feixes de luz do sol da manhã atravessavam uma fina camada de nuvens e se refletiam na imensidão de água límpida.

Parei por um instante para absorver aquilo tudo e então peguei meu iPhone. Tirei os AirPods do bolso, coloquei-os no ouvido e comecei a ouvir as centenas de mensagens da minha equipe, que estava lá do outro lado do mundo. Eu estava completamente absorto no *smartphone* quando uma mulher me abordou.

"Vi você ontem e hoje o dia inteiro no celular. Você deve estar trabalhando muito. O que poderia melhorar o seu dia hoje?", perguntou. Ela estava no mesmo grupo de negócios.

"Ah, obrigado", eu disse. "Mas meu dia já está ótimo. Não há nada que possa melhorá-lo."

Ela pareceu surpresa.

"Você me pergunta isso porque me viu no celular aqui nessa praia incrível?", perguntei.

"Sim", respondeu.

Naquele momento, entendi de onde saiu aquilo. Aquela mulher me vira na praia colado no celular. Consigo entender por que ela pensou que eu precisava ser salvo do meu "trabalho". E, verdade seja dita, houve um tempo em que eu de fato precisava ser "salvo". Meu trabalho e minha vida pessoal eram coisas separadas. O trabalho era o que eu *precisava* fazer para pagar as contas. Mas já não é mais assim. Deixe-me explicar.

"Entendo o que você diz", eu disse. "Mas não estou trabalhando. Estou conversando com a minha equipe. E o meu trabalho é tão inspirador que nem sinto que estou trabalhando. Adoro a minha equipe. Fazer contato com eles é como conversar com amigos", expliquei.

Segurei meu iPhone.

"E isso não é um celular. Para mim, é um 'portal do amor'. Estou fazendo o que amo. Conversando com as pessoas que amo. Escrevendo sobre o que amo. Postando nas redes sociais para pessoas que amo em todo o mundo. Mandando vídeos melosos para os amigos e a família. Não estou desconectado – estou conectado ao extremo.

"Quando você faz o que ama, não precisa trabalhar nem um dia na vida. Então, obrigado, entendo sua preocupação e foi maravilhoso que você tenha perguntado, mas escolhi viver esse momento aqui nesse penhasco fazendo exatamente o que estou fazendo agora. É isso que eu amo."

"Uau", ela disse. "Acho que acabei de aprender alguma coisa aqui."

Sorri e voltei para o celular.

Nem sempre o trabalho foi assim para mim. Mas hoje minha vida se tornou essa aventura tão bem descrita pelas palavras de L.P. Jacks:

> *Quem domina a arte de viver não faz distinção entre trabalho e divertimento; entre labuta e lazer, entre mente e corpo, entre educação e recreação, entre amor e religião. Mal sabe qual é qual. Essa pessoa simplesmente busca ser a melhor em tudo que faz, deixando que os outros decidam se ela está trabalhando ou se divertindo, pois acredita estar fazendo ambos o tempo todo.*

Todos podem viver assim, embora muitos precisem de uma mudança radical de mentalidade. E é isso que este livro fará por você.

Mas antes você precisa se convencer de que é capaz de criar uma vida em que o trabalho não seja um peso. E você não precisa de fato acreditar nisso agora. Mas precisa se abrir. Precisa, no mínimo, acreditar que é possível para outras pessoas, mesmo se não acreditar que é possível para você neste momento. Este livro vai levá-lo até lá. Foi feito para que você se veja a partir de um paradigma totalmente novo.

Em segundo lugar, você precisa entender a regra mais estúpida de todas sobre o sucesso: a falsa crença de que precisa trabalhar mais do que todo mundo. Dedicar mais horas ao trabalho. Em outras palavras, *sufoco*. Quem acredita nisso caiu em uma mentira que simplesmente não tem cabimento.

Este livro mostra como ir além do mito do trabalho duro. Você irá se valer de um nível mais alto de trabalho, em que acessará estados elevados de consciência que lhe permitirão deslizar sem esforço pelo mundo, criando impacto pelo caminho. Ao funcionar a partir desses estados, você se perceberá fundindo dois belos estados da consciência humana. Digo que é a fusão entre o Buda e o Cara.

O Buda é o arquétipo do mestre espiritual. A pessoa que consegue existir nesse mundo, mas também se mover com a simplicidade, a graça e a naturalidade que vêm da consciência interior e do equilíbrio. Não estou falando necessariamente sobre o Buda em pessoa, ou seja, alguém que atingiu a iluminação, mas sim de alguém que reconhece e usa o poder do universo que se encontra "dentro de nós".

Cresci no sudeste da Ásia, em uma família que pratica as tradições hinduístas e budistas. Falo de Buda com reverência e busquei conselhos com mestres espirituais budistas antes de escolher este título. Este livro, no entanto, não traz nenhum dos aspectos culturais ou religiosos do budismo, mas os grandes estudiosos do assunto irão notar aqui algumas visões de mundo similares.

O Cara é o arquétipo do transformador. É a pessoa que está mudando o mundo, construindo, programando, escrevendo, inventando, liderando. Empurrando a humanidade para a frente para dar vida a novas estruturas no plano físico. O Cara representa o revolucionário benfeitor – a pessoa que está desafiando as normas para que sejamos melhores como espécie.

Para ser o verdadeiro mestre da sua vida, você precisa combinar os atributos de ambos. Ao chegar lá, você viverá a vida em um nível diferente do da maioria das pessoas:

1. **Êxtase:** você encontra alegria naquilo que faz. Trabalho e diversão se tornam a mesma coisa.
2. **Imunidade para superar:** você não se sente mais sobrecarregado. É fácil realizar diversas tarefas ao mesmo tempo.

INTRODUÇÃO

3. **Relacionamentos**: você consegue criar uma vibração positiva e gerar energia com as pessoas com quem trabalha. Isso significa que todos os relacionamentos são de ganha-ganha e todas as interações estão repletas de positividade e cuidado.
4. **Inspiração sob demanda**: você consegue explorar ideias, inspirações e criações sempre que precisar, para poder se tornar uma fonte de inovação e resultados criativos.
5. **Abundância**: seja de dinheiro, saúde, amor ou experiências de vida, você começa a ver a abundância surgir em todas as áreas da sua vida.
6. **Naturalidade e simplicidade**: a vida flui como se fosse abençoada pela sorte e pela sincronia. É quase como se você fosse carregado por um Universo bem-intencionado.
7. **Distorção da realidade**: seus desejos vêm a você com facilidade; você se sente como se tivesse o apoio de todo o Universo.

Esses estados elevados de consciência podem parecer místicos ou espirituais, mas são reais. Todos os seres humanos podem acessá-los. Não me entenda mal, o sufoco também tem seu lugar, mas apenas para pessoas que estão atuando em níveis ordinários.

Dos sete atributos que mencionei antes, peço que você pegue uma caneta e destaque os três que mais quer aprender com este livro. Essa ação simples irá ajudá-lo a aproveitar melhor a leitura. Pare por um momento e faça isso. Assim, você lerá este livro com uma *intenção* consciente.

Independentemente da sua posição atual, quero que saiba de uma coisa: você pode viver a vida em um nível mais profundo. E não importa em que ponto da carreira ou do seu negócio você está, este livro foi feito para lhe mostrar novas formas de se descobrir e enxergar o mundo de forma a elevar imensamente o seu nível de ação.

Sei disso por experiência própria. Não faz muito tempo, eu estava com 32 anos, vivendo em um quarto na casa dos meus pais, dirigindo um Nissan

March e ganhando uns US$ 3.000 por mês. Isso foi em 2008. Mas hoje, enquanto este livro está sendo editado, sou abençoado por administrar um império multimilionário que está transformando a educação no mundo. E a minha vida de hoje pareceria uma fantasia impensável para o meu eu de 2008.

Você também pode chegar lá. Pode conseguir tudo que sua alma foi destinada a fazer. E neste livro irei compartilhar as ferramentas que aprendi para que eu possa ajudá-lo a chegar lá mais fácil e mais rápido do que eu.

Dez anos de experimentos

Em 2008, minha empresa, a Mindvalley, tinha dezoito funcionários. Fazíamos *sites* e cursos *online* para o crescimento pessoal de escritores. Eu não tinha nenhum produto de destaque. Para ser sincero, queimava US$ 15 mil por mês e mal conseguia fazer caixa. Minha pequena equipe trabalhava em uma casinha de três quartos localizada em uma região residencial.

Eu sonhava alto, mas não tinha nem ideia de como podia chegar lá. Faturávamos US$ 250 mil por mês com as vendas virtuais de pequenos *sites* de compras, mas ainda estávamos *perdendo dinheiro*. Se continuasse assim, logo minha empresa estaria quebrada.

O resultado desse dilema foi um período de depressão. Eu tinha um filhinho de um ano. Não podia fracassar nesse negócio. Mas, caramba, como era difícil.

O que eu tinha a meu favor era uma obsessão por crescimento pessoal. Eu estava comprometido a crescer constantemente para sempre ser a melhor versão de mim mesmo. Li todos os livros que podia. Estudei todos os autores e fui a todas as palestras de crescimento pessoal que consegui. Minha rotina diária consistia em:

Crescer pessoalmente.
Crescer profissionalmente.
Repetir.

INTRODUÇÃO

Geralmente não prestamos atenção ao crescimento pessoal quando se trata de negócios ou trabalho. Em vez disso, concentramo-nos nas estratégias de negócios, na inovação de produtos e na cultura. Bom, eu tentei tudo isso. Cheguei a gastar boa parte da minha pequena empresa com um MBA em Stanford para que eu pudesse implementar as últimas inovações em gestão moderna.

Mas não era só isso. Comecei a Mindvalley nos Estados Unidos. Por ser imigrante, eu não conseguia um visto de trabalho. Tive que transferir toda a empresa para a Malásia, meu país de origem (vou contar toda essa história no Capítulo 2). Eu via a Mindvalley como uma marca reconhecida em todo o mundo. E lá estava eu, preso em Kuala Lumpur, na Malásia. A situação não estava ajudando.

Eu não tinha nenhum produto. Nenhum centavo. E estava em um local muito desprivilegiado.

Passei a me concentrar, portanto, em um único objetivo: criar o melhor lugar do mundo para se trabalhar (a história completa de POR QUE escolhi esse objetivo e como ele surgiu será compartilhada no Capítulo 2). Percebi que, se eu conseguisse fazer isso acontecer, todo o resto viria junto. As pessoas. O talento. A inovação de produto. E o dinheiro. Se me concentrasse em criar um local de trabalho fantástico, eu também curtiria mais o trabalho. E teria mais tempo para me desenvolver, crescer e amar a vida.

Essa obsessão se tornou o experimento Mindvalley. E foi por meio dele que descobri os princípios que fazem do trabalho um parque de diversões da inovação, da produtividade, da criação e da alegria. Mas, ainda mais do que isso, esses princípios criam um novo tipo de funcionário ou empreendedor: uma pessoa que funde seu lado Buda e seu lado O Cara, criando resultados extraordinários com uma naturalidade mágica.

Nos dez anos seguintes, muita coisa mudou:
- O escritório da Mindvalley aparece na lista dos dez escritórios mais bonitos do mundo da revista *Inc.* de 2019. Como você logo verá, a empresa começou nos fundos de um depósito em Kuala

Lumpur, na Malásia. Reinventamos o escritório, e hoje ele é um caso de sucesso para *designers* de interiores corporativos.
- Nossa cultura de trabalho na Mindvalley é tão atraente que pessoas de todo o mundo se mudam para a Malásia para trabalhar na nossa sede. A Mindvalley emprega cabeças de sessenta países diferentes. Entrar no nosso escritório é como entrar nas Nações Unidas, em toda a sua diversidade.
- A nossa dinâmica de equipe é vibrante e fértil. Nossa equipe sempre pontua acima da média em diversos índices de saúde e bem-estar. Ao entrar para a Mindvalley, as pessoas ficam mais vivazes, mais em forma, mais felizes e mais saudáveis. Eu mesmo melhoro meus indicadores de saúde a cada ano. Há pouco tempo, ganhamos o título de "Empregador mais saudável" da cidade com base em dados de seguradoras. Nossos funcionários ficam menos doentes e pontuam muito acima da média em diversas áreas da saúde.
- Mas o maior resultado é: enquanto este livro estiver na gráfica, também teremos realizado algo bastante incomum. Estaremos próximos de US$ 100 milhões em receita como uma empresa tecnológica de educação sem qualquer investimento de capital de risco. Nossos concorrentes com níveis similares de receita já angariaram entre US$ 75 e US$ 300 milhões em investimentos. Nós chegamos até aqui sem nenhum capital de risco.
- O melhor de tudo é que vivo uma vida equilibrada e feliz. Sinto-me abençoado e grato ao acordar todas as manhãs. Tenho pessoas próximas e amor ao meu redor. Consigo trabalhar em coisas que me iluminam, também consigo viajar, ver o mundo com meus dois filhos, encontrar as pessoas mais incríveis e sentir uma enorme satisfação por fazer o que faço, contribuindo com o mundo.

É isso que torna este livro único. Criei meu próprio laboratório de testes e, apesar de estar em um local desprivilegiado e não ter tido acesso a crédito, estou construindo uma empresa de US$ 100 milhões usando as ideias deste livro. E registrei todas as lições dolorosas e as descobertas brilhantes para que você possa replicar esse sucesso.

A magia e o poder que habitam em você

Sou engenheiro. Sou formado em engenharia elétrica e ciência da computação. Sempre fui um *nerd* cientista. Minha mente sintoniza com processos, números, códigos e planilhas.

Mas sempre me admirei com pessoas que parecem funcionar com base em algo além de dados concretos. Elas são sempre rápidas para desenvolver ideias. Como um ímã, estão sempre atraindo as pessoas certas. Parecem ter uma "sorte" fora do comum. Os demais desejam fazer parte das missões, empresas e equipes desses "sortudos". Se trabalham em uma empresa, movem-se com fluidez e naturalidade, mandando bem em todos os projetos de que participam, com um sorriso no rosto. Conseguem os cobiçados aumentos e promoções. Muitas delas conseguem assumir diversos projetos ao mesmo tempo. Fazem malabarismo entre funções e responsabilidades dobradas, prosperando em todos os projetos, exatamente como Steve Jobs, que se equilibrava entre as funções de líder da Pixar e da Apple ao mesmo tempo. E mesmo assim, as pressões do esgotamento nunca parecem afetá-las.

Essas estrelas do mundo do trabalho costumam chegar ao topo com facilidade, demonstrando foco e criatividade extraordinários. E produzindo resultados a uma velocidade vertiginosa, como quando Elton John lançou quatro álbuns em um mesmo ano e foi responsável por 5% de todas as músicas vendidas no mundo naquele ano.

Elas também parecem dominar a arte das relações interpessoais, criando relações próximas com suas equipes, fornecedores e com todos ao seu redor. É difícil não gostar delas. Quando fecham negócios, todos saem ganhando. Vi isso em líderes carismáticos que conheci, como Richard Branson, da Virgin, e Oprah Winfrey.

Uma das qualidades mais peculiares que parecem ter é uma sorte extraordinária. Eles se dão bem em tudo. São os que ganham os aumentos. O reconhecimento. O sucesso nos negócios. Parece que o Universo conspira a favor deles.

Esses homens e mulheres não foram abençoados com alguma vantagem genética, como a inteligência. Não, eles vivem a vida de acordo com um conjunto de regras distinto. Essas superestrelas personificam as qualidades tanto do Buda quanto do Cara. Todos os seres humanos têm um caminho para atingir essas duas qualidades – é por essa jornada que este livro irá levá-lo.

O mito do trabalho duro

Então por que essa obsessão com trabalho duro, sufoco e esforço sobrecomum às custas de todo o resto? Dito de maneira simples, nós não entendemos o que é normal. Nosso sistema educacional falido nos ensina a sobreviver em um emprego, mas não a prosperar como ser humano. O sucesso é geralmente definido pela quantidade de dinheiro na sua conta bancária ou pelo título no seu cartão de visitas. Mas as pessoas são muito mais complexas do que um título ou um cargo. Para entender isso, você precisa entender os dois mundos em que vivemos.

Há o mundo exterior, que compartilhamos com outros seres humanos. É o mundo dos empregos, das carreiras, da cultura, dos rituais e de um significado compartilhado com os outros. Damos ênfase demais à ordenação e à normatização desse mundo externo. Temos leis, regras, estruturas e processos que regem as nossas vidas.

Mas também temos o mundo interior. É o mundo que fica dentro da nossa cabeça. São as nossas esperanças, medos, aspirações, sonhos, a enxurrada diária de emoções. Ele é formado por todas as dúvidas, esperanças, pensamentos atrevidos, aspirações ou desejos secretos. E, para a maioria das pessoas, esse mundo é completamente desestruturado, bagunçado e desorganizado.

Para atingir o equilíbrio, uma pessoa precisa colocar ordem nesse mundo interior. Para isso, é necessário saber do que ele é feito e ter intenções claras sobre o que você quer vivenciar no mundo interior antes de correr atrás dos seus objetivos no mundo exterior.

O que significa não aceitar a mentira do trabalho duro. Em vez disso:

A experiência da alma na Terra não é destinada ao trabalho árduo e ao esforço. É destinada à liberdade, à tranquilidade e ao crescimento.

Viajei o mundo todo para encontrar desde bilionários até mestres espirituais nas montanhas da China. E descobri que as pessoas extraordinárias não trabalham "duro", mas se concentram em atingir certos estados mentais do ser e identidades que permitem a elas que a vida flua facilmente.

Mudando nossos modelos mentais de trabalho

O primeiro passo dessa jornada é mudar seus modelos mentais, o sistema operacional de toda a sua experiência de vida e de trabalho. Um modelo mental é feito a partir das suas crenças. E as suas crenças são a chave geral da sua vida. Porque a realidade é subjetiva.

Em 1977, o famoso físico David Bohm deu uma palestra na Berkeley. Um trecho da sua fala mais tarde foi publicado no livro *The Quantum and the Lotus*, escrito por Mathieu Ricard e Trinh Thuan, em que ele oferece uma bela definição da inter-relação entre as nossas crenças e aquilo que vivemos como realidade:

Realidade é aquilo que acreditamos ser verdade.
O que acreditamos ser verdade é aquilo em que acreditamos.
O que acreditamos é baseado nas nossas percepções.
O que percebemos depende do que estamos buscando.
O que buscamos depende do que pensamos.
O que pensamos depende do que percebemos.
O que percebemos determina aquilo em que acreditamos.
O que acreditamos determina o que acreditamos ser verdade.
O que acreditamos ser verdade é a nossa realidade.

Resumindo, a realidade não existe de fato. Somos nós que a criamos. O tempo todo. E você pode distorcer a realidade. Pode mudá-la, moldá-la e brincar com ela. É bem divertido. E quando você acerta a mão, a vida e o trabalho se tornam algo único. Uma jogada de mestre: viver a vida toda com alegria, como se você tivesse uma capacidade sobre-humana de dar conta de tudo.

O ser humano multidimensional

Por ter criado a Mindvalley, tive o privilégio de ter acesso a muitas das mentes mais brilhantes do mundo. Para o meu primeiro livro, *O código da mente extraordinária*, conduzi cerca de duzentas horas de entrevistas com grandes pensadores que se dedicam à mente humana. Então, compilei o que aprendi em diversos modelos de transformação.

Cunhei nomes específicos para esses modelos para facilitar a compreensão e a aplicação na vida. Aqui estão alguns dos modelos de transformação que irei usar neste livro.

INTRODUÇÃO

1. Engenharia da consciência

A *engenharia da consciência* é uma estrutura que serve para expandir o seu nível de consciência sobre qualquer assunto. Ela sugere que, se queremos crescer em determinada área, temos que prestar atenção em duas coisas:

1. **Nossos modelos de realidade**: um *modelo de realidade (MR)* é uma crença. E as suas crenças se tornam a sua realidade. Se você acredita que precisa trabalhar duro para obter sucesso, assim será. *Para você.* Outra pessoa pode ter uma crença completamente diferente.
2. **Nossos sistemas de vida:** um *sistema de vida (SV)* é um processo. É um sofisticado conjunto de procedimentos que você usa para cumprir metas – por exemplo, seguir uma rotina de exercícios físicos. Quando aplicado ao trabalho, um sistema pode ser uma forma de alinhar seus objetivos com a equipe. Ou para realizar diversas tarefas ao mesmo tempo. Ou para atingir níveis sobre-humanos de concentração e fluidez.

Todos os capítulos deste livro serão concluídos com uma compilação dos modelos e sistemas tratados, para que você possa consultar esses processos com facilidade ao implementar as ideias do livro.

Se você imagina o ser humano como um computador, então suas crenças são como o seu *hardware*, enquanto seus sistemas são como o seu *software*. Se quiser um computador mais rápido, pode *melhorar o seu hardware* ou *baixar uma atualização do software*. Da mesma forma, você melhora as suas crenças ao se livrar de ideias limitantes e substituí-las por crenças fortalecedoras. E seu sistema é atualizado ao adotar sistemas de trabalho melhores e mais eficientes.

Você pode aplicar esses conceitos para entender como qualquer gênio ou super-humano trabalha. Meu amigo Jim Kwik, treinador mental mundialmente famoso, disse uma vez em um vídeo que postou no Instagram:

Quero tornar visível o invisível. Quero expor os métodos por trás da magia. Sempre que você vir alguém fazendo algo incrível na saúde, nos esportes, nos negócios, há um método naquela magia. Porque a genialidade deixa marcas.

Ao aplicar esse método à vida, você vai ficar muito, muito bom. Vai ficar rápido. Todos os capítulos revelam novos modelos de realidade, prontos para serem aplicados, além de novos sistemas de vida que você pode aplicar à sua própria.

2. Regras estúpidas

Todos vivemos segundo um conjunto de regras que nos são impostas. Chamo essas crenças de REGRAS ESTÚPIDAS.

Elas estão por toda parte. E, se você não as questiona, elas nos pegam de jeito. Podem nos privar de uma vida mais plena que poderíamos estar aproveitando. Chegou a hora de questionar as velhas regras estúpidas sobre trabalho.

3. Distorção da realidade

Esse conceito aparecerá várias vezes ao longo do livro porque é fundamental para atingir a mentalidade de Buda/Cara. Muitas das pessoas mais criativas e poderosas na arte do trabalho parecem conseguir chegar a esse estado com facilidade. A *distorção da realidade* é um estado mental especial em que a vida parece fluir magicamente. Sorte, sincronicidade, momentos de fluxo intenso – tudo parece se encaixar. Você provavelmente sentiu isso em algum momento da vida. O segredo é conseguir acessar esse estado sempre que quiser.

Curiosamente, a expressão "distorção da realidade" foi usada por Walter Isaacson três vezes na biografia de Steve Jobs. Isaacson escreve sobre Steve:

INTRODUÇÃO

> Na base da distorção da realidade estava a profunda e inabalável crença de Jobs de que as regras não se aplicavam a ele. Tinha algumas provas disso; na infância, muitas vezes conseguira dobrar a realidade a seus desejos. Mas as fontes mais profundas dessa crença de que ele podia ignorar as regras eram a rebeldia e a teimosia entranhadas em sua personalidade. Jobs tinha a sensação de ser especial: um eleito, um iluminado. "Ele julga que as pessoas especiais são poucas – gente como ele, Einstein, Gandhi e os gurus que conheceu na Índia –, e que ele é uma delas."

Em *O código da mente extraordinária*, trago algo que percebo ser uma curiosa classificação de estados mentais que parecem permitir que as pessoas distorçam a realidade. Sugiro que tem a ver com conseguir sentir prazerosas emoções e paixão, como se trabalho e diversão fossem a mesma coisa (algo que você aprenderá na Parte II deste livro), aliado a poderosas visões que o movem (algo que você aprenderá na Parte III deste livro). Esse duplo pilar de *prazer* e *pensamento visionário* conduz a elevados estados de existência no mundo.

Steve Jobs não foi a primeira lenda dos negócios a falar sobre esse estado. Cem anos atrás, aos 80 anos de idade, o titã John D. Rockefeller redigiu este poema, que mais tarde viria a ser publicado no livro *Titan*, de Ron Chernow.

> Aprendi cedo sobre ocupação e distração,
> Minha vida, essa grande satisfação;
> No trabalho e na diversão,
> Deixei de lado a preocupação,
> E, todo dia, Deus me deu sua benção.

Rockefeller foi a pessoa mais rica de sua época. E você perceberá a mesma dualidade em sua escrita: prazer e pensamento visionário.

Além dos modelos mentais, como engenharia da consciência e distorção da realidade, este livro examinará alguns arrojados sistemas de administração de negócios. Mas não irei usar nenhuma linguagem acadêmica aqui.

Os únicos sistemas de que falarei são sistemas de gestão de negócios e de crescimento profissional que consideram a multidimensionalidade do ser humano.

4. Liderança disfarçada

Talvez você seja o presidente de uma das empresas listadas na *Fortune 500* ou um empreendedor esforçado trabalhando em modo *startup* em uma Starbucks. Ou talvez seja um funcionário de uma grande empresa. Não importa: você pode escolher ser líder. Você tem o poder de transformar seu trabalho e influenciar as pessoas e equipes com as quais trabalha. Mesmo sem um título oficial, você pode aplicar as estratégias deste livro para brilhar na carreira e influenciar seus pares. É uma prática que chamo de *liderança disfarçada*.

A verdade é que todo ser humano é um líder – mas a maioria das pessoas não consegue exaltar o poder que tem sobre as próprias vidas e experiências. Você não precisa do título de presidente de uma empresa para influenciar as pessoas ao seu redor. Ser um líder disfarçado significa que você exerce influência mesmo quando não assina como presidente (e, na verdade, vou lhe contar por que me desfiz do título de presidente e como isso me tornou ainda mais eficaz na gestão da minha equipe).

Você não é apenas um pedaço de carne controlado por neurônios

Enquanto virmos os seres humanos como nada mais do que pedaços de carne controlados por um incrível conjunto de neurônios, veremos o trabalho de uma forma muito específica. Uma forma muito limitada.

Prefiro acreditar que somos mais do que isso. Somos seres multidimensionais.

Pedaços de carne – sim. Neurônios – sim. Mas também somos alma e espírito. Somos energia. Somos criaturas complexas, cheias de desejos profundos, anseios da alma e superpoderes únicos prontos para serem revelados.

Se você achou que tinha comprado um livro de negócios tradicional, peço desculpas. Espero que sua livraria tenha uma política de devolução decente.

As três partes deste livro

Há três partes neste livro. E cada capítulo é bastante aprofundado. Este livro é repleto de ideias e táticas. Então, se achar útil, pode ler duas vezes para conseguir absorver tudo.

Mas este livro não precisa ser lido de forma linear. Você pode pular capítulos ou ir direto ao capítulo que mais chama sua atenção. Explico adiante sobre o que trata cada um. Se você estiver sem tempo e não puder lê-lo do começo ao fim, vá direto ao capítulo que mais o atrai.

PARTE 1: Transforme-se em um ímã: retraia-se para atrair

Você nasceu para fazer o quê? Quando você estiver alinhado ao seu verdadeiro propósito e marca espiritual, todo o resto fica mais fácil.

Imagine que a sua empresa é um ímã poderoso que atrai tudo o que há no mundo para a sua direção. O talento de que você precisa vem direto até você.

As pessoas que você imagina, com as habilidades, crenças e atitudes que se alinham às suas, como peças de um quebra-cabeças, aparecem de repente. Toda essa experiência acontece sem grandes esforços, e, de um modo estranho, parece até sobrenatural.

Na Parte I, vou treiná-lo para se transformar em um ímã poderoso. Isso acontece quando você alinha o seu trabalho – seja na sua empresa, iniciativa, projeto ou missão de vida – com os seus valores mais íntimos e sua identidade espiritual.

Capítulo 1: Desvende a sua marca espiritual

A vida de cada pessoa se desdobra de uma maneira muito própria. Cada evento importante deixa uma marca: todos os altos e baixos, todas as alegrias e tristezas. Essas experiências o moldam segundo aquilo que você está destinado a ser. E quando você passa a entendê-las, descobre que o Universo tem um plano para o seu destino. Você está aqui para desempenhar uma carreira, uma missão e um papel específicos. O seu maior trabalho é descobrir esses valores únicos, permanecer fiel a eles e agir de acordo.

Capítulo 2: Atraia seus aliados

A melhor forma de atingir a grandeza é junto a outras pessoas. O mundo é complexo demais para ser desbravado sem companhia. As pessoas são atraídas por você não por causa do seu plano de negócios, mas porque seus sonhos lhes dão esperanças. Os seres humanos são movidos mais pela emoção do que pela razão. O maior presente que você pode dar a alguém é convidá-lo a compartilhar um sonho. E, assim, você se torna magnético e se alinha com as pessoas de que precisa para concretizar qualquer visão.

PARTE 2: Encontre o seu poder: os quatro elementos que transformam o trabalho e multiplicam resultados

Após milhares de entrevistas com candidatos a vagas de emprego nas minhas empresas, descobri uma verdade impressionante sobre o comportamento humano.

INTRODUÇÃO

Há quatro necessidades humanas dominantes que as pessoas buscam satisfazer em qualquer trabalho que realizem. Quando você entende e aplica esse conhecimento, as pessoas se apaixonam pelo trabalho e pela cultura à qual pertencem. E você também precisa disso. Quando combina essas necessidades ao seu trabalho, ele se torna um local de cura e amplificação do seu poder.

Não é algo místico. É sustentado por sólidas teorias desenvolvidas por psicólogos, filósofos e líderes espirituais.

Capítulo 3: Desperte conexões profundas

Os seres humanos desejam se unir. Essa necessidade está gravada em nosso DNA. Embora possamos parecer seres separados uns dos outros, a verdade é que estamos todos conectados por laços invisíveis. Quando você entende como influenciar esse espaço, cria comunidades em que todos são melhores juntos do que separados.

Capítulo 4: Domine a infodibilidade

Em um mundo cheio de opções, procuramos seguir os outros em vez de seguir nosso próprio guia interior. O segredo é aprender a se amar profundamente e confiar nos seus desejos mais íntimos. Assim, você pode canalizar esses sonhos, visões e desejos na forma da obra-prima de sua vida. Como líder, você também pode despertar isso em outras pessoas. Quando isso acontecer, as visões compartilhadas que você cria se tornarão reais, com elegância e simplicidade.

Capítulo 5: Faça do crescimento seu objetivo final

A sua alma não está aqui para conseguir algo. Sua alma está aqui para crescer. A maioria das pessoas não entende isso. Elas ficam obcecadas pelo sucesso e, se fracassam, ficam arrasadas. Elas atribuem excessivo sentido ao que é insignificante. A verdade é que o sucesso e o fracasso são ilusões. A única coisa que importa é o ritmo do seu crescimento. O objetivo da sua jornada é remover todas as barreiras que o impedem de se autorrealizar.

Capítulo 6: Escolha sua missão com sabedoria

Com autorrealização, você conquista uma vantagem na vida. O passo seguinte é usar essa vantagem para ajudar os outros e para melhorar o mundo – é a transcendência. Ao viver nesse patamar, terá acesso a um nível de realização que vai além de qualquer coisa que possa imaginar. O objetivo não é mais apenas se aprimorar ou sentar-se em eterna introspecção. Não, a ideia é usar suas habilidades recém-descobertas para fazer do mundo um lugar melhor para os outros, perpetuando-se por muitas e muitas gerações.

PARTE 3: Torne-se um visionário: unindo o Buda e o Cara para mudar o mundo

Na Parte III, você aprenderá a se tornar visionário. A criar visões e objetivos que de fato inspirem e emocionem o mundo. Você aprenderá como avançar rapidamente rumo a esses grandes objetivos com naturalidade. E, melhor ainda, sem sacrificar sua saúde, sua vida amorosa ou sua família. Vamos acabar com a ideia perversa de que é necessário trabalhar loucamente para obter resultados notáveis.

Capítulo 7: Desperte o visionário que há em você

Não há experiência melhor do que levar a vida trabalhando para concretizar uma visão tão ousada que chega a lhe dar medo. Qualquer visão com a qual você se comprometa deve ser inspiradora a ponto de mantê-lo acordado à noite, pois é algo que o chama, que o seduz. Aqui vai um grande segredo: quanto maior a visão, mais fácil se torna. Quando você vive assim, pode achar que a visão nem parte de você. Que é o Universo escolhendo o seu caminho para que você realize o que o mundo precisa.

Capítulo 8: Funcionando como um cérebro uno

Para lidar com uma visão realmente grandiosa, você precisa ter muitos cérebros; precisa de uma equipe de pessoas que trabalhem como um único supercérebro. Pela primeira vez, temos ferramentas incríveis para esse fim. E, mesmo assim, a maioria das equipes ainda trabalha com sistemas de colaboração arcaicos. Quando você aprende a criar um cérebro uno, passa a se mover com velocidade e destreza impressionantes.

Capítulo 9: Melhore a sua identidade

O Universo age como um espelho. Ele reflete aquilo que você é. A graça é que você pode mudar sua identidade e o mundo irá acatar. Mas você precisa transformá-la de maneira profunda, acreditando nessa nova identidade e vivendo a vida em consonância com ela.

Algumas palavras finais...

Mais do que nunca, é hora de dar sentido ao trabalho. Chegou a hora de encontrar a força e a magia dentro de você para transformar o modo como atua no trabalho e, como consequência, inspirar todos ao seu redor.

Se você estiver buscando alguém a quem atribuir essa responsabilidade, é hora de começar a se ver como muito maior e mais poderoso. Quem é o desbravador que você admira? Você não é diferente dele. Bezos. Branson. Musk. Huffington. Windrey. Escolha um deles. Ou, se lhe faz sentir melhor, forje sua própria identidade.

É hora de se perguntar: que tipo de líder você quer ser? Qual experiência de vida quer ter? Que legado quer deixar para seus filhos? É hora de nos unirmos e arregaçar as mangas.

Agora vamos lá.

PARTE 1

TRANSFORME-SE EM UM ÍMÃ
RETRAIA-SE PARA ATRAIR

Muitas pessoas acabam escondendo seus talentos especiais para se encaixar no mundo que as rodeia. Com os empreendedores, não é diferente. Nós imitamos mais do que irradiamos.

Por irradiar, quero dizer descobrir os valores fundamentais únicos dentro da sua alma. Valores, acredito, que o Universo gravou em você por algum motivo. E para imprimir esses valores em tudo que você toca, você precisa deixar a sua "marca espiritual" em tudo que cria, seja um novo aplicativo, um livro ou uma empresa. É assim que você se torna magnético.

No **Capítulo 1: Desvende a sua marca espiritual**, você precisa fazer um exercício de análise para identificar aquilo que nasceu para fazer. Isso lhe permite sistematicamente tomar as decisões certas sobre quem convidar para o seu ecossistema. Você aprenderá que precisa deixar em suas criações a marca registrada da sua alma. O processo a seguir, que chamo de Exercício da História de Origem, foi criado para extrair seus valores mais arraigados. Você passará a entender que valores fundamentais não podem ser inventados. Longe disso: eles precisam vir de *dentro* de você.

No **Capítulo 2: Atraia seus aliados**, você aprenderá a transformar a sua ideia – seja uma empresa, uma organização, uma instituição sem fins lucrativos, um grupo comunitário ou um projeto – em um ímã que atrai as pessoas que você precisa para a sua direção. Você aprenderá um processo para compartilhar de maneira eficaz as suas ideias, comunicando-se com emoção em primeiro lugar, e também com lógica. Aprenderá os primeiros passos para formular qualquer ideia e trazê-la ao mundo para que as pessoas que você vislumbra, com as habilidades, crenças e atitudes necessárias, e que estejam na mesma missão que você, surjam de repente.

Ao fazer o trabalho apresentado nesses dois capítulos, você simplesmente ficará alinhado com os seus próprios valores, e outras pessoas que compartilham dos mesmos valores serão atraídas. Você ficará cercado das pessoas de que precisa para concretizar a sua visão. Deixará de reagir à vida e passará a moldá-la.

CAPÍTULO 1

DESVENDE A SUA MARCA ESPIRITUAL

> Nunca se esqueça de quem você é, porque é certo que o mundo não se lembrará. Faça disso sua força. Assim, não poderá ser nunca a sua fraqueza. Arme-se com esta lembrança, e ela nunca poderá ser usada para magoá-lo.
> – George R. R. Martin, *A guerra dos tronos*
> (*Crônicas de Gelo e Fogo*, Livro 1)

A vida de cada pessoa se desdobra de uma maneira muito própria. Cada evento importante deixa uma marca: todos os altos e baixos, todas as alegrias e tristezas. Essas experiências o moldam segundo aquilo que você está destinado a ser. E quando você passa a entendê-las, descobre que o Universo tem um plano para o seu destino. Você está aqui para desempenhar uma carreira, uma missão e um papel específicos. O seu maior trabalho é descobrir esses valores únicos, permanecer fiel a eles e agir de acordo.

De 2013 a 2016, a minha empresa, a Mindvalley, estava queimando dinheiro. Uma série de eventos desastrosos quase destruiu os negócios. Esse período de três anos foi uma batalha pela sobrevivência.

Certa noite, após um dia terrível em modo de sobrevivência, desabei em uma cadeira na mesa da cozinha, desesperado. Eu estava em crise. Queria jogar a cabeça no travesseiro, apagar as luzes e dormir. Mas eu tinha um compromisso. Tinha uma ligação agendada com um candidato a professor na Mindvalley para tratar de sua aparição em um dos nossos mais famosos programas de conteúdo. *E, felizmente, fui em frente.*

Disquei o número de Srikumar Rao. E, naquela noite, fui tocado pela sua sensata sabedoria pela primeira vez.

Rao é um famoso professor de negócios que já deu aulas em lugares como Columbia e London Business School. Suas aulas têm listas de espera porque seus ensinamentos são revolucionários. Rao combina a sabedoria de antigos filósofos e mestres espirituais com as ideias modernas da escola de negócios americana. Não é aquele programa de MBA padrão. Está mais para o fruto de um encontro entre Rumi e Jack Welch.

Rao vive em Nova York, mas não faz aquele famoso tipo de nova-iorquino metido. Ele é um indiano humilde e pé no chão. É o tipo de pessoa que só eventualmente abre a boca para falar em um grupo, e fala devagar. Mas, sempre que fala, todos na sala se calam, porque sabem que ele vai deixá-los de queixo caído.

Naquela noite, éramos desconhecidos. Mas ele sabe ler as pessoas. O tom da minha voz entregou que eu estava estressado.

"Vishen. Chega de falar de negócios. Você está bem?", perguntou.

"Sim, estou bem", eu disse.

Mentira, é claro. Rao sabia disso. Então continuou sondando. Ele me pareceu tão amável, tão sincero, que me senti seguro com ele. Eu estava lutando para disfarçar minha angústia e, naquele momento, acabei colocando tudo para fora em um gigantesco fluxo confuso de confissões.

"Estou exausto, Rao. Superestressado. Minha saúde está uma merda. Estou em dúvida sobre a minha capacidade de liderar e ser presidente da empresa. Estou lutando para manter essa empresa de pé. E não posso falar para ninguém. Tenho guardado tudo para mim. E simplesmente não sei o que fazer", disse.

Rao me ouviu. E então disse: "Vishen, quero que você leia uma poesia. Só escute. É de um poeta do século 13 chamado Rumi".

"Certo", eu disse.

Mas, na minha cabeça, eu pensava: *Poesia? Isso é sério? Estou abrindo meu coração e ele quer me dar uma droga de uma aula de poesia?!*

Mas foi o que ele fez.

E eis aqui o poema que Rao leu para mim:

> *Quando vou atrás do que acho que quero,*
> *Meus dias são de angústia e inquietação;*
> *Se repouso em um local de calma,*
> *O que preciso vem a mim, sem aflição*
> *Assim entendo que o que eu quero também me quer,*
> *Me procura e me cativa.*
> *Há nisso um grande segredo para quem quiser entender.*

E eu, na hora, não entendi. Só vim a entender *de verdade* o significado desse poema dois anos mais tarde. Mas naquele momento Rao me perguntou o que o poema significava, e aquilo me iniciou em uma jornada de compreensão. E agora eu lhe pergunto.

O que você acha que esse poema significa?

Pare por um momento. Pense bem na sua resposta antes de continuar lendo. Ainda melhor, anote a sua resposta. *O que você acha que esse poema significa?*

Ao final deste livro, vou voltar a essa questão. Vou pedir que você pense novamente sobre o que ele significa. Talvez você se surpreenda com uma nova interpretação.

Rumi diz que há momentos em que você sente a necessidade de ir atrás do que quer. Mas esse desejo está partindo do seu eu mais profundo?

Ou é um desejo artificial, um desejo programado em você por um condicionamento cultural?

É diferente de *querer de verdade*. Ninguém explica esses momentos. Há pessoas, lugares e ideias que parecem nos atrair por nenhum motivo específico. Tenho certeza de que você já teve experiências assim. Pode ser uma ideia que o atrai, ou uma visão que o mantém acordado à noite. Às vezes não faz nenhum sentido. Pode parecer assustador. Mesmo assim, você se sente atraído por essa visão, ainda que vá contra o bom senso.

Assim como temos impressões digitais únicas, e se tivéssemos também uma *marca espiritual* única? Uma marca exclusiva da sua alma, baseada nas experiências que seu espírito busca nessa existência?

Descobrindo sua marca espiritual

Aprendi a escutar minha alma. Pode chamá-la de voz interior ou instinto. Tenho certeza de que houve momentos em que você também já ouviu. E quando isso acontece, o Universo lhe envia o que você precisa. É aí que a magia acontece.

A sua marca espiritual é um conjunto de instruções implícitas que você opera em sincronia sem ao menos se dar conta. Em linguagem de negócios, a sua marca é criada quando você descobre seus valores fundamentais.

O que você vai aprender neste capítulo é que esses valores não podem ser inventados. Eles têm que vir de dentro de você. São os traços distintivos da sua alma. E eu vou guiá-lo por um processo que o ensinará como fazer.

É isso que significa pensar como um Buda. Em vez de se apegar às ilusões do mundo, que o condicionam a querer coisas que não importam de fato, você precisa se livrar da lavagem cerebral. Quando aprende a ouvir a voz que é genuinamente sua, entende qual é o propósito da sua alma nesse mundo. E é esse o verdadeiro *motivo pelo qual você nasceu*.

A sua marca espiritual é representada por um conjunto de valores únicos que foram cravados em você. Valores simplificam a tomada de qualquer decisão. Ao descobrir os seus, você adquire um novo sentido na vida, que passa a atrair mais daquilo que está em harmonia com seus verdadeiros desejos e afasta o que não está.

Muitos de nós estão correndo atrás *do que achamos* que queremos porque fomos condicionados a acreditar que essas são as nossas necessidades. Aceitamos empregos que nos sugam a alma. Ou criamos empresas que não têm qualquer relação com nossos desejos mais profundos. Sei porque já passei por isso.

Em 2010, fundei uma *startup* financiada por capital de risco no então badalado mercado de cupons digitais do Vale do Silício. Eu não tinha nenhum interesse em cupons digitais. Apenas ajudei a fundar essa empresa porque sabia que era um mercado em crescimento. Concluímos um ciclo de financiamento de US$ 2 milhões, e o negócio deslanchou. Porém, seis meses depois, percebi que estava levando uma vida miserável. Ir para o trabalho me deixava ansioso. Não via valor no nosso produto. Então, entreguei a maior parte das minhas ações para os outros sócios e saí, sentindo-me um fracassado.

Eu dava esses primeiros passos em falso porque não tinha consciência alguma dos meus valores fundamentais, da minha *marca espiritual*. Se ao menos eu soubesse fazer esta pergunta filosófica que aprendi anos mais tarde, não teria passado por aquele tormento:

Se sou uma alma que escolheu a experiência humana, por que razão estou aqui?

Se você administra uma empresa de sucesso, está criando uma, ou comanda uma equipe, o que você aprenderá em seguida neste capítulo é crucial. Talvez um divisor de águas.

Costumamos ouvir que devemos criar produtos com base no que o mercado precisa. Ouvimos que devemos nos perguntar: "Quais produtos você quer vender?" ou "O que o mercado está pedindo?". Essas perguntas deveriam ser feitas dentro de um contexto de valores. A pergunta que a maioria das pessoas deixa de fazer é: "Considerando os meus valores, o que me realiza e como quero crescer, o que *só* eu posso oferecer para o mundo?".

Antes de aceitar um emprego ou abrir uma empresa, comece conhecendo os seus valores. O seu livro, o seu *blog*, a sua linha de roupas, o seu aplicativo, a sua carreira, todos devem estar impregnados com seu conjunto único de valores. Se você não está em uma posição de liderança, identificar seus valores é a forma mais fácil de se alinhar às pessoas certas e à carreira certa em que seus talentos irão brilhar.

Os seus valores são o que o diferencia e o que diferencia tudo o mais que você cria. Mais do que isso, com eles seu trabalho fica tão significativo que você sabe que está contribuindo para o mundo. Pesquisa de mercado, dados, opinião dos clientes são *secundários* aos seus valores.

E não se deixe enganar, seus valores já estão moldando as suas escolhas. Quando você os expõe com clareza, eles o ajudam a evitar situações que contrariam as suas crenças mais arraigadas. A vida se torna mais fácil. Diferentemente de muitas outras pessoas, você sabe quem é e o que quer de verdade.

Neste capítulo, você terá uma ideia sobre a sua marca espiritual única ao descobrir seus valores. Mas, antes dessa tarefa, como há muitas concepções erradas sobre valores fundamentais, deixe-me esclarecer algumas coisas.

Seus valores indicam novas visões para o mundo

A maioria dos empreendedores não entende direito o que são valores fundamentais. Nos primórdios da Mindvalley, eu com certeza não entendia. Em 2008, quando reuni minha equipe para fazer um exercício sobre valores, estava imitando as *startups* do Vale do Silício. Passamos por um processo de votação democrática para escolher os valores da empresa.

Todos os membros da equipe tinham direito a um voto, e nossa equipe de quarenta pessoas identificou umas trezentas características diferentes da Mindvalley. Nós as agrupamos e chegamos a uma lista de dez itens de nossos supostos "valores". A lista incluía frases como:

Transformamos clientes em fãs apaixonados
Ousamos sonhar alto
Evoluímos a partir do aprendizado

Foi democrático. Foi justo. Foi muito, muito errado.

Oito anos mais tarde, percebi a tolice desse método. Havia confundido meus valores pessoais (*valores fundamentais*) com os valores da minha empresa (*valores organizacionais*). A maioria dos criadores de *startups* comete esse mesmo erro.

Precisei aprender a diferença e a importância do propósito pessoal essencial e do propósito da empresa. Foi o que aconteceu em 2016, quando um ex-funcionário, que na época era conhecido como Amir Ahmad Nasr, me levou para almoçar.

Uma das melhores decisões que já tomei foi contratar Amir. Ele tinha 21 anos quando entrou na Mindvalley, em outubro de 2007. Cinco anos mais tarde, ele publicou um livro de memórias bem reputado, *My Isl@m: How Fundamentalism Stole My Mind – and Doubt Freed My Soul*, que o levou a dividir o palco com ganhadores do Prêmio Nobel, ex-chefes de Estado e empreendedores revolucionários.

Esse livro corajoso teve grande repercussão e obrigou-o a se mudar para o Canadá, onde vive hoje. Atualmente, ele é mais conhecido como o músico de Toronto, cantor e compositor e criativo empreendedor Drima Starlight. Como artista que adora ensinar, é consultor estratégico de confiança de empresários e CEOs de sucesso, de empreendedores que aparecem entre os 30 empreendedores com menos de 30 anos da Forbes, de contadores de histórias vencedores do *Grammy* e do *Emmy*, autores dos livros mais vendidos do *New York Times* e palestrantes do TEDx. Fico muito orgulhoso que Drima tenha iniciado a carreira na Mindvalley.

Durante seu meteórico crescimento profissional, Drima ficou obcecado com histórias de origem e valores fundamentais. Ele me convidou para almoçar certo dia para mostrar gentilmente que eu estava pensando em valores de uma forma errada. Drima trabalhou na Mindvalley por cinco anos e conhecia a empresa a fundo. Continuamos amigos depois que ele se tornou uma autoridade mundial em conceber valores organizacionais – e, naquele momento, ele tinha condições de abrir minha mente.

Drima explicou sobre os dois tipos de valores fundamentais e por que tantas pessoas os entendem mal.

Valores fundamentais definem a alma de uma empresa. São eles que trazem as pessoas certas para o ecossistema. Eles diferenciam um produto. Grandes marcas, grandes livros, grandes restaurantes geralmente são especiais por causa do "sabor" único dos valores dos seus criadores. Pense na Nike, na Apple ou na Starbucks. Esses valores são também os princípios de base, as crenças norteadoras e as ideias fundadoras que moldam a cultura. Os valores fundamentais partem da equipe que funda uma empresa. São usados para decidir quem entra pela porta. Se você é um empreendedor solo ou *freelancer*, eles são os valores que guiam o seu trabalho.

Valores organizacionais são desenvolvidos depois que a equipe já está atuando. São as regras que orientam os comportamentos esperados necessários para que a colaboração flua bem no dia a dia. São acordados pela empresa como um todo. Quanto mais sua equipe e sua empresa crescem, mais importantes se tornam os valores organizacionais.

A Mindvalley tinha um conjunto claro de valores organizacionais que partiram da equipe. É a lista que compartilhei há pouco. Mas eu, como fundador, nunca havia articulado os valores fundamentais, o motivo que me levou a criar essa empresa em primeiro lugar.

Drima esclareceu as coisas para mim. Mas o que ele estava prestes a me contar causaria em mim uma mudança tão radical que eu viria a perder 30% dos membros da minha equipe em um único ano (volto a falar disso mais adiante).

"Vishen, pense nos seus valores fundamentais como a declaração da fundação dos Estados Unidos. A Constituição americana é sagrada e, ao longo da história, só foi alterada após medidas importantes, por motivos relevantes que não haviam sido previstos ou foram evidentemente ignorados pelos pais fundadores da América", Drima explicou. Valores organizacionais, na sua analogia, são como as leis aprovadas pelo Congresso.

"Seus valores pessoais fundamentais são parecidos", ele continuou. Eles se formam no caldeirão das experiências formativas do início da sua vida, sobretudo durante sua infância e adolescência. Quase nunca mudam na vida adulta, a menos que você passe por uma grande crise, trauma ou grandes mudanças nas circunstâncias de vida. Caso contrário, eles permanecem praticamente os mesmos, sem alterações, por longos períodos.

Os valores organizacionais são formados quando você reúne pessoas. Eles surgem do consenso. Evoluem à medida que novas pessoas entram e outras saem da equipe, e à medida que as circunstâncias do mercado e do mundo mudam. Eles desempenham um papel fundamental, assim como as leis introduzidas, atualizadas e aprovadas periodicamente pelo Congresso.

As leis são como um modelo vivo que guia e organiza o comportamento na sociedade, conforme necessário, representando a vontade das pessoas. Elas devem estar em harmonia e consonância com a Constituição dos EUA, pois, caso contrário, seriam consideradas inconstitucionais e seriam, portanto, rejeitadas.

É por isso que os valores organizacionais não são suficientes. Para que eles tenham real importância, precisam estar enraizados no *propósito* subjacente dos valores fundamentais, que vêm diretamente do fundador ou da equipe fundadora.

E, ainda assim, a maioria das empresas se esquece disso. E a maioria dos fundadores se esquece da importância de seus próprios valores. Eles os escondem por modéstia ou por um desejo de pertencer ao *status quo*. Mas lembre-se:

Quase sempre alguém pode imitar o seu negócio.
Mas ninguém pode imitá-lo se for construído
Com base na SUA HISTÓRIA.
Quando seus valores se fundem ao negócio,
Você dá vida única à sua criação.

Steve Jobs impregnou a Apple com os valores da estética em um tempo em que computadores pessoais eram feios. Oprah impregnou seu programa de TV com os valores do amor e da cura em um tempo em que os programas de TV usavam escândalos e fofocas de família para ganhar espectadores.

Como fundador ou líder, você, mais do que ninguém, não pode ignorar os valores pessoais fundamentais que o guiam. Você precisa tomar consciência deles e de como eles o conduzem, ou então, como disse Carl Jung, "Até você se tornar consciente, o inconsciente irá dirigir sua vida, e você vai chamá-lo destino".

Então como descobrir esses sistemas de valores? Bem, parte-se dos valores fundamentais. Mas não se pode trapacear pelo caminho. Eles têm que vir direto da sua alma. O segredo é revelá-los.

Qual é a sua semente?

Fui uma das primeiras cobaias a testar o processo de identificação de valores fundamentais chamado de Exercício da História de Origem, que me permitiu descobrir meus quatro valores fundamentais e transformar o modo como trabalho. Quando perguntei a Drima como ele havia criado o processo, ele me contou uma história que nunca esquecerei. Ele a chamava de "Sabedoria à sombra de um limoeiro", e ela veio de uma lição profunda aprendida com seu avô.

Sabedoria à sombra de um limoeiro

Quando garoto, costumava passar as férias em Cartum, capital do norte do Sudão, o lugar onde o Nilo Branco e o Nilo Azul convergem, a cidade em que nasci e onde a maioria dos meus parentes vive. Eu ia visitar a casa do meu avô. No jardim frontal, ele tinha um limoeiro que, naquela época, estava começando a produzir cada vez menos limões.

Eu e ele nos sentávamos à sombra debaixo da árvore e jogávamos xadrez quase todos os dias. Meu avô dedicava seu tempo a me ensinar lições de vida e a criar um vínculo comigo. Ele foi um grande mentor para mim.

Certo dia, estávamos jogando xadrez sob o limoeiro e ele pegou um limão que havia caído na grama. Ele o abriu, cutucou, tirou uma semente e disse:

"Filho, olhe aqui. É uma semente de limão. É ela que vai lhe dar um limoeiro. Não vai lhe dar uma mangueira ou uma macieira. Uma semente de limão só faz crescer um limoeiro. Claro, você precisa colocá-la no tipo certo de solo, regá-la e garantir que receba luz do sol. Mas, no final das contas, não importa o que aconteça, a semente de limão só vai produzir um limoeiro."

Então ele continuou:

"Esse limoeiro está envelhecendo e morrendo. Assim como eu. Estou envelhecendo e, um dia, também vou morrer, portanto, há algo que você precisa entender. Quando você crescer, antes de chegar a sua hora, é sua obrigação responder a esta pergunta importante: 'Qual é a minha semente?'.

"A sua semente só irá produzir aquilo que está destinada a produzir. E só. Não se deixe distrair. Não se deixe manipular. Não se deixe afetar pela confusão da sociedade. Conecte-se com seu interior.

"Pergunte-se: 'Qual é a minha semente?'. Quando souber, vá atrás da resposta.

"Vá atrás da resposta com humildade e, assim, também conseguirá realizar o propósito da sua vida."

A história de Drima expressa de maneira contundente a verdade íntima de bilhões de pessoas deste mundo. Nenhum de nós é um clone. Cada pessoa é única, com um modelo de valores fundamentais profundamente arraigados que moldam o nosso conhecimento. Valores nada mais são do que as crenças a partir das quais funcionamos, que fazem parte de nós tanto quanto o nosso DNA.

E assim como DNA, ao tomar consciência das crenças que movem tudo que você faz, fica muito mais fácil fazer escolhas, o que lhe permite atingir mais rápido os resultados profissionais que deseja.

O exercício da história de origem

Este é o exercício que Drima me aplicou no verão de 2016. Foi um momento decisivo na minha vida, porque, pela primeira vez, percebi como meu passado moldava o meu presente.

1º Passo: mapeie seus pontos altos

Drima começou me fazendo refletir sobre os altos e baixos da minha vida. "Feche os olhos e lembre-se das experiências mais dolorosas da sua infância."

Em cada um desses momentos, surgiram valores. Os pontos baixos – sofrer racismo, ser intimidado – me fizeram criar valores como valorização da diversidade e compaixão pelo próximo. Os pontos altos, como ver um produto dar certo ou ver o brilho no olhar das pessoas nos eventos que criei, me encheram de valores ligados à inovação.

2º Passo: extraia o mais importante

Drima então me pediu para anotar os valores em uma lista. "O que mais importa na sua vida?", perguntou. Em cerca de 20 minutos, criei esta lista:

Transformação
Conexão
Compaixão
Crescimento
Humanismo
Estética
Visão
Felicidade
Transcendência
Amor
Mudança
Autodidatismo
Questionamento
Inovação
Futurismo

3º Passo: filtragem

O passo seguinte foi olhar para a lista e agrupar valores similares. De imediato, quatro grupos ficaram evidentes.

VALORES RELACIONADOS À UNIÃO
- Conexão
- Compaixão
- Humanismo

VALORES RELACIONADOS AO CRESCIMENTO PESSOAL
- Transformação
- Crescimento
- Transcendência
- Autodidatismo

VALORES RELACIONADOS AO AMOR
- Felicidade
- Amor

VALORES RELACIONADOS À INOVAÇÃO
- Estética
- Visão
- Mudança
- Inovação
- Questionamento
- Futurismo

4º Passo: dar nome aos valores

O passo seguinte foi dar nome a esses grupos. Ficou evidente para mim que esses quatro valores haviam se tornado parte do meu DNA. Ao fazer o exercício no final deste capítulo, tente agrupar seus valores também. Cada grupo deve receber um nome. Por exemplo: para o grupo 3, que envolve os valores relacionados à inovação, decidi usar o título de "Empreendedorismo".

Aqui estão os quatro valores fundamentais que me apareceram ao fazer esse exercício:
- Unidade
- Transformação
- Empreendedorismo
- Amor

É aí que a mágica acontece. Tantos empresários, consultores ou especialistas se tornam replicadores. Criam empresas, trabalhos e produtos que imitam o *status quo*. No mundo de hoje, isso já não é mais suficiente. E é também por isso que você deve impregnar seu trabalho com seus próprios valores.

Se você trabalha para uma empresa e não é seu fundador, então seus valores fundamentais são os trunfos que você leva para o trabalho todas as manhãs. Eles se aplicam ao seu trabalho, mesmo que os ache irrelevantes. Conheço uma atendente de suporte ao cliente cujo valor é a alegria. Todos os *e-mails* que ela envia a um cliente transbordam esse valor.

Meus quatro valores garantiram um diferencial único para a Mindvalley. É assim que descrevemos internamente.

1. **Unidade:** acreditamos veementemente na diversidade, no humanismo e no ambientalismo. Nós, enquanto raça humana, estamos evoluindo rumo a um futuro melhor juntos. União é a ideia de

ver similaridades, e não diferenças, e acolher a humanidade como um todo.
2. **Transformação:** acreditamos em ajudar pessoas a se tornarem a melhor versão de si mesmas – isso é válido para clientes, parceiros e funcionários. Acreditamos que o crescimento pessoal deve ser a coisa mais importante da vida.
3. **Empreendedorismo:** não temos medo de questionar o *status quo* e nunca deixaremos de buscar superar limites e criar um futuro melhor. Nossa filosofia de base são a inovação, a criação e a invenção.
4. **Amor:** cuidamos muito do nosso time, dos nossos parceiros e dos nossos clientes. Tratamos todos com cuidado e amor.

Cada um desses quatro valores fez nossa empresa se destacar em nosso setor.

- O valor da união é o motivo que nos faz empregar pessoas provenientes de sessenta países em um escritório.
- Transformação é o motivo de todos na Mindvalley levarem seu próprio crescimento pessoal tão a sério.
- Empreendedorismo é porque constantemente reinventamos nossos produtos e serviços para ficar na vanguarda do mercado.
- Amor é o motivo de termos uma cultura de amizade próxima entre os membros da nossa equipe.

Usei cada um desses valores como uma vantagem para criar a nossa marca. Com o exercício ao fim do capítulo, você pode fazer o mesmo. Transforme os seus valores na história da sua marca. Mas seus valores farão mais do que isso. Ao descobri-los, você também irá entender seus próprios comportamentos.

As forças ocultas que guiam suas decisões

Antes de descobrir os quatro valores fundamentais citados, eu não percebia as forças implícitas que guiavam tantas das minhas decisões. Via-me fazendo acordos com parceiros com quem não me acertava, ou entrava em conflito para tomar decisões importantes. Antes de saber que a *transformação* era um dos meus valores fundamentais, tentei criar empresas em outras áreas e só acumulei fracassos. Porém, quando criava empresas ou projetos na área da transformação humana, eram sempre um grande sucesso. Quando você conhece sua marca espiritual, sabe qual é seu diferencial único.

Empreendedorismo, ou o ato de sonhar com novas criações, foi outro dos meus valores que conheci nesse exercício. Como uma criança que cresceu rodeada de peças de LEGO e como engenheiro de formação, sempre senti que dou meu melhor quando estou construindo, criando e inventando. Nada é constante para mim. Inovação é um estilo de vida. Mas, antes de 2016, eu não conhecia a profundidade desse valor. Antes de estabelecer o empreendedorismo como valor, uma das opiniões mais negativas a respeito da Mindvalley vinda de ex-funcionários era que as "coisas mudavam rápido demais".

Para mim, no entanto, a mudança era uma necessidade no nosso setor. Ao estabelecer e definir com clareza o empreendedorismo como valor e, assim, mudar nossa forma de viver, agora atraímos pessoas que se saem bem em ambientes acelerados. A queixa de que os negócios mudavam rápido demais praticamente desapareceu da empresa. Em vez disso, as pessoas que atraímos entendem a inovação como uma necessidade. Resultado: pessoas mais felizes e uma empresa mais saudável.

Esses quatro valores – unidade, transformação, empreendedorismo e amor – agora se refletem em tudo que fazemos na Mindvalley e em todos que trabalham para nós. Eles aparecem nas nossas páginas de vagas em uma seção que diz: "Você se identifica com nossos valores?".

A verificação dos valores fundamentais começa aqui. Confrontamos nossos funcionários potenciais desde o momento em que eles nos encontram e assim se segue durante todo o processo de contratação, até quando os convidamos a trabalhar conosco. Por essa razão, as pessoas que atraímos incorporam essas mesmas qualidades.

A maioria dos indivíduos vive às cegas, sem conhecer as crenças profundas que guiam e moldam seus comportamentos. Simplesmente não é algo em que somos ensinados a prestar atenção, o que não faz nenhum sentido. Principalmente quando Drima coloca da seguinte forma:

> *Vishen, os seus valores precisam vir da sua alma. Você criou essa empresa. Há um motivo para você ter nascido e um motivo para o que lhe acontece em vida. Escute sua voz interior e decida quais valores importam para você. Não olhe para fora nem invente uma besteira de um processo de votação.*

Lembre-se: se você for o fundador da sua empresa, precisa descobrir e impregnar os seus valores na organização nascente. Não os subjugue. Seus valores foram deliberadamente colocados dentro da sua alma. São as sementes do que o Universo está tentando criar por meio de você. Ouça com atenção aquilo que está surgindo.

Como Steve Jobs disse na famosa aula magna de 2015 em Stanford:

> *Não é possível ligar os pontos olhando para a frente; os pontos só se conectam em retrospecto. Por isso, é preciso confiar que, de alguma forma, eles se conectarão no futuro. É preciso confiar em algo – seu instinto, o destino, o karma. Não importa. Essa ideia jamais me decepcionou, e fez toda a diferença na minha vida.*

Olhe para os acontecimentos passados da sua vida. Os fracassos. As dores. Os altos e os baixos. Eles moldaram seus valores. E esses valores devem guiar suas decisões sobre o tipo de empresa que você cria e o trabalho que você realiza.

Os valores têm que partir de você. Eles se enraízam durante os eventos significativos que moldam a sua vida. Acabei por compreender que esses momentos geralmente são dolorosos. Mas é neles que mais crescemos. Há um valor imenso nas experiências mais difíceis. São os males que vêm para o bem.

As dádivas ocultas da dor

E aqui está o grande segredo dos valores fundamentais: às vezes, eles surgem da dor e do sofrimento. Não raro, seus valores são o seu desejo inconsciente de garantir que outras pessoas não sofram a mesma dor que você sofreu.

Os seus valores se tornam a cura que você quer oferecer ao mundo por causa da dor que sentiu. Ou, para citar Rumi mais uma vez:

É através da sua ferida que a luz penetra em você.

Ser colocado em uma lista de vigilância (história que contarei no próximo capítulo) e ter que sair dos Estados Unidos foi doloroso. Mas não me arrependo. Foi o que me ajudou a reconhecer meu valor fundamental: unidade.

E, ao perceber que seu sofrimento pode trazer consigo uma dádiva oculta, algo especial acontece. Talvez seja isso que Viktor Frankl, autor do famoso livro *Em busca de sentido*, quis dizer com a frase:

O sofrimento deixa de ser sofrimento no momento em que encontra sentido.

Bom, geralmente não é um só valor que o define. São muitos. A ideia é começar com uma lista grande e consolidar e enumerar os mais importantes.

O Exercício da História de Origem pode mudar radicalmente para melhor a forma como você conduz sua vida e sua empresa. Meu palpite é que você terá uma experiência parecida ao passar pelo processo ao final deste capítulo. E quando isso acontecer, lembre-se:

O seu passado geralmente é a trilha de migalhas que o levará a encontrar o sentido, os valores e o propósito da sua vida.

Como levar isso para a sua equipe

Há que se fazer uma pequena ressalva antes de apresentar valores fundamentais a uma equipe. Pode haver um inconveniente passageiro, um aspecto ligeiramente doloroso no processo. Em 2016, quando implementei os valores fundamentais na Mindvalley, 30% da nossa equipe se demitiu. Não é de surpreender. Ao trazer novos valores, a empresa muda. É por isso que é melhor construir um negócio a partir deles e conduzir esse processo antes de montar uma equipe.

Mas, se seu negócio já está operando, faça o exercício e traga os seus valores fundamentais para a empresa. Nem todos ficarão felizes com a mudança. Não quer dizer que eles estão errados. Só quer dizer que a relação de trabalho talvez não seja vantajosa para ambas as partes.

O lado bom? Doze meses depois, entramos em um período de três anos de crescimento acelerado. A empresa se organizou em torno desses novos valores. As pessoas que entraram para a "nova" Mindvalley em 2016 permaneciam quase 50% mais tempo conosco, produziam duas vezes mais receita por funcionário e, de modo geral, se sentiam mais felizes, porque se identificavam com nossos valores.

Os benefícios superavam em muito qualquer adversidade de curto prazo. Valores fundamentais resultam em equipes mais conectadas, com melhor desempenho. Então, atenha-se a esta regra: valores fundamentais vêm em primeiro lugar.

Agora pule até o Exercício da História de Origem. Ou continue lendo para saber em que se concentrar após definir seus valores fundamentais – valores organizacionais.

Veja abaixo como os valores fundamentais e organizacionais atuam em conjunto.

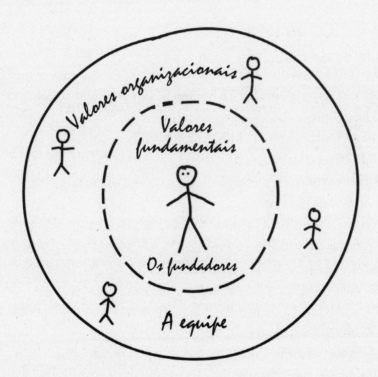

Os valores fundamentais emanam do fundador e através da empresa. Os valores organizacionais emanam da equipe. Nos exercícios finais deste capítulo, explico o processo de criar valores organizacionais. Ele é opcional, e você pode deixá-lo de lado e passar direto para o Capítulo 2 se não o agradar. Os valores organizacionais são construídos com os membros da sua equipe.

Mas, antes de mais nada, pare agora e faça o Exercício da História de Origem abaixo. É hora de descobrir a sua marca espiritual única.

Resumo do Capítulo

Modelos de realidade

Você precisa conhecer seus valores fundamentais.

Tenha você consciência deles ou não, os seus valores estão moldando todas as suas decisões. Ao defini-los com clareza, entenderá o que precisa fazer em seguida e com quem precisa se conectar para construir uma vida e um negócio inspiradores.

Ao entender os valores que o guiam, tudo na vida fica mais fácil. Você entende por que faz aquilo que faz, quem precisa ter na sua equipe, em que projetos precisa embarcar e como o seu negócio mudará o mundo. Você irá se sentir como um Buda, sereno e seguro de suas ações. Sua atitude positiva irá se fazer sentir de longe. Você liderará com sua atitude e seu comportamento.

Quando souber o que quer, sua próxima tarefa é atrair magneticamente as pessoas certas, algo que você irá aprender no Capítulo 2.

Sistemas de vida

Exercício 1: o exercício da história de origem

Siga as instruções a seguir para definir seus valores fundamentais. Lembre-se de que esses valores não podem ser inventados. Eles devem ser extraídos.

Ao passar por esse processo, você terá uma lista que o ajudará a entender em quais negócios, movimentos ou projetos deve se envolver, e como posicionar sua empresa de forma a se alinhar com os melhores parceiros.

PASSO 1: Reconecte-se com momentos cruciais do passado. Os valores tendem a surgir nos momentos de dor, porque é nessa hora que tomamos grandes decisões sobre como vamos agir no futuro. Mas os valores também surgem em momentos cruciais, momentos de medo ou alegria tão grandes que você não quer mais esquecê-los. Pense sobre os momentos cruciais da sua vida, os altos e os baixos. NOTA: Se você passou por algum trauma, talvez possa ser útil contar com a ajuda de uma pessoa querida ou conselheiro durante esse processo.

Pergunte-se: *Qual foi a experiência mais dolorosa que você viveu na infância?*

PASSO 2: Escreva a história com riqueza de detalhes. Volte ao momento com a sua mente. Descreva-o vividamente. Quem estava presente? O que aconteceu? Como você se sentiu?

Exemplo: "Caí do balanço direto em uma poça de lama, e todos os meus amigos riram da minha cara".

PASSO 3: Repita o processo para quando você tinha de 5 a 25 anos de idade. Examine seu passado e repita os Passos 1 e 2 para cada memória.

Se ajudar, pode traçar uma linha do tempo e marcar nela os principais momentos de sofrimento.

PASSO 4: Escreva os valores que surgiram naqueles momentos. Avalie o que você aprendeu com todas as experiências doloridas e com suas maiores conquistas. Quais crenças passou a ter? Além de cada memória, escreva uma palavra para descrever a crença ou o valor essencial que você acredita que surgiu naquele momento.
Exemplo: "Verdade", "Coragem", "Conexão".

PASSO 5: Defina os seus valores. Revise todos os valores e crenças anotados. Defina o que eles significam para você.

Se quiser acessar uma versão aprofundada desse exercício, criei um vídeo bônus com Drima guiando-o pelo processo. O vídeo está disponível em www.mindvalley.com/badass.

Atualmente, Drima Starlight realiza oficinas com executivos e treina individualmente os maiores líderes de grandes marcas americanas e globais, junto com seu parceiro de treinamentos David Anthony Childs. Para mais informações sobre os serviços prestados por eles, visite o site www.drimastarlight.com.

Bônus opcional: entenda os valores organizacionais

Valores organizacionais são as atitudes e os comportamentos que os membros de uma equipe devem demonstrar. É por isso que o processo para defini-los é democrático.

Além disso, quando a equipe muda e a cultura se altera, você precisa revisar os valores organizacionais a cada fase do seu negócio. O desenvolvimento de valores organizacionais é contínuo. É um processo evolutivo. As equipes que eu tinha em 2008, 2015 e 2019 tinham, todas elas, versões ligeiramente diferentes. É importante voltar constantemente aos valores organizacionais, revisá-los e reafirmá-los (em contraponto, os valores fundamentais mudam raramente).

Conto agora como chegamos aos nossos valores organizacionais em 2019. Reuni um grupo de colegas que, para ser sincero, eu adoraria poder enfiar numa máquina e clonar cada um. Todos eles têm bom espírito de equipe e excelente desempenho, são especialistas nas suas áreas, com atitudes que nós, como equipe, gostaríamos de codificar.

Havíamos nos preparado um dia antes. Foram necessários alguns meses de trabalho colaborativo, que iniciou por mim. Comecei pelos meus valores fundamentais. Levando esses valores em consideração, mas também refletindo sobre o que a empresa e a equipe precisavam, cheguei a uma lista de dez valores que eu desejava que a nova evolução da cultura da Mindvalley incorporasse. Então pedimos que todos aqueles profissionais de alto nível acrescentassem algo à lista inicial – e a questionassem.

Em uma tarde de sexta-feira, o grupo se reuniu fora da empresa, em um hotel próximo. Escrevemos cada um dos valores em um quadro branco. Éramos um grupo de cinquenta pessoas aproximadamente. Dividimo-nos em times, em que cada membro se expressava sobre as atitudes que gostaria que os colegas demonstrassem. Então reunimos as equipes novamente e continuamos a consolidar.

Chegamos, por fim, a uma lista de valores organizacionais em substituição àquela que havíamos criado em 2015. A seguir a lista parcial:

1. **Comunicação transparente**
   - Crio um espaço seguro para que as pessoas não se sintam julgadas ou egoístas.
   - Prefiro falar de mais a falar de menos.
   - Procuro entender antes de ser entendido.

2. **Liderança visionária**
   - Tomo atitudes ousadas. Ganhar ou perder – experimentar a ideia, mesmo se não tiver certeza do resultado.
   - Lidero não só com palavras, mas também com ações. Demonstro os comportamentos e atitudes que espero dos outros.
   - Elevo os outros à melhor versão deles mesmos.

3. **Trabalho em equipe**
   - Sempre harmonizo ideias de forma a criar em conjunto com o grupo.
   - Ouço as ideias dos outros e sou aberto a críticas.
   - Em vez de competir, prefiro colaborar.

Tudo bem se inspirar nas ideias de outras empresas, mas tenha em mente que toda equipe tem um código cultural único, diferente de todos os outros. E também, à medida que o negócio evolui, você deve sempre voltar a analisar seus valores organizacionais.

Lembre-se de que os valores organizacionais devem vir DEPOIS dos valores fundamentais. Se você quer implementar isso na sua equipe, deixo aqui um guia preliminar.

Exercício de valores organizacionais (opcional)

Valores organizacionais são as regras que regem as atitudes esperadas e as atitudes exigidas de membros de uma equipe para que a colaboração flua bem no dia a dia. Siga este processo democrático para criar uma lista que defina o código de conduta de qualquer equipe.

Passo 1: Consulte a sua lista de valores fundamentais. Considere as atitudes e os comportamentos desejados dos atuais membros da equipe, e atitudes e comportamentos que você espera da sua futura equipe.

Considere também a experiência cotidiana do fluxo de trabalho. *Como você quer que a equipe trabalhe junto? Para onde o negócio está caminhando atualmente? Quais atitudes e comportamentos são necessários para chegar lá?*

Crie uma lista de seis a dez valores essenciais que você acredita que representam as condições desejadas na cultura da sua equipe.

Passo 2: Revise a sua lista de seis a dez valores essenciais com a equipe executiva em primeiro lugar. Peça que revisem, cortem, questionem, agreguem à lista. Decidam sobre os seis a dez valores essenciais finais.

Passo 3: Reúna sua equipe. Selecione os melhores funcionários que estão na empresa há mais tempo, que entendem a atual dinâmica da equipe e do que a empresa precisa. Ou trabalhe com toda a equipe, seguindo o processo abaixo.

1. Compartilhe os seis a dez valores com toda a equipe. Peça para que todos anotem afirmações comportamentais que acreditam demonstrar o valor essencial desejado. *Exemplo: liderança visionária –* "*eu questiono o status quo*".

2. Divida toda a equipe em pequenos grupos de três pessoas. Peça para que essas equipes analisem e consolidem as afirmações comportamentais que cada membro da equipe escreveu, eliminando as repetidas, de forma a criar uma lista única para aquela equipe.
3. Peça para as equipes de três formarem pares, resultando assim em equipes de seis pessoas. Peça para que eles continuem a consolidar e analisar as afirmações comportamentais que cada membro da equipe anotou.

   Os grupos de seis devem escrever suas listas finais de afirmações comportamentais em uma lista oficial, sem repetir afirmações trazidas pelas outras equipes.
4. Reúna todo o grupo novamente e revise cada lista de valores essenciais, para solidificar as afirmações finais.

Passo 4: Compartilhe a lista com toda a empresa. Dado esse passo, você pode usar a criatividade para inventar uma música, um código ou uma frase que ajude os membros da equipe a aprender e memorizar a lista final.

CAPÍTULO 2

ATRAIA SEUS ALIADOS

Encontre um grupo de pessoas que o desafie e o inspire, passe muito tempo com eles, e isso mudará sua vida.
— Amy Poehler

A melhor forma de atingir a grandeza é com outras pessoas. O mundo é complexo demais para ser desbravado sem companhia. As pessoas são atraídas por você não por causa do seu plano de negócios, mas porque seus sonhos lhes dão esperanças. Os seres humanos são movidos mais pela emoção do que pela razão. O maior presente que você pode dar a alguém é convidá-lo a compartilhar um sonho. É assim que você se torna magnético e se alinha com as pessoas de que precisa para concretizar qualquer visão.

Em um dia qualquer, em 2003, cheguei ao aeroporto JKF. Estava voltando para minha casa em Nova York, após visitar meus pais na Malásia. Mas, quando cheguei na alfândega, em vez de receber o selo no passaporte de sempre, fui conduzido até uma sala de segurança.

Ansioso, fiquei ali sentado, acompanhando cada tique-taque do relógio na parede, aguardando enquanto o agente da imigração na cabine puxava um arquivo amarelo com o meu nome. Minhas pernas não paravam quietas, em um tique nervoso incontrolável, como um telégrafo em funcionamento.

Sentia-me tenso por dois motivos. Estava nervoso porque minhas malas estavam largadas na área de restituição de bagagem. E porque não tinha nem ideia de por que estava ali.

Três horas depois, um agente me chamou: "Senhor Vishen Mohammad". Ninguém se levantou. Será que ele estava me chamando?

Novamente, ele disse: "Senhor Vishen Mohammad".

Levantei-me, organizei as malas e fui me arrastando até a cabine de vidro. Ele ergueu a janela e me olhou de cara fechada.

"Você quis dizer Mohammad ou Mohandas?", perguntei.

O agente olhou para o passaporte na sua mão e então respondeu: "Ah, sim, Mohammad, Mohandas, tanto faz...".

Talvez a diferença nos nomes fosse sutil, mas não é difícil ver que aquela situação toda foi cruel. Naquele tempo, eu usava o nome do meio do meu pai, que era Mohandas. Um nome indiano bastante comum. O primeiro nome de Gandhi era Mohandas. Mas a proximidade das sílabas com o nome árabe Mohammad parecia ser suficiente para levantar suspeitas.

"Sinto muito informá-lo, mas seu nome consta na lista especial de registro", disse o agente.

De imediato, senti-me culpado, embora não tivesse nenhum motivo para sentir-me assim. Você já foi acusado de alguma infração e, mesmo sabendo que era inocente, ficou buscando na memória alguma coisa que possa ter feito para justificar as acusações? Foi assim que me senti.

"O que isso quer dizer?", perguntei.

"Seu nome foi colocado em uma lista de vigilância", ele disse. "Provavelmente porque você nasceu na Malásia."

"Mas meu nome não é Mohammad. Eu vivo aqui há nove anos", respondi.

ATRAIA SEUS ALIADOS

"Não importa. O Departamento de Estado não aceita mais correr riscos", disse o agente.

O "registro especial" era um banco de dados de aproximadamente setenta mil homens, muitos dos quais nascidos em países muçulmanos. Era mais conhecido como lista de vigilância de muçulmanos. Foi criada pelo governo para monitorar ameaças de segurança e conter ataques terroristas. O programa de registro especial exigia que todos os visitantes estrangeiros que chegavam aos Estados Unidos, com idade igual ou acima de 16 anos, provenientes de países específicos, se registrassem no Departamento de Imigração dentro de um certo período de tempo. Eu não era muçulmano. E isso nem deveria fazer diferença. Mas de qualquer forma, fui parar naquela lista.

Naquela época, haviam passado apenas dezoito meses desde os ataques terroristas de 11 de setembro. Os Estados Unidos se encontravam em estado de hipervigilância. E por um bom motivo. Mas eu não havia feito nada para ser tachado como uma ameaça potencial à segurança. Para constar, fui retirado da lista em 2008, e em 2013 o programa foi encerrado por completo, após constatarem que era praticamente inútil (o que não impediu Trump de tentar reativá-lo – e fracassar – em 2018).

Mas naquele dia em 2003, quando fui inscrito naquela lista, os Estados Unidos eram minha casa havia nove anos. De repente, foi-me negado o direito de embarcar em um avião ou, pior, desembarcar de um avião sem passar por uma entrevista especial que poderia durar até três horas torturantes. Viajar de avião se tornou um tormento.

Porém, isso não era nada comparado à obrigação de apresentar-me mensalmente às autoridades. Era a pior parte. Mesmo se eu decidisse não viajar de avião, a cada quatro semanas, precisava esperar em uma fila de estrangeiros que se apinhavam em torno de um escritório do governo no centro de Nova York para me apresentar. Em alguns dias, fazia um frio de amargar. Apresentei-me certa vez em fevereiro e entrei para o final de uma fila que se estendia por quatro quarteirões. Tremi de frio por três horas. Por fim, deixaram-me entrar no prédio aquecido – mas o serviço que recebi foi de pura frieza.

Quando chegou minha vez, coletaram minhas impressões digitais. Depois, fizeram um retrato. E vasculharam as minhas faturas de cartão de crédito, procurando atividades suspeitas.

Os Estados Unidos eram meu lar. O país que eu amava. Queria que meus filhos nascessem e crescessem lá. Mas logo se tornou um lugar difícil de viver.

Após três meses repetindo obedientemente aquele ritual imposto pelo governo, cheguei em casa à noite, olhei nos olhos da minha esposa à época, Kristina, e disse: "Não aguento mais". Eu amava os Estados Unidos. Mas não podíamos mais viver ali. Então fomos embora da nossa casa.

Que fique claro: não falo sobre isso para apontar culpados. O país que eu amava havia sofrido um ataque devastador. Eu morava em Nova York, em um local próximo às torres, e havia passado muitos verões patinando naquela região. O World Trade Center ficava localizado no meu bairro. Os ataques foram penosos para mim. Como qualquer cidadão nascido na América, eu queria um país seguro.

Saímos do país que eu amava não por não querer estar lá, mas porque viver naquele lugar havia se tornado muito doloroso. Por causa das estruturas de segurança recém-impostas, eu não me sentia mais bem-vindo.

Desembarcar em Kuala Lumpur, na Malásia, foi surreal como um pesadelo. Ao descer as escadas do avião, chegando na pista, olhei à minha volta, aquele aeroporto repleto de palmeiras de um verde luxuriante que se enfileiravam ao lado da pista de decolagem. Respirei aquele perfume úmido de jasmim que pairava no ar. E pensei: "Merda, e agora?". A Malásia era quase uma terra estrangeira para mim. Eu havia passado toda a vida adulta nos Estados Unidos. A Mindvalley havia sido fundada nos Estados Unidos. Meus clientes e parceiros estavam todos nos EUA. Sentia que havia sido expulso de casa.

Mas eu estava determinado a continuar tocando meus negócios. Não tinha a menor ideia de como seria, mas eu daria um jeito.

A voz interior

Foi em junho de 2004 que me vi de volta à Malásia. À época, o país estava sofrendo de uma séria fuga de cérebros. Quando chegamos, a Malásia perdia por ano cerca de trezentas mil pessoas inteligentes e capacitadas. Os profissionais mais talentosos do país estavam se mudavam para países como Singapura, Hong Kong, Reino Unido ou Canadá.

Eram lugares com oportunidades muito melhores. A Malásia era vista como fim de carreira. Meus amigos me perguntavam: "Por que você voltou? Não tem bons empregos por aqui". Pelo menos na Malásia tínhamos o conforto e o apoio da minha família mais próxima. Meu pai e minha mãe ainda viviam em Kuala Lumpur.

A pergunta era: *Será que eu conseguiria realizar meu sonho de criar uma startup nos moldes do Vale do Silício, para atender o mercado americano, em um país que fica do outro lado do planeta, com uma baixa oferta de talentos?*

Eu tinha quatro malas e o amor da minha esposa e dos meus pais. E estava voltando a morar com meus pais aos 28 anos de idade. Eles também acreditavam em mim e me deram margem para ser ridiculamente teimoso.

Foi quando uma voz interior falou comigo.

Você já percebeu uma voz interior lhe dando um empurrão? Mesmo não tendo certeza de que de fato exista algo assim? Seria a sua alma? Instinto? Ou foi aquela salada meio estragada que você comeu?

Uma das minhas frases preferidas de todos os tempos é do filme *Babe, o porquinho atrapalhado*. É um filme sobre um porco falante que quer ser pastor de ovelhas. Há um momento no filme em que o fazendeiro dono do porco tem um pressentimento de que seu porco é especial. Ele acredita que seu animal é tão especial que talvez até ganhe um concurso de cães pastores. Ao se dar conta disso, o narrador do filme diz:

> *Aquelas pequenas ideias que provocam e incomodam e se negam a ir embora nunca devem ser ignoradas, pois é delas que brotam as sementes do destino.*

Lembre-se disso. É uma daquelas frases para levar para a vida.

Bem, tenho certeza de que você já passou por momentos assim. Chame de voz interior, intuição, criatividade, alma, instinto, palpite, o Universo ou Deus. Escolha a palavra que melhor o ajude a descrevê-los. Mas não se deixe enganar, todos os seres humanos têm pressentimentos assim.

E foi isso que aconteceu comigo quando voltei à Malásia. Minha voz interior não ficava quieta. Ela ficava me dizendo:

Voz interior: *Você está aqui por um motivo. Pare de sentir pena de si mesmo e comece a construir essa empresa que você chama de Mindvalley.*

Eu: *Não enche. Não estou a fim.*

Voz interior: *Seja sincero, você não tem muita escolha. A cultura do trabalho aqui é péssima. Está décadas atrás de Nova York e do Vale do Silício. Você não vai conseguir encontrar um emprego que o mantenha feliz. Então crie seu próprio mundo.*

Eu: *Você fez uma boa observação.*

Voz interior: *O que o leva a crer que não conseguiria atrair pessoas talentosas aqui na Malásia? Claro, o país está sofrendo de uma fuga de cérebros e talvez não haja tantos talentos por perto. Mas pense fora da caixinha. E se você atraísse cérebros de outros países e convencesse pessoas a morar aqui?*

Eu: *Bem, isso seria incrível! Mas COMO?*

Minha voz interior se animou muito com essa ideia, mas minha mente racional, nem tanto. Então fiquei remoendo essa ideia por várias semanas. Parecia uma eternidade. E minha voz interior não calava a boca.

Meu maior desafio era o fato de ainda não ter um produto de sucesso. Eu não *sabia* o que faria. Estava meio que cambaleando entre negócios, tropeçando pela vida. Tinha ideias brilhantes, mas as circunstâncias não ajudavam a encontrar um caminho fácil para realizá-las.

É a mesma situação que hoje vejo acontecer com muitos dos meus colegas, amigos, parceiros e alunos. Eles têm ideias brilhantes. A intuição continua dando-lhes empurrões. Mas eles param por aí. Ficam paralisados pelo medo de não ter todas as respostas. As ideias morrem porque eles sabem o *quê*, mas não sabem *como*.

Quando isso acontece, eles também perdem a fé neles mesmos e na vida. Torna-se um fracasso secreto do qual só eles sabem. Novamente, eles sentem que se contentaram com as circunstâncias. E se prenderam a crenças de que "a vida é difícil", ou "eu não consigo", ou "dá muito trabalho". Mas assim eles nunca aprenderão sobre o verdadeiro poder que todos os seres humanos trazem consigo ao nascer.

Há uma lição que aprendi naquele período da vida e muitas outras vezes desde então. Tornou-se agora um conhecimento que me liberta sempre que estou paralisado. É o seguinte:

Você não precisa saber como chegar a um resultado.
Esqueça isso de saber COMO.
Tudo o que você precisa saber é POR QUE e O QUE fazer.
Depois, compartilhe com paixão.
As pessoas de quem você precisa virão até você.
E trarão as respostas de que você precisa.
E costuma ser mais rápido do que você possa esperar.

Este é o tema deste capítulo. Desbloquear seu sonho e compartilhá-lo com tanta força que o mundo será atraído até você. As pessoas de que você precisa virão. E, juntos, vocês distorcerão a realidade com mais força do que qualquer pessoa conseguiria sozinha.

"Vou atrair cérebros de outros países"

Em uma noite de insônia, a ficha caiu. E se eu conseguisse criar um ambiente de trabalho tão atraente que talentos de todo o mundo se dispusessem a se mudar para a Malásia e me ajudassem a construir a empresa dos meus sonhos?

Na minha cabeça, uma frase de Buckminster Fuller se repetia incessantemente. Bucky uma vez disse:

Você nunca irá mudar as coisas se lutar contra a realidade presente.
Para mudar algo, crie um novo modelo que torne o atual obsoleto.

Essa visão de criar um novo tipo de negócio, o Melhor Lugar do Mundo para Trabalhar, me energizou. E não seria em Nova York, ou no Vale do Silício, nem em Londres ou Berlim, ou qualquer uma das cidades mais famosas do mundo. Seria em Kuala Lumpur.

Eu me dei o prazo de até 2020 para conseguir. Meu mantra pessoal passou a ser: "Dane-se a fuga de cérebros. Nossa empresa irá atrair cérebros de outros países e trazê-los para a Malásia".

Certo, eu admito, o nível de delírio necessário para dizer algo assim é bem alto. Principalmente quando você está quebrado, trabalhando em um escritório nos fundos da fábrica do seu pai no subúrbio da cidade (valeu, pai, pelo espaço comercial de graça!). Mas, curiosamente, esse sonho insano começou a se tornar realidade.

Atraindo pessoas como um ímã

Não importa se você administra uma empresa, trabalha em uma ou está começando seu próprio negócio, ONG ou movimento, o primeiro passo para poder fazer um enorme sucesso é se tornar um ímã para as pessoas de quem precisa para cumprir sua missão. Para você, podem ser colegas, parceiros ou clientes.

A boa notícia é que há uma fórmula. Para a maioria das pessoas, tudo começa com uma mudança total de mentalidade. Deixe-me contar uma coisa: você não precisa saber tudo de antemão. Você precisa ter uma visão e depois partir para o *quem*. Não tente compreender todas as etapas para conseguir realizar a sua visão. Desista de precisar saber todas as respostas e, em vez disso, concentre-se em atrair as pessoas que tornarão essa visão uma realidade. Quando acompanhado das pessoas certas, são elas que irão ajudar a desvendar o *como*.

Neste exato momento, há pessoas talentosas em todo o mundo loucas para unir forças com você. Elas acreditam nas mesmas ideias (possivelmente desajustadas), vislumbram o mesmo futuro. Estão desesperadas pela mesma mudança pela qual você anseia.

Essa é a genialidade da mentalidade do Buda. Não é saber todas as respostas. É acreditar na sua ideia e no fato de que outras pessoas têm sonhos parecidos e estão dispostas a colaborar com você. É se entregar ao mistério do instinto, confiando que outras pessoas têm essa mesma sabedoria interior.

A parte mais brilhante disso é que muitas dessas pessoas têm habilidades que você não tem. Habilidades de que você precisa. E elas precisam de você. Una-se a elas e juntos vocês se tornarão um bando invencível de rebeldes guiados por uma missão que pode mudar o mundo.

Para fazer isso acontecer, você precisa realizar o trabalho deste capítulo e transformar sua empresa, movimento ou você mesmo em um ímã.

Depois, é fácil. Você atrai as pessoas certas. E a melhor parte é que não precisa de um escritório chique, mimos de qualquer tipo ou, no meu caso, de uma empresa viável para trazê-las até você.

Seja o motorista do ônibus

No livro *Empresas feitas para vencer*, Jim Collins escreve: "Você é o motorista de um ônibus. O ônibus, sua empesa [ou projeto, ideia ou movimento], está parado, e o seu trabalho é colocá-lo em movimento...".

Ele segue explicando: "Comece pensando não em 'onde', mas em 'quem'. Comece colocando as pessoas certas dentro do ônibus, tirando as pessoas ruins e colocando as pessoas certas nos lugares corretos".

Levei a sério esse conselho. E, para ser franco, não se tratava apenas de bom senso nos negócios. Eu estava me sentindo sozinho, sentia falta dos meus amigos que deixei nos Estados Unidos. Desejava criar conexões sociais com pessoas com mentes parecidas com a minha, tanto quanto eu queria uma empresa de sucesso.

Fiz tudo que eu podia para conseguir preencher o banco de talentos. Mas infelizmente eu não tinha condições de bancar um escritório de verdade. Então trabalhava em um Starbucks, até que eles cancelaram o Wi-Fi grátis para evitar que caras como eu comprassem um *cappuccino* pequeno e ficassem ocupando uma mesa por sete horas.

Bem, isso aconteceu em 2004, uma época em que não havia tantos fundos disponíveis para *startups*. Eu tinha 28 anos e estava quebrado. Fui obrigado a fazer o que muitos empreendedores de *startup* fazem. Fui ao Banco do Papai e pedi ajuda. Foi quando meu pai gentilmente me ofereceu o escritório improvisado nos fundos do seu depósito.

ATRAIA SEUS ALIADOS

A Mindvalley era eu e mais um labrador chamado Ozzy, juntos em um depósito acabado. Ozzy era uma ótima companhia. Mas ele não sabia usar um teclado e nunca entregou bons resultados.

Foi então que meu colega Mike, de Michigan, entrou para a equipe. Ele se tornou sócio-fundador. Juntos, fizemos um anúncio procurando dois estagiários. Adelle e Hannu foram minhas primeiras contratações. Não tínhamos muito a lhes oferecer, apenas um salário modesto e um sonho. Nosso primeiro produto tecnológico seria lançado apenas anos mais tarde. Mas ambos viram na nossa empresa uma oportunidade de aprender.

Mike e eu agora tínhamos dois estagiários, e nós quatro construímos a empresa em um lugar onde estávamos loucos atrás de talentos. Nosso foco principal era criar aplicativos inovadores para a Web 2.0, que estava surgindo na época. Competíamos com empresas do Vale do Silício. Mas nosso crescimento era freado pela nossa necessidade urgente de engenheiros talentosos, gênios do *marketing* e especialistas em *branding*. Precisávamos imediatamente de pessoas inteligentes trabalhando conosco. E eu estava sobrecarregado – um sinal óbvio de que precisávamos contratar.

E, quase que por acaso, deparamo-nos com a solução. Um dia, só de brincadeira, escrevi um manifesto para descrever o novo tipo de negócio que eu queria criar.

Tática 1: o manifesto

O escritório 1.0 ficava em uma região ruim. A caminhada matinal para chegar lá percorria calçadas quebradas nas quais vendedores ambulantes montavam suas barraquinhas de comida, e o cheiro de *curry* e frango frito pairava no ar. Na ruela de trás do depósito, caminhões de transporte carregavam cestas trançadas baratas, *pallets* de camisetas vendidas por atacado ou caixas de frutas exóticas – itens destinados a locais muito mais badalados.

Evidentemente, o primeiro programador de computador que entrevistei negou o trabalho. Sinceramente, não o culpo. Pelo menos ele foi gentil o suficiente para dizer: "Vou pensar a respeito".

Era um código para "Sem chance! Nunca vou trabalhar nesse lugar".

Para chegar ao escritório, ele teve que passar por caixas de três metros cheias de roupas chinesas e indianas, prontas para serem carregadas nos caminhões.

Então a dúvida era como fazer com que pessoas brilhantes se mudassem para a Malásia para trabalhar em uma *startup* desconhecida sem dinheiro algum. Após meses de frustração, percebi que anúncios comuns de emprego não trariam resultados. Precisávamos de um novo método. Certa noite, senti-me inventivo. Peguei um pedaço de rascunho e rabisquei um manifesto, que não dizia *o que a Mindvalley era* (que, sinceramente, não era muita coisa) ou quais habilidades eu estava procurando, mas em vez disso, *o que a Mindvalley representava* e o que a empresa seria. A ideia que me ocorreu abriria as comportas e é uma ideia que usamos até hoje. Chamo-a de Técnica do Manifesto.

Um manifesto não vai simplesmente trazer mais candidaturas. Vai trazer pessoas que personificam seus valores e suas crenças. Vai trazer o tipo *certo* de pessoas.

Eis aqui o manifesto que escrevi, em toda a sua glória imperfeita. Ao lê-lo, lembre-se de que foi escrito em 2005, quando o mundo era um lugar diferente.

Os 10 principais motivos para trabalhar na Mindvalley (2005)

1. Liberdade: entendemos que pessoas brilhantes odeiam regras e limitações e desejam ter liberdade para trabalhar do seu próprio jeito.

ATRAIA SEUS ALIADOS

2. Pensar GRANDE! Não queremos criar um *software* de *e-mail*, pretendemos criar a maior revolução no *e-mail* desde o Gmail. Não nos contentamos em criar ferramentas para *blogs*, queremos criar o primeiro *blog* "inteligente" do mundo. Ao construirmos um *site* para um comércio virtual, queremos colocá-lo no grupo de 1% melhores *sites* em taxas de desempenho. Queremos melhorar a vida das pessoas por meio da tecnologia tanto quanto fizeram Yahoo!, Google ou Apple. Adoramos objetivos grandiosos, assustadores e audaciosos.
3. Rentabilidade: somos perfeitamente rentáveis e continuamos vendo nossos lucros crescerem no mínimo dez por cento ao mês.
4. Pessoas incríveis: contratamos só os melhores. Para um cargo normal, peneiramos cerca de cem currículos e entrevistamos ao menos dez pessoas. Ao entrar, você irá trabalhar com as melhores cabeças do mercado. Entendemos que pessoas nota "10" atraem pessoas nota "10".
5. Mimos. Cuidamos bem de nossos funcionários, o que inclui auxílio-aluguel, *tickets* para *shows* de vez em quando, café do Starbucks, jantares e bebidas. Nossos fundadores trabalharam na Microsoft e no eBay e acreditam no modelo de regalias do Vale do Silício.
6. Criatividade. A jornada de trabalho semanal tem 45 horas. Desse tempo, permitimos que você passe cinco horas por semana trabalhando em seus próprios projetos ou invenções. Se seu projeto der certo, vamos ajudá-lo a lançar. Tomamos como exemplo os estilos da Google e da 3M de nutrir a criatividade dentro da organização.
7. Estabilidade. Nunca tivemos nem um centavo de investimento, então não temos nenhum investidor que possa cortar nossos fundos. Os nossos negócios atendem diversos setores, como

marketing online, desenvolvimento de produtos, mercado editorial e programação. Isso nos protege de tendências de curto prazo em qualquer setor específico.
8. Diversão. Colocamos a "DIVERSÃO" como "princípio de negócio". Não nos interprete mal – somos um motor de crescimento bem azeitado e disciplinado. Mas acreditamos que os negócios devem ser divertidos e que as pessoas devem querer ir para o trabalho todos os dias.
9. Idealismo. Cem por cento dos nossos funcionários dedicaram um bom tempo a programas de trabalho voluntário ou trabalharam em organizações sem fins lucrativos. Começamos esse negócio para mudar o mundo. O lucro vem depois. Em consequência, dedicaremos nosso tempo e nossa atenção a causas que talvez não tragam lucros no curto prazo, mas podem gerar mudanças sociais positivas.
10. Empreendedorismo. Entendemos que pessoas incríveis sonham em fundar suas próprias empresas. Ajudamos você a realizar esse sonho. Oferecemos treinamentos e mentoria para ajudar no seu crescimento. Não pedimos que os funcionários assinem um contrato de fidelidade. Dito de forma simples, você tem liberdade para aprender conosco e partir para a próxima quando estiver pronto para começar seu próprio negócio. Nós respeitamos o empreendedorismo.

A ideia desse manifesto tocou as pessoas profundamente. O texto de dez itens resultou em uma enxurrada de candidaturas. Um mês depois, a nossa sombria sala de operações de apoio estava cheia de candidatos. Não estávamos apenas atraindo talentos locais. Estávamos recebendo currículos de profissionais altamente talentosos de todo o mundo. Foi fantástico. Mas o mais importante foi que estávamos atraindo as pessoas

ATRAIA SEUS ALIADOS

certas. Pessoas talentosas, guiadas por valores, com habilidades de arrasar – resumindo, pessoas que eram tanto Budas quanto "o Cara".

Um dos candidatos que contratamos foi Khailee Ng. Atualmente, ele é o diretor-executivo da 500 Startups, um fundo de investimentos acelerador de *startups*. Ele é um dos investidores e fundadores de *startups* mais famosos da Ásia. Ele foi uma de nossas primeiras contratações brilhantes (Funcionário nº 11). E foi trabalhar conosco apesar de poder escolher praticamente qualquer emprego.

O que eu não entendia muito bem naquela época era por que o nosso método do manifesto era tão eficaz. Nossa empresa com certeza não havia mudado. Ainda éramos nós quatro e o Ozzy. Ainda trabalhávamos em um depósito precário. Os candidatos que vinham nos conhecer ainda tinham que passar pelas mesmas calçadas quebradas e pelos mesmos vendedores de comida.

Em vez de usar uma lista tradicional de habilidades profissionais para atrair talentos de alto nível, e acreditar que aquilo funcionaria, havíamos elaborado uma visão inspiradora. O nosso manifesto era uma promessa, uma atitude. Ele definia quem éramos e como planejávamos jogar para ganhar. Pessoas inteligentes e talentosas se importam com essas coisas. Era assim naquela época. É assim hoje, mais do que nunca.

Essa foi minha primeira grande lição. Pessoas não se importam com *o que* você faz. Elas se importam com *por que* você o faz. E ao compartilhar o seu grande *porquê*, é para ser original, real e autêntico. Isso significa compartilhar suas crenças mais íntimas sobre o mundo e a sua visão pessoal.

Trago aqui uma regra importante: seu manifesto não pretende atingir todo o mundo. Você quer despertar sentimentos de atração ou repulsão extremas. Com sorte, a maioria das pessoas vai amar alguns aspectos do seu manifesto. Tudo bem se outras pessoas os odiarem. Mas não importa o que você faça, fique longe da zona de apatia.

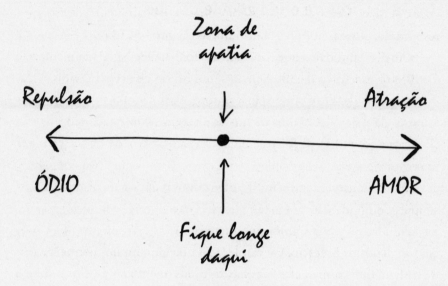

No manifesto para a minha empresa (que você pode ler em mindvalley.com/careers), falo que vejo a Mindvalley como uma empresa global, e não como uma empresa americana, malaia ou estoniana. É algo que espanta pessoas que poderiam dizer que somos antipatrióticos. Tudo bem. Mas atrai mais pessoas do que espanta. Atraímos pessoas com visão cosmopolita, e é exatamente isso que quero. Se você tiver medo de ofender *alguns poucos*, não irá atrair *muitos*. Então fique longe da zona de apatia. Não seja sem graça.

Ao final deste capítulo, há um exercício para ajudá-lo a criar o processo de elaborar seu manifesto. Você não precisa de uma empresa para essa tarefa. Isso se aplica tanto ao líder disfarçado quanto para qualquer pessoa em posição de liderança. Mas, antes de chegar lá, vou compartilhar algumas ideias para ajudá-lo a mergulhar de cabeça nas suas crenças e na sua razão de existir.

Tática 2: encontre o seu grande porquê

Em seu famoso TED Talk, Simon Sinek, autor de *Comece pelo porquê*, diz: "As pessoas não compram o que você faz; elas compram o por que você faz. E o que você faz simplesmente prova aquilo em que você acredita".

Sinek também diz: "Há apenas duas formas de influenciar o comportamento humano: manipulando ou inspirando".

É aí que muitas pessoas erram ao compartilhar suas ideias sobre um negócio. Elas não conseguem explicar o *porquê*. E, assim, não conseguem inspirar. Não importa se você é CEO ou lidera uma equipe dentro de uma empresa, ou ainda se é um funcionário iniciante que deseja implementar novas ideias ou mudar a dinâmica de uma equipe. Para inspirar pessoas, você precisa desvendar o *porquê* da sua empresa e comunicá-lo de modo eficaz.

Sinek usa a Apple para ilustrar sua opinião. A Apple nunca diz "compre nossos computadores porque eles têm um belo *design* e uma interface amigável". Não, ela transmite um propósito mais profundo. A Apple desafia o *status quo*. Ela pensa diferente. E é um mero acaso que o faça com produtos com um belo *design* e uma interface amigável.

A Starbucks é outra marca global que fez o mesmo. Embora Howard Schultz certamente se importasse com a qualidade do café quando assumiu a Starbucks, foi a experiência voltada à comunidade que fez a diferença para o negócio. O *porquê* da Starbucks é "inspirar e nutrir o espírito humano". E eles fazem isso "uma pessoa, uma xícara de café e uma comunidade de cada vez".

É por isso que, se você estiver viajando para um lugar onde nunca esteve antes e vir a sereia verde coroada na fachada de uma cafeteria, pode reconhecê-la como um lugar aonde ir para, imediatamente, se sentir conectado às pessoas e à comunidade ao seu redor. É também por isso que os compradores da empresa apoiam o comércio equitativo. E é por isso que os baristas colocam os nomes dos clientes nos copos de café. Nesse ritual, o cliente se sente considerado e apreciado.

E a Nike? A promessa da marca é "trazer inspiração e inovação para todos os atletas do mundo". Não basta fazer equipamentos esportivos excelentes ou vender tênis legais com um sinal de visto estiloso.

Os seres humanos são programados biologicamente para tomarem decisões com base em suas emoções, por isso circulamos em torno de empresas e pessoas que nos despertam emoções. Com efeito, um estudo realizado pelo neurocientista Antonio Damasio demonstrou a profundidade da conexão. Damasio estudou indivíduos com danos nas amígdalas, que é uma região do cérebro responsável por processar emoções. Ele descobriu que essas pessoas com danos cerebrais conseguiam discutir sobre decisões em termos conceituais, mas eram incapazes de tomá-las. Mesmo decisões simples, como o que comer, eram impossíveis para elas. O campo da neurociência hoje tem dados empíricos que demonstram como as emoções estão intrinsicamente vinculadas ao processo de tomada de decisões.

E, mesmo assim, quando as pessoas tomam decisões, acham que estão se baseando em dados e fatos. Dito de outro modo, elas acreditam estar usando o neocórtex, que é a região do cérebro que trata do pensamento prático, racional e consciente. Mas, na verdade, estão usando o sistema límbico, a rede neural que processa as emoções.

Então, para atrair funcionários, clientes e parceiros que se encaixem bem na sua empresa, você precisa se conectar de uma maneira que seja autêntica e desperte emoções. Em outras palavras, de uma maneira humana.

Esqueça a linguagem corporativa desapaixonada. Para muitos líderes de negócios, é algo que exige uma completa mudança de mentalidade. Por essa razão, falar sobre suas crenças, valores e visão de mundo é muito importante. E é por essa mesma razão que o meu manifesto de 2005 funcionou tão bem.

Bem, agora digamos que você seja um líder disfarçado que deseja transformar uma dinâmica de grupo negativa no seu trabalho. O seu trabalho é pensar sobre a sua visão para aquele grupo. Em seguida, você deve

ATRAIA SEUS ALIADOS

compartilhar a sua visão e o seu *porquê* com as pessoas do grupo e começar a criar alianças com as pessoas que irão trabalhar com você na sua missão. Você pode inclusive elaborar um manifesto definindo as mudanças que quer criar e POR QUE você deseja essa reorientação. Você também pode usar isso fora do local de trabalho para criar conexões sociais incríveis e se alinhar às empresas, marcas e organizações certas.

E se você estiver em um setor tradicional? Ou se você for um produtor de uma *commodity*? Ainda assim há uma forma de compartilhar o seu "grande porquê".

Como encontrar o porquê estando em um setor tradicional

Aprendi esta lição com Srikumar Rao, professor de MBA e meu mentor pessoal, que mencionei no Capítulo 1.

Certa noite, Rao deu uma palestra sobre a importância de compartilhar os valores de uma empresa publicamente. Após a palestra, ele abriu a sessão para perguntas. A primeira pessoa a levantar a mão foi o dono de uma empresa fabricante de vidros.

Ele se levantou e disse: "Certo, certo, entendi, Rao, mas me diga: minha empresa produz vidro para janelas. Como é que eu vou inspirar pessoas?".

Rao fez uma série de perguntas ao homem. Pediu-lhe que descrevesse a empresa, o que o animava a ir trabalhar, como ele cuidava de seus funcionários. O *porquê* que eles descobriram foi bastante surpreendente.

O fabricante de vidros empregava cerca de 170 pessoas na sua cidade. O fundador adorava a ideia de dar um retorno à comunidade. Uma vez por ano, todos os funcionários tinham a oportunidade de fazer trabalho voluntário por uma semana em uma cozinha comunitária ou instituição de caridade, recebendo o salário integral. O fundador acreditava em oferecer empregos estáveis para as famílias em sua cidadezinha e transformar seus funcionários em cidadãos solidários. Por isso, incentivava seus funcionários a realizar trabalho voluntário uma semana por ano.

"Imagine contar essa história", disse Rao.

Em vez de uma daquelas frases de *marketing* chatas como "nós fazemos as melhores janelas do mundo", o manifesto da empresa deveria se concentrar na questão do voluntariado e na missão voltada à comunidade. Seria algo assim:

> *Retribuir à nossa comunidade: esta empresa é gerida por pessoas solidárias que pensam na comunidade e acreditam em retribuir. Mais do que construir as janelas mais límpidas, fortes e resistentes à tempestade do estado, também nos preocupamos em garantir que a nossa gente se sinta sempre segura, acolhida e protegida de formas que vão além do que uma humilde janela pode fazer. Para isso, toda a nossa equipe passa uma semana por ano fora da fábrica, realizando trabalho voluntário em cozinhas comunitárias e outros lugares aonde chegamos para servir à comunidade com todo o coração.*

Para isso, é necessário se afastar da lógica e se conectar ao seu coração. Olhe para dentro e tente entender sua própria motivação intrínseca para aquilo que faz. Pense no negócio, iniciativa ou projeto com o qual você é mais comprometido e na diferença que ele faz no mundo. Ao começar por aí, você ficará surpreso com como as coisas vêm naturalmente.

Se você está em busca de funcionários atualmente, dê uma olhada na seção de empregos do seu site, no seu anúncio de vagas ou em qualquer conteúdo que fale sobre quem você quer contratar. Você está falando com palavras secas sobre habilidades, tarefas do dia a dia e as características do trabalho? Ou está falando de coração sobre suas crenças, sua visão de mundo e sobre *por que* você faz o que faz?

Comece sempre pelas suas crenças, seus valores e o seu *porquê*. Escrever seu manifesto é uma ótima forma de começar. E é assim que se colocam as pessoas certas nos lugares certos do ônibus, para citar os sábios conselhos de Jim Collins.

Jim foi bastante claro. Não é necessário saber para *onde* seu negócio, missão ou projeto está indo. Mas se você souber *por que* está fazendo e se atrair as pessoas certas, essa tripulação tão distinta irá ajudá-lo a descobrir *aonde* ir.

Nos primeiros dois anos da Mindvalley, minha pequena equipe trabalhou em diversos produtos totalmente desconexos. Trabalhamos em um *site* sobre meditação que vendia CDs. Em um mecanismo de *social bookmarking* chamado Blinklist.com, que acabamos vendendo. E em um novo tipo de *software* para *blogs* que esperávamos que mudasse a natureza do próprio *e-mail* e dos *blogs* (não deu certo, enfim). Como muitos empreendedores aspirantes, eu precisava testar várias coisas. Por fim, como experimentamos e atraímos bons profissionais, começamos a nos concentrar nas ideias que funcionavam melhor. É por isso que o manifesto vem em primeiro lugar. Depois, quando já houver pessoas qualificadas a bordo, é hora de se concentrar na visão.

Tática 3: crie uma visão clara

As crenças compartilhadas talvez sejam a primeira coisa que atrairá as pessoas certas a você, mas a segunda é um futuro que inspire. Esta tática é sobre isso. As ações das pessoas vão ao encontro do futuro que querem criar para si. Ofereça-lhes o futuro que desejam e elas ficarão ao seu lado.

Cameron Herold é celebremente conhecido como Encantador de CEOs. Ele já trabalhou com centenas de empresas, inclusive com uma das maiores operadoras de internet dos Estados Unidos e uma monarquia. Ele ensina um processo chamado de Vivid Vision™ (Visão Clara), que já ajudou empresários como eu a dar vida a suas ideias e a se conectarem de maneira autêntica com seu público.

Em uma entrevista que fiz com Cameron em 2019 para o *podcast* da Mindvalley, ele me contou que o maior problema que via nos empresários era a falta de visão, o que acabava afetando todos os níveis da empresa. A falta de visão contamina toda a equipe, isso sem falar nos próprios consumidores.

Se você não está à frente de uma equipe ou de uma empresa atualmente, aplique a mesma ideia à sua vida. Se você não tiver uma visão de vida, acabará tomando atitudes que não condizem com o que você quer. É por isso que criar uma visão clara é uma tarefa importante. A intencionalidade facilita a tomada de decisões e acelera o seu ritmo de conquistas. O exercício da Visão Clara ao final deste capítulo o ajudará a descobrir o que você quer de fato, tanto no trabalho quanto na vida.

Embora todos devêssemos aprender sobre uma Visão Clara na escola, são sobretudo as escolas de negócios que ensinam a importância da declaração de visão. Mas elas fazem de modo reverso. O método clássico é reunir os melhores funcionários em uma sala e pensar em algumas frases apelativas que contem a história da empresa para poder sair postando por aí.

Cameron diz que esse método está errado. Em primeiro lugar, a Visão Clara deve partir do fundador da empresa. Ou do líder da equipe. E, se você for uma EUpresa ou estiver no comando de um departamento na sua empresa, parabéns, é você mesmo. É sua responsabilidade criar aquela Visão Clara para o seu departamento.

Cameron me deu um conselho muito útil: "Esqueça missão e visão. Essas palavras são muito confusas", ele disse. "Em vez disso, você precisa pensar como se fosse algo único; seu propósito fundamental."

A sua Visão Clara é o que une tudo. Herold então me mostrou este diagrama:

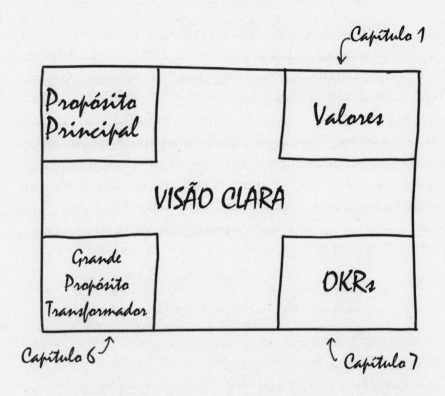

Pense na Visão Clara como o suporte dos outros elementos do seu trabalho. Nós simplificamos e tratamos do Propósito Fundamental neste capítulo.

Valores são aquilo que você aprendeu no Capítulo 1. Não se preocupe com o Grande Propósito Transformador (que você vai aprender no Capítulo 6) ou com os OKRs (capítulo 7). Por ora, apenas preste atenção na Visão Clara.

Uma Visão Clara dá vida ao futuro. O processo envolve um passeio mental pelo mundo da forma como ele estará em breve, após ser transformado pelo seu negócio. Ela engloba o porquê de você existir, mas também como você planeja realizá-lo. Depois, você fará um processo reverso para fazer a empresa chegar lá.

Essa visão dá clareza aos membros da equipe, clientes, parceiros e à mídia. Cria alinhamento. Ajuda a ver o que é possível. Também se torna um atrativo motivador que desperta entusiasmo pelo futuro que está sendo construído agora. E, mais importante, extrai as ideias da cabeça do líder e permite que elas sejam compartilhadas e possam se multiplicar rapidamente através da energia da equipe.

Cameron diz que a melhor forma de criar uma Visão Clara é pensar em daqui a três anos. Pense no seu negócio no futuro e pergunte-se: como a existência do meu negócio impacta o futuro? O período de três anos é importante, pois dá tempo suficiente para atingir os resultados desejados, mas não é tão distante que não possa despertar entusiasmo. Dessa forma, a Visão Clara se torna o grande motivador que impulsiona você e a sua equipe rumo ao futuro. E lembre-se do que escrevi em *O código da mente extraordinária*:

> *Como seres humanos, tendemos a superestimar o que podemos fazer em um ano. Mas tendemos a subestimar o que somos capazes de fazer em três anos. Então sempre visualize sua vida daqui a três anos. Pressione esse limite e sonhe mais alto.*

Cameron sugere que a Visão Clara seja mapeada em não mais do que quatro páginas. Compartilhe em um Google Doc e peça contribuições. Publique em *sites* de vagas e páginas profissionais. Cameron faz um excelente trabalho de definição do conceito de *Visão Clara* no livro *Vivid Vision* e no de coautoria com Hal Elrod, *O milagre da manhã para empreendedores*.

Quando você tiver clareza sobre sua visão e se der ao trabalho de escrevê-la e apresentá-la, ficará maravilhado com como as pessoas certas vêm até você organicamente.

Como exemplo, a Visão Clara da Mindvalley começa da seguinte forma:

> *Imagine uma escola para a humanidade. Uma escola sem fronteiras, sejam físicas, sejam imaginadas. Uma escola que transforma a Terra em um único campus global. Ela une todos os gêneros, idades, países e culturas, todos os 7,5 bilhões de seres*

humanos do planeta. As práticas ensinadas nela nos capacitam para viver vidas extraordinárias. E não só isso, elas também nos ensinam a distorcer a realidade. Como criar as vidas que queremos independentemente das imposições. Nessa escola, os alunos são incentivados a desenvolver o pensamento crítico. Podem questionar suas crenças e os sistemas coletivos já adotados. Essa escola reinventa a natureza do trabalho. As pessoas correm atrás de suas obsessões criativas. Em um mundo de mudança exponencial, essa escola experimenta as mais modernas ferramentas. É obcecada com a inovação. E a formatura nunca acontece, porque o aprendizado é para a vida toda. É tão divertido que ninguém quer parar de aprender. A escola reúne os melhores professores do mundo e difunde seu conhecimento a todos os cantos. E não tem medo de fazer as grandes perguntas.

E lembre-se: qualquer departamento (ou qualquer pessoa) tem sua própria Visão Clara. Se você é editor de um *blog* de uma empresa, pode criar uma Visão Clara para a qualidade dos *posts* que quer produzir, para o estilo e para a visão do *blog*, a quantidade de leitores que quer atrair e as taxas de conversão que almeja. Você também deve mencionar o que faria o *blog* se destacar e como o tornaria um *blog* de alto nível. Tudo isso ajuda sua equipe a entender o que se passa na sua cabeça. Ajuda os escritores que você contrata a saberem o tipo de trabalho que devem entregar.

A parte desafiadora para algumas pessoas é tornar o documento do Google Docs público e compartilhá-lo com o mundo. Talvez você se preocupe com as opiniões alheias, mas não permita que isso o impeça de seguir em frente. As pessoas *certas* serão atraídas pela sua visão. As pessoas erradas podem ser repelidas. Mas é exatamente isso que você quer.

Todas as ideias do mundo começam com uma visão, que parte de uma pessoa. Para fazê-la acontecer, a ideia precisa ser compartilhada. Se você tiver medo, pense assim: uma ideia não compartilhada é egoísta. Compartilhar é essencial para viabilizar qualquer ideia, porque ela precisa ser ouvida ou testemunhada por outra pessoa para tomar forma e nascer no mundo. A mentalidade do Buda não se preocupa com opiniões. Ela se preocupa em expressar a verdade interior. De todo modo, qualquer pessoa que você possa perder durante o processo nunca serviria para a sua missão.

E não se preocupe com perfeição. Deixe a sua visão fluir. Permita que os integrantes da sua equipe, seu cônjuge, os clientes em quem você confia a leiam e deem uma opinião. Quando uma visão é criada em conjunto, a mágica acontece.

Quando você acertar os ingredientes, descobrirá que as pessoas certas virão até você com facilidade.

E quando vierem, será o momento de liderar. A próxima seção deste livro e o Capítulo 3 até o Capítulo 6 se aprofundam nessas ideias. Você aprenderá não apenas como criar uma vida extraordinária para si mesmo, mas também como levar seus companheiros de trabalho mais próximos junto com você nessa jornada.

Resumo do Capítulo

Modelos de realidade

Atrair os aliados de que você precisa não é um processo lógico. Seja ambicioso ao se comunicar. Use a emoção. Declarações secas são ineficazes. Fale com o coração.

- **Crie um manifesto** que resuma o que você está buscando trazer ao mundo, suas crenças e valores, e como você trabalha. Coloque isso no seu *site*, caso tenha um. Lembre-se de compartilhar o *porquê* de fazer o que faz.

- **Encontre o seu grande *porquê*.** Esqueça o linguajar corporativo sem paixão. Falar sobre suas crenças, seus valores, sua visão de mundo irá despertar emoção nas pessoas, que é como elas tomam decisões.
- **Crie uma Visão Clara e compartilhe-a.** Fale sobre sua visão para daqui a três anos. Não se preocupe se seu negócio for pequeno ou se você estiver trabalhando em um depósito. *Fale sobre o futuro como se estivesse acontecendo agora.*

Sistemas de vida

Exercício 1: crie seu manifesto

O seu manifesto não precisa ter dez itens. Pode ficar entre três e dez. O nosso manifesto tem sete itens e já evoluiu bastante desde o primeiro que criei, em 2005. Se você não administra uma empresa, crie um manifesto pessoal para ajudá-lo a atrair as pessoas certas, de amigos a pessoas na sua comunidade e colegas.

Pergunte a si mesmo o seguinte:

- O que torna sua empresa estranha/única ou arrojada?
- O que nós fazemos diferente da nossa concorrência?
- O que torna a nossa cultura única?
- O que faz as pessoas nos chamarem de loucos, estranhos ou diferentes?
- O que pensamos sobre a vida e sobre o mundo e que pode parecer incomum?
- Quais são as coisas que definitivamente NÃO fazemos? (Por exemplo, uma empresa de publicidade que se nega a aceitar clientes que promovem comidas não saudáveis.)

Veja um exemplo do manifesto da Mindvalley em https://careers.mindvalley.com/manifesto.

Exercício 2: trace a sua visão clara

Pense sobre o negócio, ONG, projeto ou movimento que você quer criar ou já criou. Imagine-se daqui a três anos. Como o mundo será? Como você fez a diferença? Que marcos terá alcançado?

Reserve um bom tempo para esse exercício, no mínimo de trinta minutos a uma hora. Vá a um lugar que desperte sua criatividade – um café, um bar, um jardim, ou mesmo dê uma caminhada, junto com um aplicativo de digitação por voz – se ajudar. Escreva uma experiência de três a quatro páginas que conte claramente a sua história ou do seu negócio, projeto ou movimento no futuro. Use as perguntas abaixo como guia.

Não faça isso apenas pela sua equipe. Se for uma empresa de uma pessoa só, pode criar uma visão assim para a sua própria trajetória profissional.

- Onde você vê sua empresa, movimento, habilidade ou projeto nos próximos três anos?
- Se você não existisse, o que faltaria no mundo?
- Que problemas você veio resolver?
- Quais marcos você deseja ter alcançado daqui a três anos?
- Que diferença você faz no mundo?
- Quem são seus parceiros?
- Como você quer que as pessoas se sintam ao se envolverem com a sua marca/criação?
- Que grupos você influenciou?

PARTE 2

ENCONTRE O SEU PODER

OS QUATRO ELEMENTOS QUE TRANSFORMAM O TRABALHO E MULTIPLICAM RESULTADOS

Pense naquelas pessoas no seu trabalho que fazem acontecer. Além de serem supereficientes, não sugam ninguém. Não, é mais como se impelissem seus colegas e os inspirassem a dar o melhor de si também. Essas pessoas contribuem para criar uma atmosfera que deixe todo mundo mais saudável, mais feliz, mais criativo. Quem são essas feras da produtividade? São "os Caras" do local de trabalho, e qualquer pessoa pode se transformar em um deles.

Há um segredo sobre ser uma dessas feras: em um nível básico, todas as pessoas vivem para satisfazer um conjunto universal de necessidades humanas. Apenas quando as necessidades básicas de uma pessoa são satisfeitas é que elas podem dar seu melhor no trabalho.

Após entrevistar quase duas mil pessoas de sessenta países diferentes, ao longo dos anos, para vagas na Mindvalley, percebi um padrão. O que as pessoas de fato queriam do emprego não era segurança ou um salário fixo – ainda que achassem que era isso que queriam. O que elas queriam se resumia a quatro grupos de necessidades pessoais.

Essas demandas apareceram várias e várias vezes em candidatos de todas as religiões, culturas e nacionalidades.

Os quatro grupos de necessidades são:

Felicidade, amor e pertencimento

A maioria das pessoas quer acordar pela manhã e sentir que está indo para um trabalho que a satisfaz, em um ambiente em que gosta de estar. Elas querem gostar de verdade de seus colegas de trabalho. Querem sentir que podem se expressar.

Após muitos anos, descobri que, quando as pessoas dizem que querem ser felizes no trabalho, o que elas de fato querem dizer é que querem amar o que fazem e com quem o fazem. Querem sentir que fazem parte daquilo. É por isso que as estruturas que você aprenderá no Capítulo 3 se concentram no amor e na conexão.

Importância

A maioria das pessoas quer saber que aquilo que fazem tem importância. Querem ser apreciadas. Querem ter condições de ter uma casa bacana, ou roupas de que precisam para ter uma boa aparência, ou alimentos de que precisam para ter uma alimentação saudável. Querem se sentir ouvidas e ter sua opinião levada em consideração. Querem poder se expressar.

Você aprenderá estruturas para fazer as pessoas se sentirem apreciadas e importantes no Capítulo 4.

Crescimento

A maioria das pessoas quer crescer. Quer oportunidades de adquirir novas habilidades e conhecimentos e fomentar suas capacidades. As pessoas querem receber educação e treinamento que as ajudem tanto profissional quanto pessoalmente.

Falaremos disso no Capítulo 5, em que você aprenderá a criar uma equipe dinâmica em que as pessoas se desafiem e se apoiem para serem suas melhores versões.

Significado

A maioria das pessoas quer saber que o trabalho que faz está contribuindo positivamente com a sociedade. Que não está fazendo um trabalho que represente um retrocesso para a humanidade ou que envenene a população com uma necessidade criada pelo *marketing* de produtos prejudiciais à saúde. Elas se atentam para que seu trabalho garanta que nosso planeta e nossa espécie estarão seguros por muitas gerações.

É isso que você aprenderá no Capítulo 6. Você conhecerá estruturas para impulsionar uma missão e manter as pessoas envolvidas nela.

As quatro necessidades eram tão comuns que comecei a desenhar um diagrama como este no meu iPad enquanto entrevistava pessoas, e pedia para que elas falassem como se sentiam sobre os quatro grupos. Chamei-o de Quadrante do Emprego, e foi o que me ajudou a entender a mente dos entrevistados, para ver se eles realmente se encaixavam na nossa cultura.

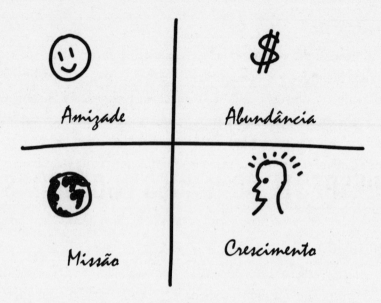

É claro, as pessoas ainda precisam ser pagas para poderem atender suas necessidades. De preferência, que o trabalho não as deixe doentes, envelhecidas precocemente ou ameace seu sustento de qualquer maneira. O ambiente de trabalho deve, no mínimo, fazê-las sentirem-se seguras. Mas, além disso, as pessoas pensam muito além do salário ou de um título.

Ocorre um efeito de crescimento composto em equipes cujas necessidades básicas dos seus membros são todas satisfeitas. As pessoas se dedicam 150% em tudo o que fazem, e não porque ganharão algo em troca, mas simplesmente pelo resultado. Elas se tornam intrinsicamente motivadas, em oposição a pessoas que precisam de motivações externas. Em outras palavras, não precisam ser incentivadas com qualquer tipo de vantagem.

Quando você aprende a atender essas quatro necessidades básicas, forma equipes de alto desempenho. E, além disso, seu próprio potencial e energia no trabalho também aumentam. O trabalho se torna algo além de um meio para garantir um salário. Torna-se um aspecto essencial de uma vida magnífica.

CAPÍTULO 3

DESPERTE CONEXÕES PROFUNDAS

> Estamos profundamente interconectados; nossa única opção é amar a todos. Seja gentil e faça o bem, não importa a quem, e isso será refletido. As ondas de um coração bondoso são as maiores bênçãos do Universo.
> — Amit Ray, *Yoga and Vipassana: An Integrated Lifestyle*

Os seres humanos desejam se unir. Essa necessidade está gravada em nosso DNA. Embora possamos parecer seres separados uns dos outros, a verdade é que estamos todos conectados por laços invisíveis. Quando você entende como influenciar esse espaço, cria comunidades em que todos são melhores juntos do que separados.

Eu amo os seres humanos. Mas, sejamos sinceros, nós podemos ser meio esquisitos. Isso passou pela minha cabeça por um instante enquanto eu estava em uma roda com cem colegas de equipe. Estávamos em um retiro da empresa em um hotel à beira-mar, em uma ilha maravilhosa chamada Penang, no noroeste da Malásia. Nosso facilitador entrou no meio da roda e disse: "Este próximo jogo nos deixará ainda mais vulneráveis diante dos outros. Mas sei que vocês estão prontos".

Bem, antes de contar o que aconteceu em seguida, preciso dizer: por que precisamos de jogos para ser *verdadeiros* uns com os outros? É muito bizarro. E não é um comentário sobre os outros. Certamente não me excluo dessa afirmação.

Mas, convenhamos, o local de trabalho não é geralmente o lugar para conversas íntimas e conexões humanas profundas. Às vezes precisamos de um empurrão para formar relações mais aprofundadas.

Pois bem, esse exercício fazia parte do retiro de 2019 da nossa equipe, que se concentrou apenas no tema da conexão. Embora os retiros da nossa equipe por algum tempo tenham sido sobre estratégias de negócios, objetivos e resultados principais (OKRs), aprendi a lição. Hoje os retiros da equipe se concentram na conexão e na união em primeiro lugar. Não falamos muito sobre visão ou sobre negócios. Em vez disso, dedicamo-nos a ser verdadeiramente íntegros, abertos e transparentes uns com os outros.

Ao priorizar a *conexão* em primeiro lugar, todo o resto se ajeita. Isso é verdadeiro tanto para os líderes quanto para todos os outros do grupo. E, se você não for um líder oficialmente, tenha em mente que a habilidade de criar conexões talvez seja a mais poderosa das ferramentas de liderança disfarçada. Em primeiro lugar, é essa habilidade que permite subir discretamente na hierarquia de qualquer empresa. O segundo benefício é a vantagem social que se obtém com a habilidade de transformar qualquer equipe fragilizada. Porque significa que você nunca mais terá que trabalhar em um ambiente tóxico. E, como já foi cientificamente provado que a qualidade de vida é determinada pelas pessoas com quem passamos mais tempo, os relacionamentos têm muito mais importância do que se possa imaginar.

Naquele dia no nosso retiro de equipe, enquanto eu estava naquela roda, tive uma sensação de paz e segurança. Mas não foi suficiente para acabar com o frio na barriga que eu estava sentindo. Mais tarde, descobri que não fui o único a se sentir assim.

Esse jogo específico se chamava *Alguém mais?* Uma pessoa ficava no meio da roda e compartilhava algo pessoal. Algo vulnerável. E, em seguida, dizia: "Alguém mais?". Se a afirmação fosse verdadeira para mais alguém, a outra pessoa imediatamente se juntava à primeira no meio da roda.

Quando o jogo começou, foi um desfile de pessoas corajosas dando um passo à frente, uma a uma.

"Às vezes me sinto estranho em situações sociais, então finjo que quero ficar sozinho e me retiro ou me ocupo com meu celular, mas a verdade é que estou me sentindo inseguro", disse uma pessoa.

"Fui atazanado na escola primária e precisei de mais de dez anos para superar", disse uma outra.

Sempre havia pessoas se unindo no centro. E não parou por aí:

"Não importa quantas conquistas eu tenha, nunca me sinto bom o suficiente."

"Tenho medo de nunca encontrar alguém e ficar sozinho para sempre."

Então eu disse minha frase: "Já tive momentos em que me senti em depressão tão profunda que me perguntava se valia a pena estar vivo".

Dez pessoas entraram na roda. Foi um momento de iluminação. O medo absurdo que eu sentia logo antes de falar aquelas palavras sumiu. Nós onze estávamos lá nos acolhendo. A mensagem não verbal que mandamos uns aos outros foi "Eu já passei por isso. Eu sei como é. E eu entendo. Você não está sozinho".

Não houve lágrimas, apenas sorrisos de compaixão e alívio à medida que o exercício seguia. Me senti conectado. Assim como muitos outros colegas. Foi uma troca incomum entre colegas de trabalho. No início, talvez tenha sido um pouco irritante, mas gerou um nível de proximidade extraordinário entre nós todos.

Como você verá neste capítulo, uma conexão profunda é um elemento central de uma cultura de engajamento e de uma equipe de alto desempenho. Quando os colegas cruzam a barreira das relações "profissionais" superficiais e se relacionam uns com os outros em um nível humano, eles crescem.

Essa não é apenas minha opinião. Há muitos estudos científicos que comprovam o valor dos vínculos sociais. Conexão é um desejo cravado profundamente em todos os seres humanos. É um *anseio*. E quando conseguimos isso onde trabalhamos, a vida e o trabalho se fundem harmoniosamente.

Como fundador de uma empresa que lida com crescimento pessoal, testemunhei inúmeras vezes pessoas lutando sozinhas com pensamentos e experiências que são universais. Já presenciei centenas de eventos transformadores em que pessoas se conectaram mais profundamente do que costumam fazer em público – do *Burning Man* ao *A-Fest*, passando pela Mindvalley University. É mágico quando grupos são autorizados a compartilhar de maneira autêntica. Nesse momento, nossas inseguranças, desafios, até nossas esquisitices, desaparecem, permitindo que as pessoas deixem de se sentir sozinhas, confusas e com medo e passem a se sentir apoiadas, compreendidas e corajosas.

Vínculos sociais são a primeira variável que melhora o estado de saúde, físico e mental de uma pessoa, além do desempenho no dia a dia. Em outras palavras, praticamente toda satisfação de uma pessoa com sua vida de maneira geral está diretamente relacionada à força dos seus vínculos sociais. A ciência hoje está aí para corroborar essa afirmação.

A ciência da conexão

Seres humanos são criaturas sociais. O homem pré-histórico contava com sua tribo para sobreviver. Ser excluído significava a morte. A necessidade de pertencimento não é um traço de caráter, é uma exigência básica de sobrevivência que está ligada ao nosso DNA.

É por isso que, quando uma pessoa está preenchida pelo sentimento de pertencimento, ela se sente invencível. Inversamente, quando não se sente assim, ela enfraquece. Diversos estudos da neurociência demonstram que a conexão social ativa os centros de recompensa do cérebro. Por outro lado, experiências de desconforto social (como a solidão) ativam as mesmas regiões do cérebro em que é processada a dor física real. Um coração partido dói de verdade.

Um dos estudos mais longos e qualitativos de Harvard ficou conhecido como *"Very Happy People"*, conduzido por Ed Diener e Marting Seligman. Durou oitenta anos e acompanhou a vida de 222 pessoas, que foram avaliadas em termos de realização pessoal usando diversos filtros de avaliação. Os cientistas realizaram uma análise invasiva. Passaram por todo o histórico médico dos participantes e realizaram centenas de entrevistas pessoais e questionários. A descoberta revolucionária foi que os vínculos sociais têm uma correlação de 0,7 (o que é extraordinário no mundo da ciência) com a realização pessoal.

Pense nisso. De tudo que o estudo de Harvard observou, apenas um fator de fato estava associado à felicidade. Não era riqueza, boa aparência, fama ou viver em um lugar de clima quente. Era a *intensidade das conexões sociais* que mais importava.

Escrevi sobre minha pesquisa com candidatos a vagas na introdução à Parte II deste livro e como ela me ajudou a identificar quatro grupos de necessidades humanas básicas subjacentes a um alto desempenho. Mas não é só isso. Mais tarde, comecei a estudar o trabalho de Abraham Maslow e percebi uma semelhança fascinante: os quatro quadrantes do meu diagrama correspondem perfeitamente aos quatro níveis superiores da pirâmide de Maslow.

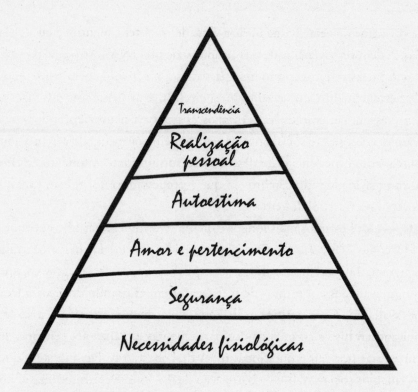

A hierarquia de necessidades de Maslow mostra os estágios universais de motivação pelos quais todos os seres humanos passam. Maslow diz que, para que uma pessoa passe de um nível para o outro, as necessidades de base devem ser satisfeitas. Por exemplo, quando suas necessidades fisiológicas são atendidas, as pessoas se sentem motivadas a buscar conexões com outras. Depois, quando obtêm apoio em seu meio social, a prioridade passa a ser provar sua importância a si mesmas e ao mundo.

Depois de satisfeitas as necessidades fisiológicas e de segurança, Maslow aponta que as coisas que de fato importam são:

Amor e pertencimento: sentir-se parte de uma tribo
Autoestima: estar ciente da própria importância

Realização pessoal: descobrir o verdadeiro potencial individual
Transcendência: transcender as próprias preocupações pessoais e enxergar a partir de uma perspectiva elevada

A semelhança entre as necessidades com as quais me deparei no meu processo de entrevistas (que chamei de Quadrante do Emprego) e as de Maslow me mostrou que eu estava no caminho certo para construir um novo tipo de local de trabalho. Elas se correspondem da seguinte forma:

MINHAS PERGUNTAS NA ENTREVISTA (QUADRANTE DO EMPREGO)	MASLOW
AMIZADE	CONEXÃO E PERTENCIMENTO
ABUNDÂNCIA	AUTOESTIMA
CRESCIMENTO	REALIZAÇÃO PESSOAL
SIGNIFICADO	TRANSCENDÊNCIA

É óbvio ver como amizade se alinha com conexão e pertencimento e como crescimento e significado estão ligados à realização pessoal e à transcendência, mas o que intriga as pessoas é: como a abundância está relacionada à autoestima?

Acontece que abundância não se trata de dinheiro. Trata-se do respeito que as pessoas sentem que o dinheiro lhes proporciona. O dinheiro é um meio para chegar a um fim (falarei mais sobre isso nos próximos capítulos). Para Maslow, o nível de autoestima inclui a confiança, a força, a crença em si mesmo, aceitação pessoal e social e o respeito das outras pessoas. É isso que as pessoas buscam quando acreditam que precisam de dinheiro.

Ao olhar para a pirâmide de Maslow, percebe-se algo interessante. Os governos deveriam cuidar de nós. Mas os governos costumam ir só até o nível 1 ou 2 (necessidades fisiológicas e segurança). Quem vai garantir o resto então?

Acredito que as estruturas humanas mais capazes de oferecer os próximos quatro níveis são as estruturas dos locais de trabalho. O trabalho deve fazer mais do que apenas produzir um produto ou serviço. Ele pode ser muito mais do que isso.

Os próximos três capítulos são baseados nas ideias de Maslow e na minha própria pesquisa com pessoas que entrevistei. De momento, falaremos sobre felicidade por meio da conexão e do pertencimento e sobre como as coisas podem mudar se levarmos esse conceito ao trabalho, tornando a vida muito mais gratificante.

O trabalho é a tribo da atualidade

Na última metade do século, grande parte das necessidades de pertencimento das pessoas era satisfeita em instituições. O exército, a igreja e as bandeiras das nações eram estruturas de conexão. Não são mais. O papel que já desempenharam está enfraquecendo a um ritmo mais rápido do que nunca.

Alguma coisa precisa preencher esse vazio, e muitas pessoas estão hoje tentando satisfazer essa necessidade no trabalho. Talvez você se surpreenda ao saber que o Barômetro de Confiança da Edelman de 2019 mostra que, em todo o mundo, "meu empregador" (75%) é mais confiável que as ONGs (57%), empresas (56%), governos (48%) e a mídia (47%). Se você administra uma empresa, parabéns. Você tem o monopólio da confiança. E essa confiança lhe dá um poder incrível de mudar a vida das pessoas.

As empresas hoje são privilegiadas com uma oportunidade maravilhosa, mas que é desperdiçada pela maioria ao colocarem as necessidades do negócio acima das dos seus funcionários. Na maioria dos ambientes de trabalho, há pouco espaço para sentimentos, fraquezas ou "besteiras" emocionais. A instrução e expectativa da gestão é que as pessoas sejam *profissionais*. Que conceito estúpido.

Esse modelo é obsoleto (se é que um dia funcionou). É uma reminiscência de meados do século 20. Na era moderna, desde o final da Revolução Industrial, o trabalho foi um bastião da masculinidade. Infelizmente, muitos ambientes de trabalho, organizações e escolas ainda funcionam de maneira autoritária, em que os subordinados obedecem aos líderes, que foram escolhidos por um punhado de homens de terno. Um *Senhor das moscas* corporativo.

Os líderes do pós-guerra voltaram do serviço militar na Segunda Guerra Mundial e trouxeram com eles uma mentalidade militarizada, impondo-a nas salas de reunião de empresas de todos os lugares. Um jovem soldado da década de 1940 tinha seus quarenta anos nos anos 1960, e cinquenta nos anos 1970. No campo de batalhas, com certeza não há lugar para sentimentos. Um soldado está lá para seguir ordens, para realizar um trabalho.

Foi assim que uma cultura pseudomilitar se impôs nos pavilhões da indústria, sem espaço para explosões emocionais ou conversas sobre famílias amorosas, e com poucas oportunidades de apoio social saudável. A casa era o lugar para isso.

Hoje muitas empresas permitem um ambiente mais relaxado (é só pensar nas sextas-feiras casuais), mas o estilo de gestão autoritária ainda não foi extinto por completo. Permitir moletom no ambiente de trabalho ou dar lanches de graça no café da empresa não é suficiente para despertar conexões humanas.

Como a maioria das pessoas passa oito horas por dia no trabalho, os colegas podem muito bem ser a nova tribo. A maioria das pessoas passa mais tempo com seus companheiros de trabalho do que com suas famílias. Bom, isso é bom se a dinâmica da equipe for de conexão. Mas há terríveis consequências se não for esse o caso. Então vamos distorcer as regras sobre como as empresas *deveriam* funcionar.

E por que se preocupar com isso? Bem, pense assim:

Sabemos hoje que conexões sociais são o principal elemento relacionado à felicidade. E, como se provou, a ciência hoje diz que a felicidade é talvez o principal determinante do desempenho da sua equipe. Eles andam juntos, em linha reta.

Conexão social ⟶ *Felicidade* ⟶ *Desempenho*

A verdade sobre a felicidade

Livros sobre cultura corporativa às vezes induzem a uma ilusão de que as pessoas deveriam trabalhar em um constante estado de satisfação. Que os funcionários deveriam estar alegres no trabalho o tempo todo. E que os líderes deveriam implementar estruturas para que isso aconteça. Sinceramente, é uma bobagem.

É simplesmente impossível que alguém esteja feliz o tempo todo. E com certeza não vai ser o líder da empresa lançando purpurina pelos corredores e distribuindo *cupcakes* que fará todos sorrirem.

Boas empresas têm estruturas que estimulam o desenvolvimento de uma qualidade que chamo de otimismo positivo. Esclareço.

Um estado positivo é qualquer sensação de bem-estar, como felicidade, que é facilmente obtida quando uma pessoa recebe diversos estímulos. Se você assistir a vídeos de gatinhos fofos no YouTube, ou comer um pedaço de chocolate, ou maratonar séries na Netflix, atingirá um estado positivo, mas fugaz. Os estados emocionais variam de um momento a outro.

Você pode estar trabalhando feliz no seu computador em um momento e em seguida receber um *e-mail* de um colega sobre um erro que prejudicou o projeto da sua equipe. Você vai da felicidade à irritação muito rapidamente. É assim que funcionam os estados emocionais.

Ninguém consegue ser positivo o tempo inteiro. Não é saudável nem é útil. E a verdade é que uma positividade ininterrupta impede de sentir a verdadeira realização. Todas as emoções são úteis. Senti-las com plenitude é saudável. A aceitação é fundamental.

Em uma entrevista do portal *Big Think* com a psicóloga de Harvard Dra. Susan David, ela disse que a "preocupação da sociedade com a felicidade sem querer acabou resultando em níveis maiores de infelicidade".

É irônico, não acha?

O desejo de se sentir feliz ou pensar positivamente o tempo todo impede que muitas pessoas tenham existência autêntica, pois as torna menos resilientes.

Prefira o otimismo positivo

Em vez de buscar felicidade, busque o otimismo positivo. Durante estados emocionais negativos, uma pessoa positivamente otimista irá permanecer comprometida com o resultado. Ela verá um futuro melhor adiante mesmo ao enfrentar uma adversidade, uma rejeição ou uma perda. Ela aceita emoções negativas, como a tristeza naquele momento, e as enxerga como de fato são: um estado temporário.

Olha, todos nós ficamos tristes. E a tristeza tem suas próprias dádivas de aprendizado e autodescoberta. Não se deve evitar a tristeza. O otimismo positivo aceita a tristeza sabendo que ela é temporária e que estados mais alegres estão por vir.

Um amigo meu, o grande mestre espiritual Reverendo Michael Beckwith, se refere à tristeza como uma "companheira". Eu estava filmando com Michael apenas duas semanas depois de ele perder seu pai. Perguntei como ele estava. Ele respondeu:

> *Alegria. Satisfação. Sei que essa é minha verdadeira natureza. Mas, neste momento, sinto tristeza. Não estou mandando-a embora nem a negando. Vejo a tristeza como uma companheira. Uma energia dentro do meu campo. Não sei por quanto tempo ela estará comigo. Talvez um mês. Talvez anos. Mas eu a honro por estar aqui. E entendo o porquê.*

Michael não estava tentando lutar contra a tristeza. Nem a deixou arrasá-lo. Ele a aceitou e entendeu sua natureza, pois sabia que, com o tempo, a vida ficaria bem. Essa é a natureza do otimismo positivo.

Felicidade é uma mudança de *estado*. O otimismo positivo, por outro lado, é uma evolução de *estágio*.

Você pode ficar feliz em um instante se tiver o remédio certo, mas pode se deprimir no dia seguinte se a sua química cerebral for alterada. Essa é uma mudança de estado.

Mudanças de *estágio*, por outro lado, são permanentes e irreversíveis. São a essência da sabedoria e da elevação da visão de mundo.

O otimismo positivo é uma mudança de *estágio* – o que significa que uma visão de mundo mais sábia, mais desenvolvida, conduz sua relação com o mundo ao seu redor. Ao despertar para a ideia de que o Universo é benevolente e a vida é o bem maior, você nunca mais volta à sua antiga visão de mundo. Você se transforma permanentemente. O que não significa um estado de júbilo eterno. Em vez disso, como Michael Beckwith afirma, significa uma maneira mais sábia e mais saudável de lidar com companheiras eventuais como a tristeza, a dor e a perda.

Os benefícios do otimismo positivo

Uma pessoa positivamente otimista é menos reativa às suas emoções. Ela se condicionou a ser mais consciente. É uma testemunha do que sente e *escolhe*, de maneira proativa, a forma de reagir.

> *O otimismo positivo não significa rejeitar a tristeza, mas sim pensar, mesmo durante a tristeza, que as coisas ficarão bem no futuro.*

É possível treinar para pensar dessa forma. É como desenvolver qualquer habilidade. Basta aprender como pensar de maneira mais objetiva e enxergar as situações a partir de outras perspectivas.

Os melhores atletas do mundo antecipam momentos de desafio, perigo e desconforto, mas mesmo assim se enxergam ganhando. Quando fracassam, levantam-se e tentam novamente. É porque eles foram treinados para lidar com as emoções e, sobretudo, têm um sistema de apoio consistente de pessoas dedicadas por trás deles. No contexto dos negócios, otimismo positivo é aquilo que você deseja que seu time tenha.

Como se mensura a felicidade e o otimismo? Está surgindo uma nova área que faz exatamente isso. E os dados que estão aparecendo são algo a que todos que têm um emprego ou uma carreira precisam prestar atenção.

O poder do QP

O otimismo positivo é equivalente ao que Shirzad Chamine, autor do livro *Inteligência positiva: por que só 20% das equipes e dos indivíduos alcançam seu verdadeiro potencial*, chamaria de Quociente de Inteligência Positiva (QP). Uma pessoa com um QP alto tem uma proporção maior de sentimentos positivos em relação aos sentimentos como um todo. Dito de forma simples: uma pessoa que se sente estressada, ou insegura, ou para baixo 10% do tempo teria um QP de 90. O livro é uma meta-análise de centenas de estudos sobre a felicidade e o trabalho, que concluiu que "um QP maior resulta em maiores salários e maior sucesso no trabalho, casamento, saúde, sociabilidade, amizade e criatividade".

Chamine escreve: "Sua mente é sua melhor amiga, mas também é sua pior inimiga. A Inteligência Positiva mede a força relativa desses dois modos da sua mente. Uma Inteligência Positiva Alta significa que sua mente age como sua amiga bem mais do que como sua inimiga. Portanto, a Inteligência Positiva é uma indicação do controle que você tem sobre a própria mente e o quão bem sua mente age em seu próprio benefício".

Assim, para desenvolver uma cultura de alto desempenho, os líderes devem se concentrar em alimentar o desenvolvimento do estágio, o que não significa apenas dar oportunidades para o estado de felicidade (vamos chamá-la de técnica da purpurina e dos *cupcakes*). Em vez disso, precisam oferecer oportunidades de desenvolvimento do otimismo positivo (crescimento pessoal e apoio social no local de trabalho).

E você não precisa liderar uma equipe. É óbvio que desenvolver o otimismo positivo é benéfico em qualquer situação de trabalho ou para qualquer meta que se possa ter. Ferramentas simples como a Técnica de Apreciação de Dois Minutos (Capítulo 4) podem produzir resultados maravilhosos (a empresa no exemplo que irei compartilhar viu suas receitas aumentarem em mais de US$ 300 milhões).

E, se você estiver liderando uma equipe ou começando do zero e contratando pessoas, deve apoiar seus funcionários para que desenvolvam controle sobre suas próprias mentes, podendo assim elevar o próprio QP.

Aliás, em um estudo surpreendente em que foram comparadas sessenta equipes, Chamine sugere que o QP de uma equipe é o MELHOR indicador do sucesso de um time. Pense assim:

- CEOs com maior QP tendem a liderar equipes felizes que afirmam que o ambiente de trabalho é mais propício ao alto desempenho.
- Equipes de projetos cujos gerentes têm QP elevado apresentam desempenho 31% melhor.
- Funcionários com QP elevado apresentam menos atestados médicos e são menos suscetíveis a *burnouts* ou a pedir demissão.
- Gerentes com QP maior são mais assertivos e cuidadosos na tomada de decisões, e reduzem o esforço necessário para fazer o trabalho.

Então, como elevar o QP? Tudo se resume a pessoas. A seguir, elenco as cinco técnicas que inseri na nossa cultura.

Cinco táticas para uma cultura conectada

Qualquer que seja seu cargo e seu objetivo para o futuro, domine estas cinco táticas e você terá um superpoder que lhe dará a habilidade de transformar qualquer grupo em uma equipe de alto desempenho socialmente conectada.

Caso esteja em uma posição de liderança, não saia correndo para dar uma festa divertida na firma ou distribuindo bônus de Natal. Embora essas ideias possam ser úteis e aumentem a positividade, essas estratégias superficiais produzem apenas resultados fugazes.

Se estiver esperando que surja uma figura de autoridade para solucionar a dinâmica de equipe no seu local de trabalho, continuar esperando não vai ajudar. Assuma a missão. Qualquer um pode mudar toda a dinâmica de um grupo por iniciativa própria. Você também pode usar estas táticas para montar uma equipe ou aprofundar os laços com as pessoas dos grupos dos quais faz parte.

Aqui estão as cinco táticas que descobri serem mais eficazes para criar um local de trabalho conectado:

1. Amizade no trabalho
2. Criar um ambiente de segurança e apoio
3. Praticar a vulnerabilidade
4. Influências positivas
5. Competir em gentileza

1ª Tática: amizade no trabalho

É hora de mudar a mentalidade. E se a amizade no trabalho fosse tão importante quanto a produtividade? E se as empresas não se preocupassem somente com as mais recentes plataformas de otimização de tempo, mas também estimulassem as pessoas a se conectar profundamente com os colegas? E se você trabalhasse com seus melhores amigos?

Se você acha essas ideias fúteis, estes dados podem lhe fazer mudar de opinião. A Q12, pesquisa de engajamento dos funcionários da Gallup, destrói completamente a ideia de que amizades no trabalho são improdutivas. O estudo conclui que um dos principais fatores determinantes do engajamento no trabalho é ter um melhor amigo como colega. Funcionários que afirmam ter um melhor amigo no trabalho são *sete vezes* mais comprometidos com o trabalho do que seus pares sem conexões. Eles obtêm notas melhores em todos os quesitos de desempenho. Atendem melhor os clientes, trazem mais inovações aos projetos e têm mais acuidade mental e menores taxas de erros e lesões.

Isso acontece porque os vínculos sociais no trabalho fazem as pessoas se sentirem bem, felizes. Em 2014, entrevistei Shawn Achor, pesquisador de Harvard e autor dos *best-sellers O jeito Harvard de ser feliz, Por trás da felicidade* e *Grande potencial*. Observe estes dados:

- Quando o cérebro se encontra em um estado positivo, a produtividade aumenta em 31%.
- O sucesso nas vendas aumenta em 37%.
- A inteligência, a criatividade e a memória melhoram drasticamente.
- Médicos que se dizem felizes são 19% melhores em apontar diagnósticos corretos.

Laços sociais aumentam a positividade, e isso é importante. E, mesmo assim, quando se trata de felicidade e trabalho, a maioria das pessoas funciona com uma atitude de "Trabalho duro agora, felicidade depois". Ou "se eu trabalhar bastante agora, serei feliz mais tarde". Achor nos incentiva a inverter a fórmula. Sua equação fica assim:

Sentir-se bem = Trabalhar melhor = Resultados exponencialmente melhores

A melhor forma de fazer isso é com conexões sociais. É assim que se cria uma dinâmica de equipe em que as pessoas sentem amor e pertencimento.

Essas descobertas refletem um dos principais argumentos de Jim Collins no livro *Good to Great*, que diz: "As pessoas que entrevistamos nas empresas que vão do bom ao melhor amam o que fazem sobretudo porque amam as pessoas com quem estão".

Como despertar amizades

No livro *Presença*, de Amy Cuddy, a pesquisadora de Harvard explica que, quando duas pessoas se conhecem, ambas fazem um cálculo rápido para decidir se gostam uma da outra. Inconscientemente, as pessoas buscam responder a estas duas perguntas:

1. Eu confio nessa pessoa?
2. Eu respeito essa pessoa?

Esses são os primeiros tijolos de todas as relações. Se uma pessoa responde "sim" às duas perguntas no primeiro encontro, pode ser o começo de uma amizade. Caso contrário, em qualquer relacionamento que não funciona, algum desses elementos está faltando. Uma dica para qualquer um que tenha uma relação pessoal ou profissional que pareça hostil: reestabeleça esses dois elementos.

Em uma entrevista para o *New York Times*, o CE do Shopify falou sobre estabelecer métricas para algo que ele chama de "bateria de confiança". Ele diz: "Quando uma pessoa é contratada, a carga está em 50%. Então, sempre que duas pessoas trabalham juntas na empresa, a bateria de confiança entre elas pode estar carregada ou descarregada, com base em situações como a entrega pontual ou atrasada de um projeto".

Talvez o mesmo tipo de métrica pudesse ser criado para mensurar o respeito. Pensar em relações em termos de bateria de confiança ou bateria de respeito é uma maneira de simplificar a complexidade, porque o desafio dos relacionamentos é o fato de serem subjetivos. As variáveis que transformam dois estranhos em grandes amigos são muito complexas para tentar explicar neste livro. É algo que não pode ser forçado. Dito isso, há crenças e práticas que podem ser introduzidas por qualquer um para aumentar as chances.

Em primeiro lugar, pessoas com valores parecidos têm mais probabilidade de se tornarem amigas. Então, se você estiver em um cargo em que cabe a você contratar, domine esse processo. E, depois, avalie a dinâmica da equipe periodicamente. Pergunte-se com honestidade: há pessoas na empresa que impedem a formação de amizades?

Certa vez demiti um homem extremamente religioso que se negava a dar a mão a mulheres. Era contra sua cultura. Ele era um engenheiro brilhante, mas sua presença na equipe diminuiu radicalmente o nível de coesão do grupo e fazia as mulheres se sentirem desconfortáveis. Não era saudável, dado que nossa gestão à época era composta de 60% de mulheres. Ele precisava sair ou mudar suas crenças. Por mais que respeitemos crenças religiosas, não podemos aceitar alguém que faça outras pessoas se sentirem desconfortáveis.

Em seguida, crie uma sequência de atividades sociais. Amizades se constroem com o tempo. As pessoas precisam de diversas oportunidades para se conectar em ambientes diferentes. Descobri que os dois melhores métodos para criar conexões sociais sólidas e despertar amor e pertencimento no local de trabalho são:

1. Eventos sociais
2. Rituais

Uma forma simples de estimular o florescimento de amizades no trabalho é realizar mais eventos sociais. Pode parecer básico e bastante óbvio. Ainda assim, a maioria das empresas simplesmente não organiza eventos suficientes. Qualquer um pode realizar eventos muito simples para reunir as pessoas.

Abaixo, apresento uma sequência simples para a realização de eventos sociais. Há cinco tipos de eventos: diários, semanais, mensais, trimestrais e anuais.

Na Mindvalley, temos um momento social semanal, que geralmente se estende até a noite. Também programamos uma noite por mês fora do escritório, em que as equipes se encontram em um restaurante bacana para comer e beber.

Se você estiver em uma posição de liderança, dê as caras. Eu sempre vou. Descobri que as pessoas se abrem de maneira diferente com seus gestores fora do escritório. Somos máquinas sociais, mas somos condicionados a operar nos contextos sociais em que nos encontramos. Por mais aberto que seja um local de trabalho, a maioria das pessoas se submete a um código de regras que controla como falamos, como nos vestimos e como ouvimos uns aos outros.

Depois de umas cervejas, um programador talvez consiga se abrir sobre um problema que está enfrentando no trabalho. Ou então posso aprender sobre os talentos secretos dos meus colegas, ou saber sobre suas últimas viagens, ou conquistas e batalhas pessoais. E também consigo ser eu mesmo nesses momentos.

Quando trabalhei para a Microsoft, em 1998, fiquei admirado pois Bill Gates convidava todos os novatos a irem à sua casa. Lembro-me do respeito que senti por Bill ao vê-lo em seu jardim grelhando hambúrgueres para nós, seus funcionários. Fiquei admirado por ele ter nos convidado a fazer parte do seu círculo imediato e por ter nos dado liberdade de compartilhar momentos. Se Bill Gates consegue arranjar tempo para acender a churrasqueira para os seus funcionários, certamente todo mundo consegue.

Eis aqui alguns conselhos para os cinco diferentes tipos de eventos que você pode organizar.

Rituais diários

Rituais diários de conexão entre a equipe são essenciais. Muitos dos mais eficientes líderes de equipes fazem questão de começar o dia com um ritual de gratidão. Para uma equipe de dez pessoas, pode levar cinco minutos por pessoa, mas ajuda todos a se conectarem profundamente e conhecerem uns aos outros.

A regra é que cada um deve compartilhar alguma coisa pela qual é grato. Pode ser uma xícara de café que o parceiro lhe preparou pela manhã. Ou o sorriso do filho que veio acordá-lo com um abraço. Ou uma vitória no trabalho. Já vi isso dando certo também com equipes remotas, por Skype ou mesmo por Slack, em que todos postam mensagens cheias de *emoticons*.

Rituais semanais

Sempre que minha equipe executiva se encontra às quartas-feiras, começamos com a pergunta do nosso diretor de recursos humanos: "Então, o que está acontecendo na vida de vocês e como todos estão se sentindo hoje?".

A regra é compartilhar sobre a nossa semana, mas não somos autorizados a falar sobre trabalho. Falamos abertamente sobre o que estamos enfrentando, nossos altos e baixos e os últimos acontecimentos nas nossas vidas. Geralmente, atribuímos uma nota de 1 a 10 para como estamos nos sentindo. Por exemplo, na nossa última reunião, contei que eu estava em uma nota 7, porque havia ficado viciado na terceira temporada da série *Stranger Things* e, logo depois de terminar de ver o episódio cinco, minha internet pifou, e só quatro dias depois consegui que fosse consertada. Ahhh, que agonia de esperar para ver o que iria acontecer no episódio 6.

A conversa não precisa ser séria ou intensa. Tem que ser como se fossem amigos de verdade conversando.

Rituais mensais

Todos os meses, a Mindvalley realiza um evento social noturno. Geralmente, acontece em um bar. Sempre tem comida boa e bebidas sem álcool para quem não bebe. Nunca é obrigatório. É totalmente opcional (se não houver orçamento para isso, faça de uma forma mais casual. Faça uma vaquinha, por exemplo, e organize na casa de alguém).

Pessoalmente, acredito que, durante esses eventos, acabo ouvindo coisas que as pessoas não costumam levar para o escritório. Gosto especialmente de ouvir os caras da informática, que geralmente ficam quietos trabalhando atrás de seus monitores, mas que se abrem logo depois de uma dose de uísque. Frustrações da engenharia e problemas que alguém introvertido não discutiria no escritório de repente aparecem no meu radar, lá pelas onze da noite, em meio a pizzas e garrafas de vinho.

Rituais trimestrais

Uma vez por trimestre, a empresa organiza uma festona. Podemos até fechar um bar ou um restaurante inteiro para o evento. No início, quando não tínhamos orçamento para isso, fazíamos no meu apartamento. As festas às vezes eram temáticas, ou podiam ser mais formais e elegantes.

No convite, costumo pedir para que as pessoas tragam para a festa a pessoa mais brilhante que conhecem. Quando entram em contato com a nossa equipe, esses convidados brilhantes geralmente acabam largando seus empregos convencionais para vir trabalhar na Mindvalley. Recrutar pessoas dessa forma é uma estratégia poderosa.

Rituais anuais

Na Mindvalley, uma forma de estreitar laços sociais e dar espaço para a vulnerabilidade é realizando um retiro anual da equipe, como mencionei anteriormente. A Mindvalley leva toda a equipe para um local exótico, onde passamos quatro dias nos conhecendo. É onde passamos três noites e dois dias nos conectando e nos unindo. Todas as noites, fazemos uma festa à fantasia caprichada. Descobri que festas à fantasia são um território neutro. Quando se pode ser quem quiser, a convivência fica mais fluida.

Tática 2: crie um ambiente de segurança e apoio

Passei por uma experiência oposta a isso na Mindvalley. Um dia, em 2017, fui parar no hospital depois de trabalhar até a exaustão. Fiquei na cama pensando *Como é que vim parar aqui?* Era uma pergunta estúpida, porque eu sabia muito bem a resposta.

Se você já trabalhou até não aguentar mais, sabe que pode ser difícil parar no meio de um projeto. Mesmo cansado, você vai em frente. Sem pedir ajuda. Fazendo tudo sozinho. E foi o que eu fiz. Assumi coisas demais e, claro, entrei em colapso.

Havíamos acabado de lançar a Mindvalley University, uma universidade tipo *pop-up*, com duração de um mês inteiro. Na primeira vez que lançamos, foi um experimento. Perguntamo-nos se era possível reinventar a universidade tradicional. Será que conseguiríamos convencer pessoas, ou até famílias, a viajar para um novo país, viver lá por duas a quatro semanas e se conectar com uma comunidade *pop-up* de mentes brilhantes e professores de renome internacional?

Como é de se imaginar, um evento que dura um mês inteiro e acontece em um país diferente todos os anos é um empreendimento gigante. A experiência acabou sendo um sucesso incrível. Mas quase me matou.

Na primeira edição, pedimos que os alunos e professores viajassem para Barcelona, na Espanha. Tivemos trezentos participantes. No ano seguinte, foi em Tallinn, na Estônia, e tivemos onze mil participantes. E foi crescendo, ano após ano.

Mas, naquela primeira vez, em Barcelona, o evento me quebrou fisicamente. Fui internado com bronquite grave. Não tinha mais voz. Eu estava esgotado. Consegui trabalhar o suficiente para ver o projeto concluído, mas, quando acabou, fui engolido por uma nuvem de depressão. Isso aconteceu devido a uma carga de trabalho intensa e ao estresse que veio junto com tantas incertezas. Foi um dos períodos mais estressantes da minha vida.

Portanto, quando falamos sobre a Versão 2.0 da Mindvalley U em 2018, indiquei minha amiga e colega de equipe Kadi Oja para assumir a tarefa. Mas minha preocupação era enorme.

Considerando minha experiência do ano anterior, temi pela sua saúde física e mental. Lutei contra mim mesmo para permitir que ela ou qualquer um assumisse a tarefa. Mas Kadi é uma das melhores. Ela costuma me mandar mensagens tarde da noite com ideias e sugestões sobre departamentos que nem são os dela, e geralmente encerra suas mensagens dizendo "Desculpe, mas você sabe quanto amo essa empresa". Ela trata a empresa como se fosse sua, o que me impossibilitou de dizer "não" quando surgiu a ideia de colocá-la para assumir a Mindvalley University. Nomeei-a diretora da universidade, mas sob algumas condições.

Prometi a mim mesmo que ela não passaria pela mesma agonia que passei. Então, junto com uma pequena equipe que trabalhava no projeto, criamos um grupo de WhatsApp chamado *Angels*. Era uma estrutura de apoio a todos os envolvidos, para que ninguém se estressasse sozinho. O grupo era uma forma de verificar como estávamos nos saindo todos os dias. Usávamos para compartilhar momentos de gratidão, enfrentar desafios e rir com vídeos e *gifs* que nos faziam sorrir ao longo do árduo processo de planejamento da nossa segunda edição.

Além do grupo *Angels* no WhatsApp, também saíamos para almoçar uma vez por semana. Em um desses almoços, eu estava enfrentando um dilema pessoal. Por causa do estresse do projeto, me entreguei e caí no choro na frente da minha equipe.

Como homem, e CEO da empresa, chorar na frente da equipe pode ser horrível, e para alguns pode parecer um sinal de fraqueza.

Não me lembro do que meus colegas de equipe me disseram naquele dia, mas lembro que me senti seguro e querido. Saí do almoço em paz. Sabia que tudo ficaria bem. Naquele dia, eles foram mais do que anjos de WhatsApp para mim. Foram anjos de carne e osso. E foi uma das experiências mais bonitas que tive de conexão com colegas de trabalho.

A experiência me lembrou de uma fala do filme *Quase famosos*. Lester Bangs, o personagem de Philip Seymour Hoffman, diz: "A única moeda real nesse mundo falido é a que você compartilha com alguém quando vocês não são descolados".

Claro, é preciso disposição para não ser descolado. Mas é assim que você encontrará pessoas que vão gostar ainda mais de você (falarei mais sobre isso em breve).

Esta é a dinâmica ideal de uma equipe. Um lugar seguro em que as pessoas podem comemorar os bons momentos e aprender uns com os outros durante os momentos difíceis. Em outras palavras, onde as pessoas se sentem seguras o suficiente para pedir apoio e ajuda quando sabem que é isso que irão receber.

Não há nada melhor para ajudá-lo a enfrentar tempos difíceis no trabalho e na vida do que um sistema de apoio confiável. É uma experiência muito especial.

Em equipes, é preciso se esforçar para que as pessoas se sintam bem sendo elas mesmas. Mas, repito, todos podemos criar estruturas para que isso aconteça. Em primeiro lugar, jogue no lixo o grande mito sobre o trabalho, que diz que vida profissional e vida pessoal devem ser separadas. Quando as pessoas se sentem seguras com seus colegas de trabalho, é pura magia.

Como se constrói um grupo em que as pessoas se sentem apoiadas? Há duas práticas simples que podem ajudar a começar:

1. **Espaços de trocas entre o grupo:** crie um grupo de WhatsApp em que todas as equipes de que você faz parte possam compartilhar assuntos pessoais. Na Ásia, é comum que as famílias se conectem por meio de grupos de WhatsApp. Toda a minha família está conectada. É o que usamos para nos manter informados. Por que não fazer o mesmo com a sua equipe?

Regra: faça com que o grupo sirva para compartilhar aspectos pessoais da vida dos membros. E deixe claro que o grupo serve para que as pessoas peçam apoio. Ao encarar projetos intensos, com alto potencial de estresse, esses grupos são especialmente úteis. Assim como eu, você pode chamar o grupo de Anjos, para não deixar dúvida de que o propósito do grupo é estabelecer uma rede de apoio amorosa.

Além disso, veja que sugiro o WhatsApp porque é a ferramenta mais usada, mas sinta-se à vontade para usar qualquer ferramenta comum no seu país.

2. **Jantares privados:** nossas saídas noturnas mensais se tornaram tão agradáveis que agora costumo convidar as equipes para jantares e encontros noturnos.

Enquanto escrevo este livro, estou projetando um novo apartamento. Pedi ao *designer* que me garantisse que eu teria espaço para vinte ou trinta pessoas em casa.

Todas as semanas, planejo marcar jantares com todas as minhas equipes. Quando nos encontrarmos, será em um espaço onde as pessoas se sentem prontas para se abrir e ser autênticas.

Qualquer um pode fazer o mesmo (e é especialmente importante se você lidera uma equipe), embora possa ser necessário agir à margem das regras de negócios convencionais.

Ao criar esses momentos, você verá surgirem ideias extraordinárias. Quando as pessoas estão no trabalho, comunicam-se com a sintaxe do profissionalismo, o que pode reduzir sua expressividade. Onde os amigos e as famílias se reúnem? À mesa. Para criar um sentimento de confiança profunda, pode valer a pena abrir mão dos jantares em restaurantes. Em vez disso, abra as portas da sua casa.

Tática 3: pratique a vulnerabilidade

Virgina Woolf escreveu: "O que valorizo é o contato puro com a mente". Quando sabemos que estamos seguros, podemos ser nós mesmos. Quando sabemos que temos amigos que se importam, sabemos que podemos contar sobre nossas inseguranças e fantasmas internos.

Para desenvolver o sentimento de amor e pertencimento no local de trabalho, para que haja uma conexão verdadeira, há um ingrediente emocional imprescindível: a vulnerabilidade.

A verdade é que as pessoas querem ser vulneráveis (ainda que achem que não). É o ingrediente do amor e do pertencimento conectados biologicamente que elas desejam. E talvez esse seja o nosso maior desafio. Mas deixe-me contar um segredo que aprendi sobre liderança: vulnerabilidade é a marca dos grandes.

A vulnerabilidade é desconfortável e por isso mesmo é difícil. Se você acha que está fazendo a coisa certa, mas não está com medo, então você não está fazendo nada. O medo é um pré-requisito.

Por que não é bom esconder o lado ruim

Aprendi uma lição importante sobre vulnerabilidade em um dia no ano de 2012.

Kristina, minha esposa à época, e eu estávamos tentando ter nosso segundo filho. Estávamos tentando engravidar havia cinco anos. Em janeiro de 2012, descobrimos que Kristina estava grávida. Ficamos em êxtase.

Então, na sexta semana de gestação, enquanto fazíamos um exame de rotina no hospital, recebemos a notícia devastadora. Soubemos que havíamos perdido o bebê.

Levei Kristina de volta ao carro. Ela mal ficava em pé. As lágrimas escorriam pelo meu rosto. Eu não tinha nem ideia de como podia lidar com aquela dor. Foi um momento devastador e paralisante. Senti que toda a alegria ou amor que já havia sentido na vida tinham sido roubados de mim de repente.

Deixei Kristina em casa e fui para o escritório. Naquele dia específico, alguns cinegrafistas de Singapura haviam viajado até lá para me entrevistar para um documentário sobre a cultura da Mindvalley.

Quando entrei no estúdio de gravação, despenquei no chão. Falei à produtora que não conseguiria terminar a filmagem. Ela entendeu e cancelou.

Disse a ela o que havia acabado de acontecer, mas não disse a mais ninguém. Não queria que minha dor infectasse o escritório. Então escondi para mim. Por várias semanas. No décimo segundo dia, minha colega Grace entrou no meu escritório. Grace é gerente na Mindvalley. É uma pessoa muito querida e educada.

"Vishen, você está chateado comigo?", ela perguntou.

"Não", respondi. "Por que você pensaria isso?"

"Bom, é que você está *diferente* desde a semana passada. Você parece bravo e distante. Como se não fosse você. Então achei que eu pudesse ter feito algo errado."

Naquele momento, percebi que, ao tentar esconder minha dor das outras pessoas, sem querer acabei criando mais dor. Grace pensava que ela havia falhado comigo.

Mudei minha visão a partir daquele dia. Agora, sempre que estou enfrentando um período ruim na vida, faço questão de contar à minha equipe. Pode ser um filho doente ou a morte de alguém da família. Mas, sempre que surge um dilema que abale meus sentimentos ou desperte tristeza, eu compartilho.

Incentivo a todos da equipe que façam o mesmo. Se é algo que não pode ser compartilhado, então a regra é dizer simplesmente: "Estou passando por um período de merda agora. Por isso estou meio de mau humor. Se eu parecer chateado, por favor, saiba que não é com você".

Essa afirmação acaba com as especulações. E pode favorecer um nível de conexão mais profundo. Mostrar-se vulnerável dessa forma permite que seus colegas o apoiem da forma que puderem.

Quando compartilhei esses momentos, sempre houve alguém disponível para me dar um abraço. Ou, ao voltar de uma reunião, encontrava um bilhete carinhoso na minha mesa. É isso que bons amigos e bons colegas fazem. Talvez eles não consigam sentir a sua dor, mas permitirão que você a sinta e mostrarão que você pode contar com eles.

Tática 4: contágio positivo

Assim como uma gripe, humores são contagiosos. É um fenômeno conhecido como contágio emocional. É o que acontece quando os sentimentos e comportamentos de uma pessoa despertam as mesmas emoções e ações nas pessoas ao seu redor.

Talvez seja por isso que Shawn Achor escreveu, no livro *A vantagem da felicidade*: "Estudos mostraram que, quando os líderes estão de bom humor, seus funcionários têm mais chances de também estar de bom humor, de demonstrar comportamentos solícitos e sociais uns com os outros e de coordenar tarefas de maneira mais eficiente e com menos esforço".

Uma das melhores formas de iniciar um contágio emocional positivo em grupos é sendo otimista e positivo. Dê o tom. Para dar um passo a mais, crie rituais estrategicamente planejados que inspirem boas vibrações na equipe, e faça deles eventos periódicos. Rituais são maneiras incríveis de criar uma experiência de pertencimento.

Ritual 1: Dia da Cultura e comemorações. Na Mindvalley, fazemos um Dia da Cultura todos os meses. Como temos sessenta países representados na equipe, fazemos com que todos se sintam representados ao difundirem os costumes, comidas e rituais de seus locais de origem.

No Dia da Cultura na nossa empresa, talvez você veja um grupo barulhento de representantes do Oriente Médio dançando orgulhosos com seus potes de homus, ou então um dragão colorido gigante desfilando pelos corredores para comemorar o Ano-Novo chinês. Já tivemos alemães vestidos em seus típicos *lederhosen*, distribuindo cerveja e servindo salsichas. E canadenses cheios de alegria, distribuindo bilhetes de agradecimento escritos à mão porque, bem, os canadenses sempre se superam em ser absurdamente gentis.

Roube o nosso tradicional Dia da Cultura se fizer sentido para você. Mas, para cada equipe, esses rituais devem ser únicos. É importante pensar nos seus valores e nos contágios emocionais que você quer criar.

Ritual 2: Encontro semanal todos presentes: o Relatório Maravilha. Outro ritual simples que qualquer empresa pode implementar é um encontro de toda a empresa para celebrar vitórias. O Relatório M (o "M", no nosso caso, é a sigla de "Maravilha") é uma reunião de toda a nossa comunidade na Mindvalley, que acontece uma vez por semana. Usamos esse momento coletivo para compartilhar novidades, comemorar novos recordes quebrados, ideias, conquistas das equipes e metas atingidas. Reconhecemos os talentos, os feitos e os sucessos da equipe, e isso inspira conquistas ainda maiores em toda a empresa.

A pauta do Relatório M se estrutura da seguinte forma:

1. Compartilhar histórias de clientes e artigos publicados na imprensa sobre a Mindvalley.
2. Passar pelos Objetivos Trimestrais e relatar possíveis vitórias.
3. Compartilhar novos recordes quebrados.
4. Reconhecer as pessoas que contribuíram para os sucessos da última semana.
5. Apresentar os novatos que entraram na empresa.
6. Compartilhar novidades do RH e novas iniciativas para os funcionários.
7. Encerrar com uma mensagem ou ideia. Qualquer um dos líderes pode apresentar suas ideias em uma fala de cinco minutos.

Esse ritual simples pode durar de sessenta a noventa minutos toda semana. Ele reúne toda a empresa em um contágio coletivo positivo. Após o Relatório M, servimos bebidas e lanches para que as pessoas possam conversar durante o lanche, ouvindo música.

Contágios positivos como o Relatório M e o Dia da Cultura são importantes. Eles criam um efeito cascata de positividade, que conduzem a um melhor desempenho do grupo como um todo e permitem que as pessoas se conectem com profundidade e conheçam e reconheçam seus colegas de equipe.

Tática 5: competir em gentileza

Se houvesse UMA coisa que você pudesse fazer em menos de cinco minutos todos os dias para melhorar drasticamente suas chances de conseguir um aumento nos próximos anos, você faria?

Bem, aqui está.

Em uma entrevista comigo, Shawn Achor compartilhou seu conceito de Pontuação de Conexão Social:

> Conexão social é a amplitude, a profundidade e o significado das suas relações sociais. É, na verdade, o maior indicador da sua felicidade no longo prazo. Mas a forma como os cientistas geralmente a quantificam é perguntando: "Você recebe bastante apoio social? Se sente um bloqueio no trabalho, tem alguém que irá ajudá-lo?".
>
> Inverti as perguntas para questionar sobre QUEM está oferecendo esse apoio.
>
> O que descobrimos é que SE...
> - Você é o tipo de gente com quem as pessoas vêm conversar quando estão enfrentando momentos difíceis,
> - Você tem um alto nível de compaixão,

- Você organiza compromissos sociais,
- Você é uma pessoa positiva e otimista (que, em pesquisas anteriores, descobrimos que é algo que o torna magnético),

Então você tem uma alta Pontuação de Conexão Social. E o que se conclui é que, estando no quartil superior de conexão social (o que significa estar entre os 25% melhores da sua empresa), as chances de receber uma promoção nos próximos dois anos são 40% maiores.

Pense nisso por um instante. Às vezes pensamos que quem recebe aumento são as pessoas mais inteligentes ou mais competitivas. Mas a pesquisa de Shawn Achor mostra que a conectividade social importa ainda mais.

Ele continua: "Felicidade pode ser uma escolha, mas exige esforço. Tanto em nível individual quanto para nós que somos empresários. Temos uma obrigação moral e profissional de garantir que as pessoas da nossa equipe se encontrem em um estado positivo", Achor sublinhou.

Sentir-se conectado, apreciado ou amado no trabalho faz com que as pessoas se sintam bem. E, quando as pessoas se sentem bem, trabalham melhor. A vida delas melhora. Por isso é tão importante estimular atos de bondade.

Mas como cultivar conexões sociais em massa, em toda uma empresa? Na Mindvalley, criamos um *hack* de cultura muito bacana chamado de Semana do Amor. Ficou tão famoso que hoje a Semana do Amor é realizada em mais de cinco mil empresas em todo o mundo.

A Semana do Amor acontece todos os anos, durante a semana do *Valentine's Day*, e não tem nada a ver com amor romântico. Por cinco dias consecutivos, os colegas de trabalho espalham amor e apreço entre si.

Funciona assim

Cada um se torna um "Anjo Secreto" de um "Humano". O dever do Anjo Secreto da semana é demonstrar afeição de uma forma criativa, misteriosa e discreta. Essas demonstrações não precisam ser extravagantes. São coisas simples, como deixar o café favorito de alguém em sua mesa pela manhã, ou entregar um arranjo de flores, ou um bilhete escrito à mão. Na Mindvalley, porém, já tivemos jantares franceses, vale-massagens e telegramas cantados.

No final da Semana do Amor, os Anjos Secretos revelam suas identidades. É sempre uma beleza ver a surpresa, o amor e a gratidão genuína que se seguem. Para lançar uma competição de gentileza em qualquer equipe, siga as orientações do exercício da Semana do Amor ao final deste capítulo.

Mais de cinco mil empresas hoje participam da Semana do Amor, e é maravilhoso ver os compartilhamentos e os *stories* no Instagram. Criei um guia de implementação oficial da Semana do Amor, que você pode encontrar no *site* de materiais extras deste livro, em www.mindvalley.com/badass.

Mas, se você ainda não se convenceu, ou acha que alguns exercícios de conexão não têm resultados duradouros, deixo aqui uma última história. Este foi meu melhor momento do nosso último retiro da equipe em 2019. E foi totalmente inesperado.

Amor em um banheiro público

Soube que nosso último retiro da equipe havia sido um sucesso quando dei de cara com alguns colegas no banheiro masculino às duas da manhã. A festa naquela noite havia sido memorável.

Encontrei um grupo de caras em volta de um dos colegas, consolando-o. Quando ouviram a porta rangendo, todos se viraram para ver quem era.

"E aí, pessoal", disse, distraído, mas me sentindo um pouco constrangido e já sabendo bem que algo estava acontecendo por ali.

O cara no meio da roda – vamos chamá-lo de Dan – olhou para cima e, ao ver que era eu, começou a explicar o que estava acontecendo. "Estou tão cansado de levar fora das garotas. Quer dizer, tem algo errado comigo? O que preciso fazer para que elas gostem de mim?".

Todos os caras estavam ao redor de Dan. Eles se uniram para ajudá-lo. Todos estavam dando ideias e oferecendo apoio.

"Semana que vem, marcamos um café. Quero ajudar você com isso", disse um deles. Outro colega ofereceu: "Você precisa ler este livro que li sobre relacionamentos".

Outro interrompeu: "Será um prazer acompanhar você na academia, se precisar de um apoio por lá".

Foi incrível ver todos os caras se conectando assim. Dan se sentiu consolado. Ele estava simplesmente tentando entender as barreiras que estavam no seu caminho e pedindo apoio aos seus colegas – seus amigos, na verdade.

Dan se sentiu à vontade para ter coragem de falar sobre seu conflito em um banheiro público, na frente de seus pares e do fundador da empresa. Ele sabia que não seria julgado. Naquele momento, pensei "*Uau, isso é impressionante. Isso sim que é conexão*".

Ao levar conexão para o local de trabalho, você dá às pessoas e a si mesmo um dos maiores presentes do mundo – e o presente com a maior correlação com a felicidade humana: o presente do pertencimento.

No próximo capítulo, subiremos um degrau na pirâmide de Maslow. Iremos da Conexão à Autoestima. E como você verá, é possível planejar sua empresa de forma que as pessoas que trabalhem ali se sintam muito importantes.

Também irei compartilhar um exercício simples que Shawn Achor me mostrou. Fez com que uma empresa fosse dos US$ 650 milhões aos US$ 950 milhões em dezoito meses – e tudo isso com um exercício de dois minutos por dia.

Resumo do Capítulo

Modelos de realidade

Amor e pertencimento são necessidades humanas básicas. É algo biologicamente programado em todas as pessoas. Todo mundo quer se sentir conectado, inclusive com seus colegas. A maioria das pessoas passa um terço da vida no trabalho, o que significa que colegas de trabalho são a nova tribo.

Conexões sociais influenciam significativamente a qualidade de vida de uma pessoa, tanto fora quanto dentro do local de trabalho. Quando as pessoas sentem que sua necessidade de trabalho foi atendida, a produtividade, a inteligência, a criatividade e a saúde melhoram radicalmente. É porque os vínculos sociais são o fator mais importante da felicidade individual (com correlação de 0,7).

Portanto, as cinco táticas para cultivar vínculos sociais em qualquer grupo são:

- Amizades no trabalho. Funcionários que trabalham junto com seus melhores amigos são *sete vezes* mais comprometidos com o trabalho do que seus colegas sem conexões. Para aprofundar os vínculos sociais em qualquer grupo, organize eventos e rituais. Qualquer um pode fazer isso.
- Crie um ambiente de segurança e apoio. Para que haja pertencimento, as pessoas precisam se sentir seguras com seus pares. Para colocar isso em prática, todos podem criar espaços de compartilhamento pessoal, tanto *online* quanto *offline*.

- A vulnerabilidade é uma das qualidades mais relacionadas à invencibilidade. Seja um exemplo, e todos poderão criar um ambiente em que as outras pessoas também possam ser autênticas.
- Contágio positivo. O contágio emocional acontece quando um estado de espírito passa de uma pessoa para outra no mesmo ambiente. Contágios emocionais positivos podem começar com qualquer um. Use rituais para difundir emoções positivas entre as equipes e assim criar uma comunidade.
- Competir em gentileza. Comemore a Semana do Amor. Para fazer parte do movimento, siga os passos abaixo. Para mais informações, visite o *site* com materiais extra deste livro em www.mindvalley.com/badass.

No próximo capítulo, você irá aprender como ser infodível e como difundir essa qualidade entre todos que cruzem o seu caminho. Ao desenvolver essa característica, você será invencível. E ao aprender a destravar essa infodibilidade em outras pessoas, elas também serão.

Sistemas de vida

Semana do amor: um guia sobre como injetar amor no ambiente de trabalho

Acompanhe a Mindvalley na nossa tradicional Semana do Amor anual. Todos os anos, compartilhamos essa campanha, que dura uma semana inteira. Siga e compartilhe através da nossa página do Facebook e do Instagram e no nosso *feed* no Twitter (@mindvalley) usando a *hashtag* oficial #SpreadLoveWeek.

1º passo: Prepare a Semana do Amor: antes do início da Semana do Amor, todos colocam seus nomes em um chapéu e então cada pessoa tira um nome aleatoriamente, independentemente de gênero ou cargo. O nome que cada pessoa tira será o seu Humano, e ela se torna então o Anjo Secreto.

O papel do Anjo Secreto é demonstrar amor e apreço pelo seu Humano durante a semana, de maneiras criativas, misteriosas e discretas.

2º passo: Procure saber sobre o seu "Humano": ninguém precisa gastar quantias exorbitantes para demonstrar amor e apreço ao seu Humano. É sempre a lembrança e o esforço que contam. Se o Anjo Secreto já conhece o seu Humano, terá uma boa ideia dos seus gostos e preferências. Se eles ainda não se conhecem, será uma excelente oportunidade de conhecer alguém melhor.

3º passo: Seja criativo! Os colegas são estimulados a colaborar com outros Anjos Secretos dando ideias e colocando a mão na massa para preparar os presentes. Deixo aqui algumas ideias: peça para que os amigos do seu Humano escrevam vários bilhetes, crie uma *playlist* no Spotify, envie frases inspiradoras, crie uma conta temporária no Tumblr dedicada ao seu Humano ou crie um painel personalizado (anônimo) no Pinterest com suas metas e interesses. As ideias são infinitas.

Conheça a versão integral do Guia de Implementação da Semana do Amor e confira cenas dos bastidores em www.mindvalley.com/badass.

CAPÍTULO 4

DOMINE A INFODIBILIDADE

Ser você mesmo em um mundo que a todo tempo quer fazer você mudar é a maior vitória.

– Ralph Waldo Emerson

Em um mundo com tantas opções, procuramos seguir os outros em vez de seguir nossas próprias orientações interiores. O segredo é aprender a se amar profundamente e a confiar nos próprios desejos mais íntimos. Ao agir assim, pode-se canalizar sonhos, visões e desejos para criar a obra-prima de uma vida. Como líder, você pode despertar isso nas outras pessoas também. Assim, as visões compartilhadas que você cria se tornam realidade com elegância e facilidade.

Lembro-me do meu avô me levando para a escola quando eu era adolescente e dando um conselho muito útil. Ele me disse: "Seja como Bill Gates. Ele é o homem mais rico do mundo. Seja como ele. Você precisa estudar informática".

Meu avô era de origem indiana. E naquele ano, Bill Gates havia feito uma viagem muito comentada para a Índia. Meu avô assistia ao noticiário e estava fascinado com Gates.

Seu conselho ficou na minha cabeça.

"Seja como Bill."

"Estude informática."

E por causa do respeito que eu sentia pelo meu avô, comecei a ir na direção que ele havia colocado na minha cabeça.

Dei duro na escola e tirei boas notas. Tentei entrar em todas as grandes universidades que tinham curso de ciência da computação. Em 1995, fui aceito na Faculdade de Engenharia Elétrica e Ciência da Computação da Universidade de Michigan. Assim começou minha vida de estudante de engenharia. A universidade era difícil para mim. Eu nem gostava das aulas de engenharia, mas insisti.

Então, certo dia em 1998, a Microsoft foi ao *campus*. Os recrutadores estavam lá para incentivar os alunos da nossa renomada faculdade a se candidatarem a uma vaga na empresa. Fiquei muito satisfeito por ter sido selecionado para a entrevista.

Alguns meses depois, fui aceito. Eu havia me tornado um dos poucos engenheiros a serem escolhidos para passar o verão de 1998 em Redmond, Washington, como estagiário da Microsoft. E, a não ser que você fizesse uma besteira muito grande, esse era um caminho para um emprego em tempo integral em uma das empresas mais fantásticas do mundo naquela época.

Então, certo dia, vi que eu estava no meu próprio escritório na Microsoft. Foi uma sensação incrível. Eu tinha minha própria sala. Eles providenciaram um apartamento bacana para mim. Eu tinha três monitores na minha mesa de trabalho. E o convite para um churrasco na casa de Bill Gates.

Meu avô teria ficado tão orgulhoso.

Mas algo estava me consumindo por dentro.

Para ser sincero, odiava meu trabalho. Eu era engenheiro de teste de *software*. E acordava todos os dias aterrorizado com a ideia de ter que ir trabalhar.

Em um final de semana, fui parar nas margens do lago Washington. Nossa turma de novatos havia sido convidada para visitar o homem, Bill Gates, na sua belíssima casa à beira do lago. Eu estava em êxtase, e honrado por estar lá.

No meio do gramado estava o próprio Bill. Ele era maravilhosamente gentil e charmoso. Eu sentia o maior respeito pelo cara. E lá estava ele, servindo hambúrgueres para meus colegas engenheiros, que o rodeavam para ouvir suas histórias e apertar-lhe a mão.

Fui até Bill dar um oi. Lá no fundo da minha mente, fiquei me perguntando se meu avô estava assistindo lá do céu. Então paralisei.

Alguma coisa não estava certa.

Eu odiava meu emprego.

Não deveria estar lá.

Por que eu estava fingindo?

Eu admirava o Bill, mas sabia que estava mentindo para ele. E para mim mesmo.

Saí da Microsoft logo depois daquilo (tá bom, fui demitido). Fiquei onze semanas na empresa.

Ao ir embora, no táxi que me levava ao aeroporto Sea-Tac, parte de mim se sentia um fracasso. Mas havia outra parte que sentia um alívio. Prometi a mim mesmo que nunca mais tentaria moldar minha visão de vida acerca de algo que outra pessoa esperava de mim.

Nem por Bill.

Nem pelo meu avô.

Passei quase cinco anos da vida correndo atrás de um diploma e de uma visão de futuro para os quais eu não dava a mínima. Assim que realizei aquele sonho de trabalhar para a Microsoft, percebi em poucas semanas que queria cair fora.

E isso me ensinou algo curioso sobre sonhos. Muitas vezes aquilo que imaginamos querer não é o que de fato queremos.

Confundimos nossos sonhos. Corremos atrás de metas que outros nos impõem, enquanto oprimimos as metas que de fato emanam da nossa alma.

E fazemos isso... para nos sentir importantes.

Todas as pessoas nascem com necessidade de significado. De sentir-se plenas e autossuficientes, e valorizadas e amadas. Quando crianças, vemo-nos como se a nossa opinião fosse a única que importasse. Depois, aprendemos que não estamos sozinhos no planeta. Inevitavelmente, passamos por alguma experiência decisiva que abala nossa autoestima.

Talvez sejam nossos pais ou professores nos dizendo: "Por que você não pode ser como a sua irmã ou seu irmão ou seu colega?". Ou talvez sejamos ridicularizados em sala de aula por levantar a mão e dar uma resposta errada. Ou talvez uma provocação dos nossos colegas, por sermos diferentes de alguma forma.

Nesses momentos, uma pessoa se questiona se é boa o suficiente, e a memória daquela dor fica gravada nela. Rompe-se aquela crença básica que diz "eu sou suficiente".

A partir daquele momento, a vida se torna uma corrida para provar o próprio valor ao mundo. Não conheço ninguém que não tenha sentido isso de alguma maneira. E não sou nenhuma exceção.

A busca por significado se alinha ao quarto nível da pirâmide de Abraham Maslow, que ele chama de Estima. A teoria de Maslow sugere que, quando as necessidades de Segurança Física e Amor/Pertencimento de uma pessoa são satisfeitas, ser valorizado e respeitado é o que passa preponderantemente a motivar o comportamento humano.

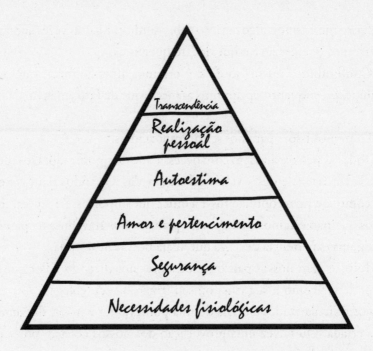

Estudei algo que não me agradava e aceitei um emprego de que não gostava porque queria me sentir importante e elevar minha autoestima. Queria sentir que minha família estava orgulhosa de mim. Mas, no meio do caminho, destruí meus próprios sonhos.

Todos nós tomamos medidas extremas para atenuar a sensação de que não somos suficientes. Alguns tentam se validar com suas carreiras ou com seu saldo bancário. Outros espantam o medo com um carro esportivo ou uma mansão. Alguns trabalham até não aguentar mais para conseguir aquele cargo tão almejado ou um aumento. Outros buscam a fama. Alguns não conseguem tal validação, e essa inabilidade de sentir-se pleno os leva ao vício ou ao desespero.

Mas, quando as pessoas se livram da necessidade de se sentir importantes, quando passam a acreditar que são boas o suficiente, começam a funcionar em um nível de poder incrível. É a qualidade de ser infodível.

Tornando-se infodível

Não sei quem cunhou a palavra "infodível",[1] mas ela se tornou popular a partir de um meme da internet. Havia uma imagem acompanhada do seguinte texto:

> *Infodível: Quando você está em paz e em conexão consigo mesmo, nada que alguém diga ou faça pode abalá-lo, e negatividade alguma pode afetá-lo.*

Na verdade, essa é a característica de uma pessoa *foda*. Mas a maioria de nós está longe disso.

Você sai com alguém que não responde sua mensagem no dia seguinte e fica se perguntando o que pode ter feito de errado. Você recebe um relatório de desempenho negativo em um trabalho que não é sua paixão e não consegue deixar de se sentir inadequado. Vê seus colegas, irmãos e amigos evoluindo mais rápido do que você parece evoluir e começa a ter medo de estar ficando para trás. São pequenos baques, mas que vão consumindo sua confiança ao longo do tempo. E o motivo de causarem tamanho impacto é porque você é uma pessoa "fodível".

Se o seu objetivo é conquistar a estima de alguém, você é fodível. O seu fracasso ou o seu sucesso estão nas mãos de outra pessoa. No entanto, se o seu objetivo for levar o máximo possível de energia, amor e entusiasmo para a vida das pessoas ao seu redor, você é infodível, pois está no controle daquela situação. O amor ou a aceitação você que recebe de volta são apenas um bônus.

Deixe-me explicar o conceito. Pessoas que são fodíveis são as que não se sentem plenas. São pessoas que colocam seu valor nas mãos de outras

---

[1] No original em inglês, "unfuckwithable". (N.E.)

e só se sentem bem quando são aceitas, admiradas ou elogiadas. Todos nascemos assim, fodíveis. Existimos em um ecossistema social, e é difícil nos desapegar da nossa necessidade natural de aprovação. Mas, se conseguirmos nos abster dessa necessidade e virarmos "o cara", que é infodível – é aí que vamos ativar nosso verdadeiro poder.

Conhecer o seu valor e se tornar infodível é um processo que acontece não da noite para o dia, mas ao longo de uma série de etapas conscientes e intencionais que vão distanciando-o da dúvida e o colocando no rumo da autoconfiança.

Porque o objetivo final de ser infodível é não ter mais vazios para se tornar *pleno*. Quando você sabe que é suficiente exatamente como é, absolutamente nada pode ficar no seu caminho.

E você pode dar esse presente para as pessoas (voltaremos a isso neste capítulo).

Todos podem construir sua infodibilidade. As estratégias deste capítulo ensinarão a você como superar as inseguranças e apoiar todos que cruzem seu caminho a fazerem o mesmo. A infodibilidade tem efeito expandido. Quando você faz com que outras pessoas espalhem sua própria grandeza, aumenta sua própria infodibilidade. Então os dois principais elementos de ser infodível são:

1. Sentir que você é suficiente
2. Criar sua vida como uma obra-prima única

Regra 1: comece a sentir que você é suficiente

O primeiro elemento para ser infodível é perceber que você se basta. Não que você se bastará no futuro, após concluir determinado projeto ou se apaixonar por certo tipo de pessoa. Ser infodível significa que você é suficiente, exatamente como é agora. Sem mudanças, melhorias ou ajustes.

Quando as pessoas percebem que são suficientes, pequenos problemas que costumavam preocupá-las ao longo do dia desaparecem de repente.

A autoestima delas não depende mais de alguém que não respondeu uma mensagem ou de um emprego que nem importa. Elas passam a ter energia para se dedicar a causas maiores. Têm perseverança para enfrentar os fracassos e confiança para sonhar sem amarras, porque a consciência não lhes fica tolhendo caso algo dê errado.

Duas das formas mais poderosas para a infodibilidade são o amor-próprio e a autogratidão.

Diga a si mesmo *Eu te amo*. Parece ridículo. Mas, se você fizer isso diariamente, sentirá uma diferença enorme. Você não deve nunca perder a oportunidade de dizer às pessoas que se importa com elas e que as ama, e a primeira pessoa com quem você deve se importar, se quer ser infodível, é você mesmo. Fique em frente ao espelho pela manhã, enquanto escova os dentes ou penteia o cabelo, ou algo assim, e diga a si mesmo: "Eu te amo". Você vai se sentir bobo na primeira vez. Repita até não se sentir mais bobo.

Pratique a autogratidão. Todas as manhãs, ao acordar, agradeça por todas as coisas que tem na vida, e comece a lista por você mesmo. Agradeça por todo o trabalho que tem, pela paixão que dedica aos seus projetos, pelo amor e paciência que demonstra à sua família. Comece a apreciar as melhores partes da sua personalidade, porque aquilo em que você se concentra é o que dará frutos. E as pessoas que são infodíveis estão sempre cultivando as melhores partes de si mesmas.

Por mais poderosos que sejam os dois exercícios acima (dou os detalhes e protocolos exatos para eles no livro *O código da mente extraordinária*), há outra técnica que gostaria de apresentar a você.

Acredito que a melhor forma de melhorar sua infodibilidade é valorizando os outros. Ao reconhecer outras pessoas, você se sente bem consigo mesmo e percebe seus próprios pontos fortes. Isso acontece por causa do conceito de projeção, que significa que enxergamos melhor nos outros algo que já temos. Ao valorizar alguém por sua criatividade, isso significa que você também tem a centelha da criatividade dentro de si.

Conheci este exercício por intermédio de Shawn Achor. E é um verdadeiro divisor de águas: a Técnica de Apreciação de Dois Minutos.

Pode parecer estranho, mas dizem que a forma mais eficaz de começar a se sentir suficiente é passando alguns minutos por dia fazendo alguém se sentir suficiente.

Shawn Achor escreveu o livro *A vantagem da felicidade*, e o seu TED Talk sobre felicidade aparece como uma das 25 palestras mais vistas do TED, com mais de vinte milhões de visualizações *online*. Você já aprendeu sobre a pesquisa de Achor sobre conexões sociais no capítulo anterior. Mas aqui está uma das ferramentas mais simples e mais poderosas que ele me ensinou quando o entrevistei, em 2014.

A equipe de Achor havia realizado um experimento sobre ambientes de trabalho que fez aumentar as receitas de uma seguradora de porte nacional em US$ 300 milhões em um ano. O resultado se deu por causa de uma prática diária de dois minutos tão simples quanto escovar os dentes.

"Fizemos isso com pessoas no Facebook e na Nationwide Insurance, nos Estados Unidos. Todas as manhãs, ao chegar ao trabalho, a primeira tarefa que elas precisavam realizar era dedicar dois minutos a escrever um único *e-mail* para elogiar ou agradecer alguém que conhecessem", Achor explicou.

"O *e-mail* poderia ser simplesmente algo como '*Obrigado por me ajudar com o trabalho ontem*', ou mais significativo, como '*Você me motiva todos os dias. Você é meu melhor amigo aqui*', ou ainda '*Obrigado por me dar uma mão ontem em meio a tanto trabalho*.'

"O que aquela pessoa está fazendo é elogiar alguém, e, depois de três dias, aquilo se torna um vício. E as pessoas começam a responder esses *e-mails*, contando como se sentem gratas."

Isso demonstra como expressar consideração com um pequeno gesto como um *e-mail* tem um efeito retumbante. Achor prosseguiu:

"Se alguém seguir esse ritual por 21 dias seguidos, sua pontuação de conexão social vai parar no quartil superior. Um hábito de dois minutos por dia os levou exatamente aonde deveriam chegar, não apenas a níveis mais elevados de felicidade, mas também a promoções, energia produtiva, mais vendas – resultados corporativos que sabemos como mensurar." (Não esqueça que, se você estiver no quartil superior da sua empresa em termos de Pontuação de Conexão Social, você tem 40% mais chances de receber um aumento ou uma promoção nos próximos dois anos!)

Shawn continuou: "Quando fizemos isso na Nationwide Insurance, estávamos trabalhando com o presidente da empresa, Gary Baker, que afirmou ser um cara dos números. Ele disse: 'Eu achava essa coisa de pesquisa sobre felicidade uma bobagem'. Até que lhe mostramos os números. Então ele nos permitiu fazer essa intervenção com sua equipe. Nos dezoito meses seguintes, eles registraram um aumento de 50% nas receitas e 237% no número de candidaturas. Foram de US$ 650 milhões a US$ 950 milhões em um único ano, sem novas contratações, algo fenomenal".

Experiências parecidas foram realizadas em outras empresas. Uma escola teve uma história bacana e bem peculiar com seus resultados. Os motoristas dos ônibus escolares escreviam à mão bilhetes de agradecimento para as crianças das suas rotas. As notas de provas padronizadas das crianças aumentaram em cerca de 22%. A escola saiu dos 10% inferiores nos Estados Unidos e se tornou uma das melhores 150 escolas para se trabalhar no país.

Qualquer um pode iniciar esse tipo de ritual diário simples. Crie sua própria prática para dizer às pessoas da sua vida que elas têm valor, ou replique a Técnica de Apreciação de Dois Minutos na sua equipe ou empresa. Os resultados obtidos ao se dedicar a fazer outras pessoas se sentirem especiais poderão chocá-lo.

Se o primeiro elemento para se tornar um infodível é elevar outras pessoas, o segundo vai um pouco além. Trata-se de transformar sua própria vida em uma obra-prima e contagiar todos ao seu redor para que façam o mesmo. Desde que criei o exercício chamado de "As três perguntas mais importantes", em 2012, estimo que cerca de um milhão de pessoas em todo o mundo já o tenham feito. Falaremos disso detalhadamente na Regra 2.

Regra 2: crie a sua vida como uma obra-prima única

O segundo elemento para ser um infodível é ter seus próprios sonhos e objetivos, e não imitar o mundo ao seu redor. Todos têm suas próprias metas de vida. É necessário passar por um processo de compreensão de por que você está neste planeta e ter sua própria lista original de objetivos e metas, que vá além daquilo que o mundo está lhe pedindo para fazer, ser ou ter. Você aprenderá a técnica voltada a identificar a sua visão única de maneira breve.

Em primeiro lugar, porém, entenda que a maioria das pessoas é conformista. Mesmo se não concordam com as convenções, geralmente escolhem fazer o que os outros fazem, de qualquer forma. Isso ocorre porque a maioria das pessoas tem um desejo inato de se adequar e agradar. Então, quando as regras do grupo vão contra aquilo que alguém *quer de verdade*, surge uma crise existencial. Elas ficam divididas entre o que sua intuição interior lhes diz – aquilo que elas pessoalmente acreditam ser certo – e o que a maioria das pessoas está fazendo.

Esse é um dos motivos pelos quais a maioria das pessoas leva vidas que não as satisfazem. Elas não estão no comando da própria vida, mas apenas imitando o que professores, pastores, pais, mães e a mídia de massa lhes impuseram.

Don Miguel Ruiz, autor de *O domínio do amor*, colocou isso na minha cabeça. Perguntei ao grande líder espiritual qual era a essência da "Sabedoria Tolteca" que ele abraçava. Ruiz disse que Tolteca significa "artista". Significa ter a sabedoria de ser o artista da própria vida.

Muitas pessoas não criam uma vida que se assemelhe a uma arte original. Em vez disso, criam vidas que parecem fotocópias do mundo ao seu redor. Uma imitação. Os objetivos que têm para si vêm do mundo externo, e não das profundezas de suas almas únicas. Elas se esqueceram de uma distinção importante – que há uma diferença entre meios para chegar a um fim e o próprio fim.

Objetivos intermediários X objetivos finais

Se você leu meu primeiro livro, *O código da mente extraordinária*, vai lembrar que defini a diferença entre objetivos intermediários e objetivos finais. E, se conhece a expressão "Era um meio para chegar a um fim", já conhece o cerne da questão. As pessoas costumam investir anos – às vezes a vida toda – de trabalho e dinheiro em um objetivo que imaginam ser uma meta final, mas que na verdade é só um meio para chegar a um fim. Esse é um grande erro. Como escrevi em *O código da mente extraordinária*:

> Metas finais são as belas e emocionantes recompensas da existência humana no planeta Terra. Metas finais referem-se a experimentar o amor, viajar pelo mundo sendo realmente feliz, contribuir para o planeta porque fazer isso confere significado, e aprender uma nova habilidade pelo simples prazer de fazê-lo. Metas finais falam à alma. Elas lhe trazem alegria por si mesmas, não porque proporcionam algum rótulo, padrão ou valor externo criado pela sociedade. As metas finais também não são realizadas com o propósito de ganhar dinheiro ou por

recompensas materiais. Elas são as experiências que criam as melhores lembranças de nossa vida.

Metas intermediárias são as coisas que a sociedade nos diz que precisamos ter para sermos felizes. Quase tudo que defini como metas era, na verdade, um meio para o fim, não um fim em si, incluindo:

- Formar-me no ensino secundário com uma boa média final.
- Qualificar-me para a faculdade adequada.
- Garantir um estágio no verão.

Ao correr atrás de um diploma de engenharia da computação e de um emprego na Microsoft, eu estava buscando metas intermediárias. Elas eram um meio para chegar a um fim. Mas não eram o próprio fim.

Então, como fazer para identificar suas verdadeiras metas? As metas finais vêm da alma? Em 2012, criei um exercício útil, que ficou famoso entre milhares de pessoas em todo o mundo, chamado "As três perguntas mais importantes" (3PMI). Ao responder a essas três perguntas, você começará a mergulhar em si mesmo e trazer à tona aquilo que verdadeiramente o torna VOCÊ.

As três perguntas mais importantes (3PMI)

Embora metas intermediárias sejam úteis, a vida não se resume a atingi-las. A vida, no final das contas, não se resume a ir bem em uma prova, conseguir um emprego ou dirigir um carro esportivo. Mas, em vez de termos clareza sobre nossas metas finais, muitos de nós ficamos obcecados com os meios.

É aí que entram as 3PMI. Quando essas três perguntas específicas são feitas na ordem correta, esse exercício pode ajudá-lo a pular direto para as metas finais que de fato importam na sua vida.

Descobri que todas as metas finais se enquadram em três categorias distintas.

A primeira é de experiências. Não importa qual é a sua crença sobre a origem da humanidade, uma coisa é certa: estamos aqui para experimentar o que de melhor o mundo tem a nos oferecer – não os objetos nem o dinheiro, mas sim experiências. Dinheiro e objetos apenas geram experiências. São elas que nos dão uma alegria instantânea, não o tipo de alegria artificial que acontece quando passamos por algum marco definido pela sociedade (como ir bem em uma prova). Precisamos sentir que a vida cotidiana nos reserva maravilhas, amores e emoções que sustentem nossa felicidade. E a felicidade, como você já sabe, é um superpoder.

A segunda é de crescimento. O crescimento aprofunda nossa sabedoria e consciência. Talvez sejamos nós a escolher o crescimento, ou talvez seja o crescimento que nos escolha. O crescimento faz da nossa vida uma eterna jornada de descoberta.

A terceira é de contribuição. É o que oferecemos de volta a partir da riqueza de nossas experiências e do nosso crescimento. O que oferecemos é a marca especial que deixamos no mundo. Ao oferecer, vamos ao encontro da verdadeira realização, pois conferimos sentido às nossas vidas, um elemento-chave de uma vida extraordinária.

Pense sobre essas três categorias colocadas na forma de perguntas. Note como cada pergunta se liga à pergunta anterior.
- Quais experiências quero ter nessa vida?
- Para ser uma pessoa que vive a vida com essas experiências incríveis, como preciso crescer?
- Se eu tivesse uma vida com essas experiências incríveis e tivesse chegado a esse nível, como poderia então retribuir ao mundo o que me foi concedido?

Ao responder essas perguntas, as pessoas passam a ter uma visão genuína das próprias vidas. Tornam-se a expressão do que gostariam de realizar ao final da vida.

Pegue um pedaço de papel e crie três colunas, como abaixo. Nomeie cada uma delas assim:

EXPERIÊNCIAS	CRESCIMENTO	CONTRIBUIÇÃO

Nessas colunas, você fará uma lista das suas metas nessas três áreas. Ao final, o papel deve ficar da seguinte forma.

Dedique cinco minutos a escrever as respostas para cada pergunta. Você ficará surpreso com suas descobertas. O exercício completo leva quinze minutos. Você poderá encontrar vídeos comigo guiando esse exercício na internet, se fizer uma busca no Google por "as três perguntas mais importantes Vishen".

Agora imagine se, em um local do trabalho, todos pudessem ver as 3PMI dos seus colegas. É aí que a verdadeira mágica começa a acontecer.

Quando o trabalho realiza sonhos

Todos os funcionários da Mindvalley são convidados a criar suas próprias 3PMI como parte do processo de integração. Em seguida, eles as colocam em um mural público. As cópias das respostas também são fotografadas e compartilhadas com os respectivos gerentes. Tenho uma foto das 3PMI de todos os funcionários no meu celular e no Dropbox, por comodidade.

É uma forma incrível de colegas se conhecerem além de um nível superficial. E também de se ajudarem a atingir suas metas. Dá aos líderes ideias de como podem auxiliar seus colaboradores a se tornarem a melhor versão de si mesmos.

As 3PMI fazem milagres. Luminita Saviuc foi um exemplo clássico. Ela entrou para a Mindvalley da Romênia como agente de atendimento ao cliente. Ela havia escrito nas suas 3PMI que queria ser uma escritora com obras publicadas e palestrante internacional.

Durante o tempo que passou na Mindvalley, ela escreveu um artigo chamado "15 coisas para abrir mão se você quer ser feliz" em seu *blog* pessoal. Seis meses depois, o artigo viralizou: 1,2 milhão de pessoas compartilharam o texto no Facebook. Foi quando recebeu uma ligação perguntando se ela queria transformar o artigo em um livro. Luminita saiu da empresa dois anos depois de sua admissão, quando a Penguim Random House lhe entregou um cheque por um contrato editorial.

Fiquei triste com sua partida, mas estava orgulhoso dela. E ela valorizava a Mindvalley e o trabalho que havíamos feitos juntos. Ela me pediu para escrever o prefácio do seu livro, o que é claro que eu fiz.

A oportunidade do livro deu a Luminita a plataforma de que precisava para dar palestras ao redor do mundo. Isso a ajudou a atingir sua meta de ser palestrante internacional.

Então, embora possa ser assustador para alguns líderes permitir que seus funcionários sonhem e cresçam por medo de perdê-los, imploro que você pense mais alto. Luminita é minha aliada. E quando ela se tornou palestrante, trabalhamos juntos novamente de formas novas e mais empolgantes para nós dois. Não tenha medo de deixar sua equipe crescer. Eles irão expandir-se, e você se expandirá junto.

Outro caso foi o de Jason Campbell. Ele é um dos apresentadores do *podcast* da Mindvalley, o *Superhumans at Work*. Ao entrar para a Mindvalley, em 2012, escreveu em suas 3PMI que queria se tornar palestrante motivacional. E então, em determinado evento, foi o que aconteceu.

Um dos nossos palestrantes habituais cancelou a presença. Entrei em pânico. Estava lá eu, detrás das cortinas com a minha equipe, tentando pensar no que faríamos. Jason se apresentou, implorando para eu colocá-lo no palco. Eu não tinha ideia se daria certo, pois ele nunca havia dado uma palestra antes. Mas ele havia escrito uma fala que gostaria de compartilhar com o mundo. Fiquei nervoso, mas virei para Jason e disse: "Está bem, vai nessa. Vai lá e deixe-nos orgulhosos".

Jason recebeu o prêmio de melhor palestrante naquele festival. Hoje ele é o apresentador incrível do nosso *podcast* sobre otimização no trabalho (procure pelo *Superhumans at Work* no Spotify ou no iTunes) e fala para todo o mundo.

As 3PMI também são uma forma de as pessoas se conectarem e compartilharem metas. Quando as 3PMI de todo mundo são apresentadas publicamente em um mural para que os outros vejam, as pessoas podem se ajudar em suas metas. Em um ano, quatro colegas descobriram que tinham o mesmo desejo de fazer uma trilha pelos Himalaias. Eles se uniram e cumpriram a meta juntos.

É lindo dar às pessoas oportunidades de explorar e crescer. O trabalho não deveria limitar a vida pessoal dos funcionários. É extraordinário quando as pessoas ao seu redor crescem, porque elas também fazem você crescer. A comunidade tem um efeito composto milagroso.

Então cuide das pessoas e mostre que elas são importantes. Mesmo de maneiras singelas. Porque, assim, o trabalho que vocês estão fazendo juntos também será importante.

O futuro do trabalho

Bill Jense, autor de *Hacking Work: Breaking Stupid Rules for Smart Results*, certa vez visitou a sede da Mindvalley.

"Quais você acha que serão as maiores tendências para o futuro do trabalho?", perguntei.

"O trabalho não consistirá apenas em fazer com que os funcionários se comprometam com a visão da empresa", ele me disse. "As empresas precisarão se comprometer com a visão dos funcionários."

Bill é um oráculo. Acredito realmente que funcionários que têm o direito de viver suas paixões são funcionários melhores. Simples assim. Eles não guardam rancor contra a empresa por refreá-los. E em locais de trabalho onde as pessoas se sentem importantes, os resultados melhoram. E o subproduto da grandiosidade dos funcionários é o fortalecimento dos vínculos de lealdade.

Bill também disse que o processo de 3PMI era um dos melhores exemplos que já havia visto de como as empresas podem se comprometer com a visão de seus funcionários.

Hoje, quando me sento para almoçar com os novatos, sempre tenho suas 3PMI por perto. Elas me dão uma noção instantânea sobre cada pessoa. Você vê além da fachada. E, quando todos podemos ver as 3PMI de cada um, tornamo-nos uma equipe melhor, que se apoia para que todos sejam a versão mais foda de si mesmos.

Se você administra uma empresa de grande porte com um orçamento vultoso, pode dar um passo adiante. Você pode executar um programa de Gestor dos Sonhos. Deixo aqui uma história que me impressionou.

O programa Gestor dos Sonhos

Conheci meu amigo John Ratliff, fundador da Appletree Answers, em um evento para empreendedores. O ponto de vista de John sobre liderança é inovador. Ele diz: "Todos que são dirigentes de empresas deveriam acordar todos os dias de manhã agradecendo por todas as pessoas que disseram: 'Ei, acredito na sua visão. Acredito nos seus mantras. Acredito no seu estilo, na sua estratégia e na sua direção'. E então elas vêm e dão todo o apoio. Precisamos honrar isso".

A equipe de John estava determinada a criar um novo padrão de mercado para o setor de *call centers*, no qual a rotatividade anual média é de 150%. É devastador. Significa que, todos os anos, ele perde praticamente toda a sua equipe. E essa é a média de todo o setor. Então, certo dia, ele se encontrou com seus executivos na reunião trimestral para discutir o engajamento dos funcionários. O que veio à tona foi que um dos valores fundamentais da empresa – "Nós cuidamos uns dos outros" – não estava sendo honrado.

Para corrigir o problema, uma das equipes de gestão deu a ideia de criar um programa que imitasse o modelo de trabalho beneficente da fundação Make-A-Wish, uma organização sem fins lucrativos, fundada nos Estados Unidos, que realiza desejos transformadores de crianças com doenças graves. Mas a ideia aqui não era de aplicar aos clientes, mas sim internamente, aos funcionários. Seria chamado *Dream On*.

Para dar início, a equipe de gestão enviou um *e-mail* caloroso a todos os funcionários expressando como a empresa gostaria de ajudá-los a realizar suas metas de vida. Eles pediram aos colaboradores que compartilhassem seus sonhos, e a diretoria realizaria diversos dos desejos. Sem condições ou limitações.

Bem, ninguém deu muita bola. A princípio, ninguém respondeu o *e-mail*. Era esse o péssimo nível de confiança entre os funcionários e a gestão da empresa. Ninguém acreditou que a oferta fosse sincera. Parecia outro daqueles truques corporativos.

Mas a equipe de John continuou insistindo. Enviaram um segundo *e-mail* e receberam uma resposta, fruto de puro desespero. Era de uma integrante da equipe, incrivelmente corajosa, que estava enfrentando um momento muito difícil. Seu marido a havia abandonado. Ela estava morando no próprio carro, com duas crianças pequenas.

A equipe de gestão imediatamente reservou um quarto de hotel, pago pelo cartão de crédito corporativo. Ajudaram-na a negociar o aluguel de um apartamento novo. Deram-lhe uma licença remunerada para que pudesse se concentrar em seus assuntos pessoais e nos seus filhos até que se sentisse mais estabilizada. Ela ficou perplexa. E contou aos outros o que havia acontecido. Logo a notícia se espalhou.

Havia mais sonhos como aquele. Um funcionário escreveu que estava sem dinheiro para comprar fraldas. Esse tipo de pedido era concedido imediatamente, embora a equipe de gestão sempre respondesse com um *e-mail* pedindo um sonho de verdade. Necessidades básicas não eram consideradas sonhos. Sonhos são diferentes. São desejos pessoais motivados por uma paixão, que surgem no domínio do quase impossível.

E então chegou um sonho com uma história fantástica.

Em um mês de outubro, chegou um pedido de uma de duas irmãs que trabalhavam para a empresa. Uma delas enviou um pedido para seu cunhado, Dan. Ele tinha 28 anos de idade e lutava contra um linfoma de Hodgkin em estágio quatro, com 10% de chance de sobrevivência. O sonho de Dan era ir a mais um jogo da NFL. Ele era da Filadélfia e torcedor inveterado dos Eagles.

Quando os Eagles ficaram sabendo do sonho, enviaram os ingressos do jogo para Dan. E não só isso: trataram de colocar Dan sentado na lateral do campo, junto com as líderes de torcida antes do jogo. Colocaram-no em um camarote VIP com as namoradas e esposas dos jogadores. Depois do jogo, trouxeram Dan para conhecer todos os jogadores na saída do vestiário. O time autografou uma bola para ele. Ele passou um bom tempo sozinho com seu jogador favorito.

Isso foi maravilhoso, mas a história não acaba por aí.

Um dia, John estava no escritório e recebeu uma ligação do nosso amigo em comum Verne Harnish, outro líder incrível e fundador da Organização de Empreendedores e da Associação Colegiada de Empreendedores. Verne era fã do programa *Dream On* e perguntou a John como as coisas estavam indo. John contou a incrível história de Dan.

"Hum, que curioso", disse Verne. "Por acaso o Dan tem uma relação distante com o pai dele?"

Então ele explicou: "Faço parte do conselho de uma famosa clínica médica e realizamos estudos e análises médicas alternativas. Acabei de ler um estudo sobre o linfoma de Hodgkin que aponta que filhos primogênitos com uma relação distante com o pai têm incidência absurdamente maior dessa doença".

"Que loucura. Sem chance de isso ser verdade", disse John.

Então Verne lhe enviou o estudo, e John ficou curioso.

Ele ligou para a esposa de Dan. "O Dan e o pai dele não mantêm contato?"

"Como você sabe disso?", ela respondeu.

"Não sei."

John enviou o estudo à cunhada de Dan. Era verdade que Dan havia se distanciado do pai. Os dois não conversavam havia sete meses. E ambos estavam se torturando por causa do rompimento.

Quando Dan soube do estudo, ficou em choque. Ele também vinha pensando em fazer contato, para que pudessem acertar os pontos. Dan não tinha muito tempo. Então ligou para o pai, e ambos foram fazer terapia. Algumas semanas depois, o relacionamento estava restabelecido.

Depois de algumas poucas semanas, Dan voltou ao médico que havia feito o diagnóstico inicial. O médico disse a Dan: "Você não estará aqui na época do Natal. É melhor começar a preparar seus filhos".

Mas os exames de Dan não apontavam mais nada. O médico não conseguia encontrar nenhum sinal do linfoma de Hodgkin. Assustado e confuso, só pôde concluir que devia ter sido um caso de diagnóstico incorreto. Isso depois de exames que apontavam o câncer e de meses de deterioração física.

Quando John me contou a história, disse: "Não é que a gente leve o mérito por isso tudo. Ninguém sabe se há algum tipo de conexão psicossomática em jogo", prosseguiu. "Foi uma espécie de lição de moral para mim como empreendedor. Os líderes não percebem quanta influência, impacto, autoridade e capacidade têm de alterar as vidas das pessoas que dão as caras todos os dias para transformar suas visões em realidade."

O *Dream On* hoje está presente em centenas de outras empresas em toda a América do Norte. O que é excepcional nesse programa é a forma como ele transborda a generosidade que cria. Os funcionários costumam usar seus desejos para realizar sonhos dos colegas. Surgem daí conexões maravilhosas. O *Dream On* cria líderes em todos os níveis. E quando têm oportunidade, as pessoas se ajudam. Faz parte da nossa natureza humana querer contribuir.

Não importa se você administra uma empresa ou organização, treina uma equipe esportiva ou dá aulas em uma escola, ou se faz parte de uma equipe, pratique ver as pessoas por inteiro. Invista nisso. É responsabilidade de todos nós tratar as pessoas como indivíduos inteiros que são, e não como personagens unidimensionais, conforme imposto pela mentalidade capitalista do século 20.

Quando você se relaciona com as pessoas em um nível de humano para humano, elas também se importam com você, e com a empresa. Ao saírem da equipe, nunca esquecem o impacto que ela teve em suas vidas. E, melhor de tudo, elas também acabam se tornando gestores de sonhos. Elas podem sair para construir seus próprios impérios.

Você formará um grupo de eternos aliados que reúne pessoas preocupadas com a humanidade. Investir nos sonhos das pessoas ao seu redor tem efeito cascata. Mas você precisa dar-lhes oportunidades de explorar. A maioria das pessoas não tem nem ideia do que quer de fato. É por isso que 85% das pessoas trabalham em empregos que odeiam. Não é culpa delas. É a forma como foram condicionadas a construir suas vidas. E, na maioria das sociedades, o modelo de definição de metas é um fracasso.

Comece a compartilhar visões

Compartilhar visões é quando uma empresa (ou uma pessoa) se interessa verdadeiramente pela visão de um funcionário (ou de um colega). Significa que você não está interessado apenas na visão da empresa enquanto equipe. Os colegas se ajudam a alcançar suas metas pessoais. As 3PMI e programas como o Gestor de Sonhos ajudam a torná-las realidade.

> *As empresas não devem pedir apenas que as pessoas se comprometam com as visões da companhia. As empresas deveriam se comprometer com a visão dos seus funcionários em relação à própria vida.*

Talvez você tenha uma equipe pequena. Talvez não possa contar com orçamento para um programa como o *Dream On*. Mas, com o processo das 3PMI, você pode se interessar verdadeiramente pelos sonhos dos seus funcionários.

E o que vou compartilhar agora talvez seja a ferramenta mais poderosa de todo o livro. Ela irá criar uma transformação notável na sua cultura e no relacionamento entre você e qualquer um da sua equipe. E não importa se você é o fundador, presidente, gerente ou um funcionário começando agora na empresa.

Presentes inesperados

Costumo rever as 3PMI das pessoas em busca de oportunidades para ajudá-las. E, em seguida, as presenteio com um livro.

Uma pessoa sonhava em morar na Itália um dia. Comprei para ela uma cópia do guia de viagens Lonely Planet sobre a Itália e dei-lhe o livro acompanhado de um bilhete: "Quando você realizar seu sonho, isso poderá ser útil".

Outro queria criar uma organização sem fins lucrativos. O nome dele era Yusop.

Yusop havia escrito diversas metas nas suas 3PMI, e uma delas realmente me tocou. Era criar uma organização sem fins lucrativos. Imediatamente lembrei-me de um livro que adorei sobre o assunto, *Start Something That Matters*, escrito por Blake Mycoskie.

Fui à livraria, comprei o livro e escrevi um bilhete dentro dele: "Acho que este livro poderá ajudá-lo a realizar seu sonho de mudar o mundo".

Yusop ficou perplexo, pois nunca tinha tido um chefe que se relacionasse dessa forma antes. Ele acabou se tornando um de nossos melhores *designers*. E até se lembrou do meu aniversário! Yusop me deu uma bela camisa de presente, o que é uma coisa bem rara de se fazer para o próprio chefe. E agora, anos mais tarde, tornou-se alguém que deu uma contribuição imensa para a nossa cultura.

Você pode se importar de verdade com as pessoas, e aposto que é assim que você se sente. Mas a verdade é que, a menos que você demonstre isso, as dúvidas bobas que ficam martelando na cabeça das pessoas vão impedi-las de ver que você se importa.

Não basta presumir que as pessoas sabem que você se importa. Você precisa demonstrar.

Ao se dar ao trabalho de conhecer as pessoas por meio das 3PMI e fazer alguma coisa para ajudá-las a realizar seus sonhos, você cria uma mágica e uma lealdade incríveis no local de trabalho. Presentes inesperados mostram às pessoas que você as valoriza.

A forma como agimos quando acreditamos que somos suficientes é superior. Quando nos sentimos importantes, nossa motivação muda. A prioridade passa então a ser o crescimento.

Resumo do Capítulo

Modelos de realidade

Todas as pessoas nascem com necessidade de relevância. De sentir-se plenas, fortalecidas, valorizadas e amadas. Ao se sentirem assim, as pessoas tornam-se infodíveis. É aí que se sentem em paz e em conexão consigo mesmas. Nada que alguém diga ou faça incomoda, e negatividade alguma pode atingi-las. O primeiro passo para se tornar um infodível é perceber que você é suficiente, que já nasceu assim. Se você não pensa isso de si mesmo ainda, pense de outras pessoas. Você receberá a mesma mensagem sobre si mesmo.

Para ser "o cara" na infodibilidade, faça o seguinte:

1. Diga a si mesmo "Eu te amo"
2. Pratique a gratidão
3. Pratique a Apreciação de Dois Minutos ou leve-a para a sua equipe

Lembre-se do que Don Miguel Ruiz disse sobre ser o artista da própria vida. Para isso, defina metas com uma mentalidade que faça as seguintes perguntas:

1. Quais experiências quero ter?
2. Como quero crescer?
3. Como quero contribuir?

O mesmo processo pode ser feito em grupos. Ajudar os integrantes de uma comunidade a realizar seus sonhos é uma prática poderosa. E isso pode ser feito de forma simples, como dando um livro de presente ou enviando um *e-mail* elogioso que não lhe tomará mais do que dois minutos para mandar.

Sistemas de vida

Exercício 1: a técnica de apreciação de dois minutos

1º passo: Faça um acordo com a sua equipe, pelo qual vocês iniciarão a jornada com um exercício de apreciação. Comprometa-se a fazer o exercício por 21 dias e veja os resultados.

2º passo: Antes que qualquer um abra o *e-mail* de manhã, todos precisam marcar um cronômetro em seus celulares com uma contagem regressiva de dois minutos. E, nesses dois minutos, precisam escrever um *e-mail* simples, de apreciação a outro membro da equipe ou à empresa como um todo. Se você usa ferramentas como WhatsApp ou Slack para se comunicar, também pode funcionar assim. Mensagens de áudio podem ser igualmente válidas.

3º passo: Faça com que todos prestem contas. Uma boa maneira pode ser fazendo com que todos estejam conectados via um grupo no Slack ou no WhatsApp e comuniquem quando a apreciação for enviada. A ideia é fazer disso um hábito.

4º passo: Conduza o exercício por 21 dias. Observe a diferença nos estados emocionais e morais da sua equipe e da empresa como um todo. Muito provavelmente você sentirá enormes benefícios. Se assim for, pense se quer prosseguir. Após 21 dias, passa a ser um hábito.

Exercício 2: as três perguntas mais importantes

Descubra o que precisa para saber que você realmente *viveu* a vida.

Uma observação importante antes de fazer este exercício. Não demore mais do que noventa segundos para responder cada uma das perguntas. O objetivo não é pensar demais, mas deixar as respostas fluírem. Assim, você ouve as respostas que vêm instantaneamente à mente, saídas diretamente do coração. Continue escrevendo durante os noventa segundos e não pare. Em algum momento, a sua mente crítica trava e você começa a escrever o que importa.

Não há respostas certas ou erradas. Trata-se de descobrir o que faz sua alma brilhar e faz da sua vida uma experiência maravilhosa. Permita-se sonhar alto.

Quais experiências você quer ter?

Pense nas experiências que você deseja ter durante sua existência. Pense na sua vida amorosa, nos seus relacionamentos, na sua sexualidade. Pense sobre as experiências que gostaria de compartilhar com seus amigos e com a sua família. Como gostaria que fosse a sua vida social?

Suponha que você tenha acesso a recursos ilimitados. Que tipo de carro você gostaria de dirigir? Em que tipo de casa gostaria de viver? Há alguma outra coisa que você sonha ter na vida? E para quais lugares gostaria de viajar? Que tipo de atividades, *hobbies* ou esportes gostaria de praticar?

Anote tudo que consiga sonhar em fazer ou ter e que o faria se sentir feliz e satisfeito.

Como você quer crescer?

Como você gostaria de se desenvolver? Pense sobre a sua vida intelectual, por exemplo. Quais habilidades gostaria de adquirir? Quais línguas gostaria de dominar?

Mas, além disso: que traços de personalidade você admira nos outros e gostaria de adquirir? Por exemplo: como quer lidar com os eventos estressantes da vida?

Quais são seus objetivos de saúde e condicionamento físico? Por quanto tempo gostaria de viver? Como você gostaria de se sentir e o que gostaria de conseguir fazer quando ficar velho? Há algum aspecto específico da sua vida espiritual no qual gostaria de se aprofundar?

Escreva tudo o que você gostaria de desenvolver na sua vida.

Como você gostaria de contribuir?

Por fim, pense sobre as várias maneiras pelas quais você pode contribuir com o mundo.

Como você pode contribuir com a sua família, seus amigos, a sociedade, sua cidade ou até com o planeta inteiro?

Não importa se suas ideias são pequenas ou grandes; anote tudo que vier à mente.

Qual será o seu legado? Como você tornará o mundo um lugar um pouco melhor? Quais problemas você gostaria de resolver para o planeta e para a humanidade?

Pode ser um trabalho voluntário ou dedicando seu tempo a pessoas específicas. Pode ser certo tipo de trabalho que gostaria de criar. Tudo que puder pensar que seria benéfico para outras pessoas e para o mundo em que vivemos.

Os guias completos e os vídeos de todos esses exercícios estão disponíveis em www.mindvalley.com/badass.

CAPÍTULO 5

FAÇA DO CRESCIMENTO SEU OBJETIVO FINAL

Cresça tão rápido que os amigos que você não vê há um mês terão que conhecê-lo novamente.

– Desconhecido

Sua alma não está aqui para vencer. Sua alma está aqui para crescer. A maioria das pessoas não entende isso. Elas se deixam seduzir pelo sucesso e, se fracassam, ficam arrasadas. Elas atribuem excessivo sentido ao que é insignificante. A verdade é que o sucesso e o fracasso são ilusões. A única coisa que importa é o ritmo do seu crescimento. O objetivo da sua jornada é remover todas as barreiras que o impedem de se autorrealizar.

Em 2013, minha empresa completou dez anos. A essa altura do nosso crescimento, era de se imaginar que os negócios estivessem indo bem. E que, depois de mais de uma década como CEO, eu soubesse o que estava fazendo. Mas, na verdade, não foi assim. Entre 2013 e 2015, sofremos uma série de infortúnios desagradáveis que quase destruíram a empresa e me fizeram questionar minhas próprias habilidades como líder e empreendedor.

Tudo começou com um sinal de alerta doloroso. Descobri que minha contadora, em quem eu confiava e que trabalhava na empresa havia cinco anos, tinha roubado do caixa da empresa durante quatro anos e meio.

Pouco a pouco, mês a mês, essa pessoa embolsou US$ 250 mil usando contas falsas. A traição me chocou. Ela era uma das integrantes da equipe em quem eu mais confiava. E estava roubando de nós o tempo todo. Passei muitas noites em claro. Questionei minha habilidade de contratar as pessoas certas, de liderar, de administrar minha empresa.

Mas ficou pior. Um mês depois, logo após o Natal, meu chefe de operações me ligou e disse: "Vishen, não vamos conseguir honrar o pagamento dos salários este mês".

Isso significava que nossos funcionários não seriam pagos no momento mais importante do ano. Aquele foi um golpe duplo. O movimento naquele mês de dezembro havia sido fraco. Em parte por causa da perturbação emocional que eu havia sofrido ao descobrir o roubo. Eu estava desequilibrado. Para tapar o buraco, pensei em vender meu carro. Era melhor do que mentir para as pessoas que confiavam em mim havia anos. Ao final, minha equipe de executivos interveio. Coletivamente, decidiram não receber seus próprios salários para que os outros pudessem receber. Foi um milagre. E recuperou minha fé na bondade das pessoas. Felizmente, janeiro foi um mês bom para nós. Lançamos um produto importante que encheu a conta bancária minguada.

Mal havíamos passado pela primeira experiência de quase morte da empresa quando sofremos novos problemas. Primeiro, perdemos nosso maior cliente por causa de uma mudança na presidência da empresa. De uma hora para outra, 15% da nossa receita foram varridos. Em seguida, tivemos uma falha gigantesca na nossa plataforma tecnológica, quando o provedor de serviços de *e-mail* em que confiávamos para poder manter contato com os clientes foi comprado por uma empresa maior. Na aquisição, a tecnologia foi deixada de lado, o que fez com que perdêssemos acesso a 40% da nossa base de clientes. Começamos a perder milhões. Parecia que o Universo estava contra nós.

Quero que você pare de ler por um momento e pense em retrocesso na sua vida e na sua carreira. Você já passou por situações como essa, em que sentia que estava falhando por causa de uma turbulência fora do seu controle? Quando faço essa pergunta em salas com CEOs ou funcionários de qualquer empresa, quase todos erguem as mãos. Todos já sofremos dores e fracassos. Saiba que você não está sozinho. Para ser o Cara, você terá que aprender como provocar mudanças no mundo. E geralmente haverá resistência. Se fosse fácil, todos fariam. O fracasso e a dor fazem parte do conjunto. Mas, embora o fracasso seja comum, a dor pode ser opcional. Este capítulo trata de uma mudança de modelo mental que ajudará você e sua equipe a passar pelos fracassos com a graça de um Buda, tornando-se mais forte e mais poderoso com cada "fracasso".

Bem, no meu caso, essa série de fracassos desmoronou minha atitude, que costumava ser confiante. De repente, comecei a beber duas taças de vinho tinto todas as noites, para enfrentar o estresse. E eu era teimoso demais para pedir ajuda. Imaginei que, se trabalhasse duro, sairia daquela confusão. Aham. Trabalho duro, sufoco e coragem. Eram essas as minhas soluções.

Mas as coisas foram ficando cada vez mais assustadoras, mês após mês, ao ver nossa taxa de consumo e nossa conta bancária diminuírem. Então, sem nem mesmo esperar, aconteceu uma bênção.

Para que serve mesmo o trabalho

Acabei conhecendo Srikumar Rao, o sábio dos negócios que mencionei no Capítulo 1. Rao sempre falava sobre a ideia de que deveríamos adotar um modelo mental segundo o qual vivemos em um Universo benevolente. Confie que o mundo está a seu favor. E tudo que está acontecendo com você é para o seu próprio bem.

Mas, pressionando-o, perguntei: "Se isso fosse verdade, por que sinto que o mundo está contra mim e por que sofri tantas derrotas e fracassos no trabalho?".

Rao respondeu: "O erro comum, Vishen, é que as pessoas acreditam que o trabalho se resume ao trabalho. Isso está errado".

A pérola de sabedoria que saiu de sua boca em seguida me revirou de cabeça para baixo:

> *A lição mais importante que as escolas de negócios precisam nos ensinar é que o trabalho não se resume ao trabalho. Não, o trabalho não é nada mais do que o principal instrumento para o crescimento pessoal. Se o seu negócio fracassa, não tem problema. A questão é: como você CRESCEU? Se a sua empresa se torna um negócio bilionário, não importa. A questão é: como você CRESCEU?*

Aquele diálogo foi um momento crucial. Comecei a vislumbrar novas ações que poderia tomar para me libertar do tormento que estava sofrendo. Eu obviamente não estava vendo a situação a partir da perspectiva de que aquilo me fazia crescer como CEO e como empresário. Essa simples mudança de contexto me deu alívio imediato. Curiosamente, agora vejo as mesmas situações que por meses me tiravam o sono à noite através das lentes da apreciação.

O modelo que a maioria das sociedades têm sobre sucesso e felicidade é falho como um todo. A maioria das pessoas acredita que, para se realizar na vida, é necessário adquirir três coisas:

1. Certo cargo ou título (que garanta prestígio)
2. Certo saldo na conta bancária (que garanta riqueza)
3. Aquisição de objetos de *status* específicos, como uma casa com uma bela cerca branca

O resultado: sucesso.

Certo? Não. Rao chamaria isso de vida se/então. Ele diz que precisamos deixar de condicionar a felicidade a um título, dinheiro ou coisas materiais. Temos que parar de pensar "Preciso de X para ter sucesso ou ser feliz" (quantas vezes você já conseguiu X e *mesmo assim* não se sentiu feliz?). A fórmula de Rao para reconquistar a felicidade é simples... Crescimento.

O único objetivo da vida é o crescimento. A dor pode levar ao crescimento. O sucesso pode levar ao crescimento. Veja dessa forma e a dor deixará de existir. O sucesso deixa de ser tão tóxico. O crescimento é a única coisa que importa.

O sucesso verdadeiro é, a bem da verdade, muito mais simples do que a maioria de nós foi induzida a acreditar. Não há nada que você precise *ter* ou *ser* para finalmente chegar lá. A fórmula secreta é:

Crescimento = Sucesso

Os milionários mais felizes

Meu amigo Ken Honda é o mais prolífico escritor japonês na área de desenvolvimento pessoal, com mais de cinquenta livros publicados, e sua atenção se concentra na mentalidade dos milionários. Honda certa vez fez uma pesquisa com em torno de doze mil milionários japoneses. Ele descobriu que, por mais rica que uma pessoa seja, ela sempre quer mais. Ken me explicou: "Entrevistei um cara que tinha um milhão no banco e perguntei: 'Você se sente rico?'. Ele disse que não. Porque ainda não tinha dez milhões de dólares. Mas também entrevistei um cara que tinha dez milhões no banco e que não se sentia rico porque, segundo ele, 'Eu ainda não tenho um jatinho particular'. Aí entrevistei um homem que tinha um jatinho particular e perguntei se ele se sentia rico. Ele disse 'Não, porque esse jatinho só tem seis lugares!'".

Esses milionários estavam efetivamente tentando alcançar o infinito. Não se alcança o infinito. Quanto mais perto se chega, mais ele se afasta. Assim é com a ilusão de atrelar seu objetivo a um indicador de riqueza específico.

Mas então o que faz as pessoas se sentirem ricas? Ficou claro que era um tipo diferente de objetivo. Na verdade, nem era um objetivo. Era um estado da existência. Voltaremos a falar disso mais adiante neste capítulo. Mas o que é importante entender: enquanto você estiver crescendo (em seus próprios termos), estará realizado.

Maslow coloca o crescimento próximo ao topo da pirâmide. Ele chama de Realização Pessoal, que descreve como a concretização dos próprios talentos e potencial, considerados, sobretudo, como uma motivação ou necessidade presente em todos nós.

A conclusão é: **o crescimento é um objetivo por si só**. Ao entender como quer crescer, você assume a responsabilidade e passa a ter controle do próprio crescimento. Você transforma todas as oportunidades de trabalho em uma experiência para se tornar uma versão melhor de si mesmo.

Crescer aprendendo X transformação

Aprender é o que se faz na escola. Quando falamos de matérias como história, geografia e álgebra, as escolas ensinam fatos e ideias – a maioria dos quais você esquecerá. Isso é APRENDIZADO.

Mas o verdadeiro crescimento vem de outro lugar. Vem de algo muito mais poderoso que o aprendizado. Chama-se TRANSFORMAÇÃO.

Quando se aprende um fato, pode-se esquecê-lo no dia seguinte. Mas uma transformação acontece quando toda uma visão de mundo muda. Quando acontece uma transformação, abre-se uma nova maneira de ver o mundo. É uma mudança completa de perspectiva. Uma transformação causa um salto exponencial em quem você é como indivíduo. Pode ser um solavanco que o fará rever todas as suas velhas crenças e valores.

Edmund O'Sullivan é especialista em aprendizado transformador no *Transformative Learning Centre* de Toronto, no Canadá. Em termos acadêmicos, ele define um momento transformador da seguinte forma: "Transformação requer uma mudança profunda e estrutural nas premissas básicas de pensamentos, sentimentos e ações. É uma mudança na consciência que altera drástica e irreversivelmente sua maneira de estar neste mundo".

No caso dos milionários japoneses citados anteriormente, Ken Honda me disse que a diferença entre os milionários que se sentiam ricos e aqueles que não se sentiam era uma mudança na visão de mundo. Eles haviam passado por uma transformação que mudara a forma como viam o dinheiro. Passaram a acreditar que o dinheiro era como o ar. Está em todos os lugares. E ele flui quando você precisa dele. O objetivo não era dinheiro. Nem um jatinho. Eles simplesmente acreditavam que a quantia certa de dinheiro que precisassem na vida viria quando e como precisassem. E foi aí que passaram a poder responder SIM para a pergunta "Você se sente rico de verdade?". Isso é transformação. É uma mudança radical na sua visão de mundo.

Bem, há algumas condições indispensáveis para que isso aconteça. Geralmente é necessário que a pessoa seja apresentada a uma ideia ou um conceito revolucionário que desafie para valer suas antigas crenças. Se a nova ideia demonstrar evidências sólidas que não possam ser contestadas, as informações antigas são substituídas pelas novas. Esta é a maior distinção a ser anotada:

Quando uma pessoa passa por uma transformação, ela não consegue voltar a ser o que era antes.

É uma mudança de perspectiva irreversível. Resumindo, uma pessoa cuja mente se expandiu por meio de uma transformação não consegue voltar às suas antigas crenças.

Segue-se aqui um exemplo do mundo real que mostra como funciona uma transformação, usando um evento com o qual a maioria de nós se identifica.

Lembra-se de quando você aprendeu a andar de bicicleta? É provável que você primeiro tenha aprendido o conceito de como pedalar. Você passou por um processo tradicional de aprendizado. As instruções devem ter sido algo assim:

- Coloque o capacete.
- Sente-se na bicicleta.
- Coloque um pé em um pedal.
- Coloque o segundo pé no outro pedal enquanto empurra para a frente para pegar velocidade.

Mas, enquanto você não subir de fato na bicicleta e conquistar equilíbrio, não terá passado pela transformação necessária para passar da condição de não ciclista para a condição de ciclista. Então, milagrosamente, assim que você se equilibra, acontece a transformação. Você não consegue deixar de se equilibrar. Não é possível. É uma experiência transformadora.

As duas causas da transformação

Veja, há uma questão complicada no crescimento pela transformação. Ele acontece na vida de duas formas específicas:

Causa 1: O dilema desnorteador. Significa um crescimento por meio de alguma lição ou situação de vida dolorosa. Exemplo: alguém que você ama o magoa profundamente. A dor é lancinante. Mas você cresce entendendo quais são as qualidades que deve buscar em um futuro parceiro.

Causa 2: Evolução de um novo esquema de significado. Significa captar gradualmente novas ideias e camadas para a sua vida, que acabam fazendo você enxergar o mundo de maneira totalmente diferente. Isso geralmente se desenvolve lentamente ao longo do tempo. Por exemplo, esse é o crescimento que acontece quando você aprende com um mestre ou lê a biografia de pessoas lendárias e passa lentamente a entender algumas de suas visões de mundo peculiares. É assim que se atinge a sabedoria.

O reverendo Michael Beckwith, do Centro Espiritual Agape, tem nomes para essas duas experiências de transformação. Ele as chama de *kensho* e *satori*.

Kensho é o aprendizado pela dor, ao passo que o crescimento via *satori* é lento e gradual. Tão lento, na verdade, que você talvez nem note que ele está acontecendo. O *satori* pode ser bastante agradável. Apresentados em um gráfico simples, *kensho* e *satori* são assim. Percebe as quedas? São os momentos dolorosos de *kensho*. E as escaladas repentinas são os momentos *satori*.

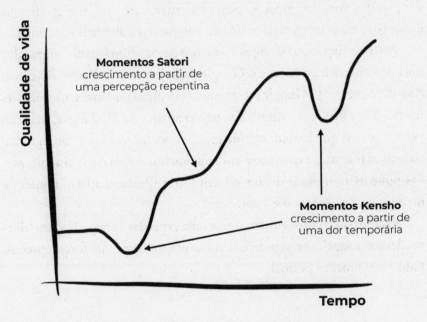

Vamos analisar *satori* e *kensho* com mais atenção.

Kensho: o dilema desnorteador

Jack Mezirow, considerado o pai da Teoria do Aprendizado Transformador, cunhou o termo *dilema desnorteador* (uau, ele faz parecer tão acadêmico), que define como uma crise existencial ou grande transição na vida.

Um dilema desnorteador no mundo real pode assumir a forma de uma falência para um empresário, de maneira que ele aprenda o que NÃO fazer no seu próximo negócio.

Ou um divórcio, em que se aprende o que corrigir no relacionamento seguinte.

Como o poeta Rumi disse: "E quem não aguenta o atrito... como poderá um dia se tornar uma gema lapidada?".

O que isso significa é que às vezes é necessário um pouco de luta ou de dor para que novas informações penetrem em uma pessoa – mas geralmente é assim que ela se torna mais resistente, compassiva e aberta do que antes.

No livro *Exponential Organizations*, o autor Salim Ismail compartilha uma descoberta incrível que o Google fez sobre seus melhores funcionários. Ele escreve: "O Google recentemente demonstrou que seus melhores funcionários não eram alunos das universidades da *Ivy League*, mas sim pessoas jovens que haviam sofrido grandes perdas na vida e conseguiram transformar aquela experiência em crescimento. Segundo o Google, perdas pessoais profundas deram origem a trabalhadores mais humildes e mais propensos a escutar e a aprender".

Essas pessoas conseguiram sofrer uma experiência negativa, um "dilema desnorteador", e ressignificá-la como um momento de força, aprendizado e crescimento pessoal.

Satori: a evolução de uma nova estrutura de significação

É a transformação que acontece quando uma nova estrutura de significação evolui com o tempo após o acúmulo de momentos esporádicos de despertar. Uma pessoa vivencia pequenas revelações. Elas podem acontecer em qualquer ambiente. Podem vir de uma troca com outra pessoa, ou de uma caminhada ao ar livre, da leitura de um livro ou de uma música. Uma quantidade suficiente de momentos assim fará com que, um dia, ocorra uma mudança significativa nos valores de uma pessoa.

Por exemplo, uma pessoa que só come besteira pode receber diversos sinais para começar a se alimentar melhor. Digamos que ela esteja assistindo televisão e veja um anúncio que a assuste e a faça questionar os próprios hábitos. Então, quem sabe em outro dia, ela comece a sentir sintomas de diabetes. Talvez o sinal derradeiro para que ela comece a agir aconteça quando subir na balança e vir um número que a choque. Isso causa uma mudança que a coloca abruptamente em um caminho melhor.

A beleza da transformação é que ninguém pode evitá-la, da mesma forma como ocorre a uma árvore na floresta, que cresce até não conseguir mais se mexer. Os ursos ainda se esfregam nela. As abelhas ainda fazem suas colmeias ali. Os esquilos enterram alimentos ao seu redor. Fatores externos transformam a árvore ao longo do tempo. E assim, estejam ou não as pessoas buscando seu próprio crescimento pessoal, naturalmente surgem desafios e situações com as quais elas se veem obrigadas a lidar.

Mas é aí que está o problema. Porque a transformação decorrente dos dilemas desnorteadores ou da acumulação gradual de estruturas de significação é imprevisível. E terrivelmente lenta. E, não raro, dolorosa.

Transformação: imprevisível. Lenta. E dolorosa

Mas e se pudéssemos produzir uma transformação consciente nas pessoas? Para que elas cresçam antes de receber um sinal de alerta doloroso? E se pudéssemos fazer isso de forma previsível e rápida? Para que as pessoas cresçam tão rapidamente que pareçam praticamente se transformar em outro ser humano de um mês para o outro?

Acredito que a alma humana é sedenta por transformação. A sua alma está aqui para crescer. Mas, se você não se entrega deliberadamente às oportunidades de se transformar, sua alma terá que lhe dar um tranco na cabeça para acordá-lo. São assim os dolorosos momentos *kensho*. Os verdadeiros mestres da arte de viver criam processos diários intencionais para se transformar e evoluir. Eles se dedicam à expansão contínua da mente, do corpo e da alma. Esses mestres estão sempre buscando o *satori* – o despertar.

Quanto mais você se transforma por meio de práticas conscientes, menos terá que se transformar por meio de momentos dolorosos de *kensho*. E o local de trabalho é o melhor ambiente para que isso aconteça. Imagine conceber seu trabalho de forma a torná-lo um acelerador da transformação, em que você desperta o melhor de si e de todos ao seu redor.

A organização transformadora

Já em tenra idade, o objetivo da maioria das pessoas é introduzido em suas mentes por qualquer empresa que tiver o maior orçamento de *marketing*. Ou por qualquer religião que domine sua cultura. Ou pelo que seus pais lhes dizem. Ou pelo que o governo os obriga a acreditar. Infelizmente, as escolas não fazem um bom trabalho em relação a isso.

FAÇA DO CRESCIMENTO SEU OBJETIVO FINAL

Mas é aí que entra o trabalho. As escolas se concentram no aprendizado tradicional, enquanto o trabalho se volta ao crescimento contínuo.

O autor Neil Gaiman escreveu em *Sandman, As Bondosas*, capítulo 9:

> *Estou fazendo uma lista de tudo que não ensinam na escola. Não ensinam a amar. Não ensinam a ser famoso. Não ensinam a ser rico nem pobre. Não ensinam a se afastar de quem você não ama mais. Não ensinam a saber o que se passa na cabeça dos outros. Não ensinam o que dizer a alguém que está morrendo. Não ensinam nada que valha a pena saber.*

A escola ensina muito bem a memorizar fatos – algo que o seu *smartphone* pode tranquilamente substituir.

Sugata Mitra é professor de tecnologias educacionais na Escola de Ciências da Educação, Comunicação e Linguagem da Universidade de Newcastle, na Inglaterra. Ao ganhar o Prêmio TED de educação, ele disse:

> *Seres humanos não são smartphones. Nós temos smartphones. Não precisamos encher nossas cabeças de fatos inúteis sendo que todos nós temos acesso ao Google. O que precisamos é de uma cabeça cheia de sabedoria, crenças, práticas e conhecimentos certos que nos ajudem a lidar com os aspectos caóticos, confusos e maravilhosos da própria existência humana.*

Há uma excelente oportunidade para que o trabalho preencha o vazio deixado pelas outras instituições. Defendo inclusive que, caso administre uma empresa, você tem uma obrigação moral de fazer isso. Os melhores líderes se atentam ao crescimento contínuo de suas equipes. Porque pessoas que crescem e se transformam são as melhores pessoas para se ter por perto. E elas impulsionarão todas as métricas de sucesso de uma empresa.

Se você não administra nenhuma empresa, lembre-se de que o seu crescimento pessoal é sua responsabilidade. Está sempre sob o seu controle.

Cabe a você se colocar em situações que o pressionem. O trabalho oferece as melhores oportunidades para isso. É o sistema perfeito de recompensa e avaliação de crescimento pessoal. E se você estiver crescendo enquanto pessoa, será melhor profissionalmente. O trabalho é o laboratório supremo de transformação pessoal.

Lembre-se das sábias palavras de Srikumar Rao:

> *Seu trabalho não se resume ao seu trabalho. Seu trabalho é, na verdade, o maior instrumento do seu crescimento pessoal.*

Veja, qualquer local de trabalho pode ser transformado em um ambiente centrado no crescimento. Seja você um líder ou líder disfarçado, nas próximas seções deste capítulo vou ensiná-lo a construir um ambiente pessoal de crescimento acelerado e, em seguida, a criar uma mentalidade de crescimento em qualquer ambiente de equipe. O primeiro passo é entender a verdadeira definição de "líder".

1ª Tática: reformule a liderança para que ela gire em torno do crescimento

Eu costumava acreditar no modelo Dwight Eisenhower de liderança. Ele disse: "Liderar é a arte de motivar alguém a fazer algo que você quer porque a pessoa quer fazê-lo".

Hoje isso é coisa do passado. Líderes fazem muitas coisas. Definem visões. Elevam a energia e as emoções da equipe. Coordenam e dão direções. Mas eu diria que o trabalho primordial de um líder é sempre evoluir e fazer surgirem outros líderes.

Todo mundo é líder. E bons líderes criam outros bons líderes. Para ressaltar isso na Mindvalley, criei esta definição e faço questão que todos os meus gerentes entendam seu significado.

Liderança é reconhecer que todos somos UM SÓ. Que todo mundo é tão inteligente quanto você, tão talentoso quanto você e tem a mesma capacidade de crescimento e realização. Eles simplesmente precisam ser lembrados desse fato.

Quando criei essa doutrina sobre liderança, foi baseado sobretudo na minha intuição, e não em evidências diretas. Anos mais tarde, porém, uma pesquisa com gestores conduzida pelo Google revelou o comportamento mais importante dos gestores com pontuações mais alta: eles eram, na verdade, treinadores eficientes. Isso significa que eles ouviam, guiavam e ajudavam pessoas a crescer.

Para fazer isso com maestria, contudo, você precisa ser a melhor versão de si mesmo, o que significa adotar a autorrealização como princípio de vida. Você deve ver sua vida como um projeto para se tornar o ser humano mais extraordinário possível. Afinal de contas, os melhores líderes lideram pelo exemplo. Então concentre-se no seu ritmo de evolução pessoal e ajude outras pessoas a crescerem também.

2ª Tática: viva a vida para crescer

Tenho uma confissão a fazer. Eu iria contar essa história, mas fazendo-a passar como se fosse de um outro cara, um conhecido meu que tivesse esse problema com o chocolate Mars.

Mas, revelação total, o cara do chocolate Mars sou eu. Não dá para pregar vulnerabilidade se não a praticarmos, certo? Está bem, lá vai.

Eu costumava ter esse ritual diário com uma barra de Mars.

Lá pelas cinco da tarde, enquanto minha equipe começava a ir para casa diariamente, eu ia até minha mesa, abria a gaveta de baixo e tirava dali uma barra de chocolate Mars. Eu engolia o chocolate em algumas mordidas. Nhac. Glup. Já era.

Essa rotina de relaxamento com a barra de chocolate era minha pausa da tarde. Eu sabia que não era saudável, mas havia algo viciante naquilo tudo, e eu passei a depender dela. Era muito gostoso, na verdade. Eu realmente curtia.

Então, certo dia, parei em frente ao espelho por um segundo a mais do que de costume. Lá estava eu, mas com um corpo estilo "pai de família". Eu tinha virado aquele cara rechonchudo, um gordinho cheio de pneuzinhos.

Olhei no espelho e percebi que estava fazendo feio com a minha saúde. Meu cabelo estava caindo. Eu havia engordado. E, sim, também tinha aquelas duas taças de vinho tinto que eu precisava beber todas as noites para conseguir dormir. Então assumi o compromisso de cuidar da saúde. Em fevereiro do ano em que completaria 40 anos de idade, inscrevi-me em um programa chamado WildFit. Era um programa destinado a transformar a relação com a comida.

Em maio, meu percentual de gordura corporal havia caído de 22% para 15%. Desfiz-me da maioria das minhas roupas, porque estavam todas largas. Minha transformação havia sido tão incrível que até meu rosto mudou. As pessoas me perguntavam se eu havia feito alguma cirurgia plástica, porque eu agora parecia anos mais jovem. Mas não foi apenas minha forma física que mudou. Minha energia foi às alturas. Minha vontade de comer doces quase desapareceu. Minha pele ficou melhor. Fiquei tão espantado com meus resultados pessoais que decidi trazer minha equipe para o programa. Mais de cem pessoas na Mindvalley se inscreveram no programa de noventa dias da WildFit naquele mês de agosto. Acabaram-se as latinhas de refrigerante. O consumo de bebidas alcoólicas nos eventos sociais da empresa caiu quase pela metade. As pessoas começaram a preparar refeições saudáveis e elaborar sucos verdes umas para as outras. Um engenheiro quebrou o recorde de quilos perdidos: 23. Ele era um cara grandão e, pela primeira vez na vida, finalmente conseguiu comprar roupas em uma loja normal.

FAÇA DO CRESCIMENTO SEU OBJETIVO FINAL

Mais ou menos na mesma época dessa mudança, também começamos a notar números mais saudáveis na empresa. Os lucros aumentaram. A taxa de retenção disparou. O índice de satisfação dos funcionários atingiu novos recordes. E cada vez mais pessoas começaram a entrar para o programa WildFit e conquistar uma excelente saúde. Quando a relação da minha equipe com a comida mudou, seus níveis de energia dispararam.

Em 2017, tínhamos uma nova cultura. Naquele ano, decidi fazer um treinamento de força. Trouxemos professores de ginástica e montamos um laboratório para criar um protocolo rápido de ganho de massa muscular e força. Demos a ele o nome de 10X e, novamente, uma grande quantidade de funcionários da nossa empresa participou. Agora, mais do que ter uma alimentação saudável, eles estavam funcionando como atletas.

Em 2018, estávamos preparados para a próxima evolução. Começamos a nos tornar atletas de fato. Dezenas dos nossos funcionários treinavam juntos e competiam em desafios superdifíceis de corrida espartana. Para quem não conhece, essa atividade inclui uma série de obstáculos físicos, como escalar em cordas, correr em poças de lama e andar pendurando-se em barras. No momento em que este livro foi escrito, mais de quarenta dos nossos funcionários haviam competido juntos, ao mesmo tempo, como equipe.

Em 2019, o escritório era um lugar diferente. As conversas perto do bebedouro eram atípicas. Entrar para a Mindvalley significava aderir à saúde integral. Hoje, quando alguém entra para a Mindvalley, é provável que perca em média de quatro a sete quilos no primeiro ano. Na nossa empresa, temos barras olímpicas e *kettle bells* em uma academia interna. E em vez de comer barras de chocolate para conseguir encarar a tarde, agora vou para a barra e faço dez repetições.

Não forçamos nenhuma dieta ou estilo de vida em ninguém. Mas as mudanças acontecem simplesmente por se fazer parte de um ecossistema preocupado com a saúde. É contagiante.

Quanto a mim, ao fazer 44 anos, estou na melhor forma que já tive.

Viver a vida para crescer significa participar ativamente de programas voltados à transformação. E levar esses programas para a sua equipe. Quando as pessoas se concentram em se transformar, seu desempenho na vida e no trabalho aumenta, o que nos leva à terceira tática.

3ª Tática: coloque a transformação em primeiro lugar

Uma pessoa que se compromete com o crescimento pessoal leva outras consigo. O crescimento tem um efeito composto incrível. Pessoas poderosas com hábitos saudáveis estimulam os demais de suas equipes a seguir seus passos. É por isso que uma de minhas principais filosofias é que o crescimento pessoal deve vir em primeiro lugar na vida. Adoro esta frase que um amigo meu postou há pouco tempo:

> *Cresça tão rápido que os amigos que você não vê há um mês terão que o conhecer novamente.*

Para mim, essa é uma atitude foda.

O crescimento pessoal deve vir antes dos negócios, antes dos seus relacionamentos, até mesmo antes do papel de pai ou mãe. É como uma máscara de oxigênio no avião. Você precisa colocar em você antes de ajudar os outros. Ao observar os melhores empreendedores do mundo, você verá que eles colocam o crescimento pessoal em primeiro lugar porque sabem que, quando crescerem, seus negócios irão decolar. Se você observar os melhores relacionamentos, na maior parte dos casos são entre duas pessoas comprometidas com a própria evolução pessoal.

Acredito que, ao colocar meu crescimento pessoal em primeiro lugar, posso ser melhor para os meus filhos, para a minha empresa e para as outras pessoas com quem me relaciono. Portanto, tento me desenvolver como pessoa de alguma forma a cada trinta dias. Em um mês, pode ser por meio de um novo programa de meditação. No outro, talvez seja dominando uma técnica de leitura dinâmica.

Na verdade, é muito mais fácil do que se imagina. No período de trinta dias, você pode facilmente assistir a uma palestra ou uma apresentação que mude a sua vida. Ou concluir uma jornada na Mindvalley ou outro programa para se aprofundar e melhorar drasticamente alguma área da sua vida.

Você pode ouvir toda uma série de *podcasts* sobre determinado assunto. Se acha que não tem tempo, pense bem. Uma pessoa comum passa mais de 45 minutos por dia indo e voltando do trabalho. Em trinta dias, somam-se quinze horas. Quinze horas navegando por *podcasts* sobre determinado assunto irão, sim, mudar a sua vida.

Você só precisa seguir o conselho de Rao e fazer disso a coisa MAIS importante da sua vida. Tudo o que você tocar irá crescer e se expandir como nunca.

Então como criar uma rotina de transformação pessoal? Em primeiro lugar, não é tão complexo quanto parece. E, se você se concentrar nos modelos certos, cientificamente comprovados, obterá resultados incríveis em pouquíssimo tempo. E isso precisa se tornar uma rotina diária.

Como criar uma rotina de transformação pessoal

Conto aqui como é a minha rotina matinal extremamente otimizada. E quero deixar algo claro. Essa rotina não subtrai tempo da minha vida. Essa é uma forma errada de enxergar a questão. Com essa rotina, eu na verdade *somo* tempo, porque meu cérebro, minha mente e meu corpo estão otimizados. Na realidade, essa rotina me economiza quinze horas por semana. Somando tudo, são sessenta horas por mês. Ou 720 horas por ano. São trinta dias A MAIS por ano.

Falta de tempo não é desculpa. Como você verá, os benefícios cognitivos e os ganhos de energia dessa rotina permitem, no final das contas, que você consiga trabalhar mais em menos tempo. Portanto, ao fortalecer sua mente, seu corpo e sua alma, você também melhora o rendimento de suas horas no trabalho.

Vamos dar uma olhada na rotina.

Otimização do sono

Aprendi a ser exigente quanto ao monitoramento do meu sono. O objetivo não é dormir menos, mas sim otimizar o sono. Segundo Tom Rath, no livro *Eat Move Sleep*, privar-se de noventa minutos de sono provoca uma redução de 30% na cognição. É como aparecer no trabalho após ter tomado um litro de cerveja!

Mas os dados sobre sono são ainda mais surpreendentes. Há um estudo famoso divulgado pelo escritor Malcolm Gladwell que demonstra que são necessárias dez mil horas para dominar qualquer área. Mas o que não se fala é que o cara que conduziu esse estudo, o psicólogo sueco K. Anders Ericsson, descobriu outra coisa curiosa sobre esses mestres. Eles dormem em média 8h36 por noite. Já o norte-americano comum dorme 6h51 por dia.

O sono é essencial para um desempenho elevado. Ele melhora sua capacidade de pensar, permite que você fique de melhor humor ao longo do dia, melhora a sua habilidade de se concentrar e gerar ideias e ajuda o seu corpo a se restaurar e se recuperar do dia anterior.

O segredo, então, é otimizar o sono. Experimente todos os tipos de precursores de sono, como suplementos de magnésio, óleo de CBD, 5-HTP e muitos outros. Testo-os monitorando minhas rotinas de sono em um dispositivo como o Oura Ring. Por exemplo, posso usar óculos bloqueadores de luz azul antes de me deitar ou praticar meditação antes de ir para a cama e, depois, monitoro minhas estatísticas. Observo quanto tempo passo em sono profundo e em sono leve e presto atenção a dados como a variação da frequência cardíaca. Assim, aprendi a dormir um sono rejuvenescedor mais profundo passando menos tempo na cama. Isso significa que durmo de sete a sete horas e meia por dia, mas colho os benefícios do equivalente a oito horas, porque meu sono é profundo.

Uma observação extra: também aprendi que o meu hábito de tomar vinho tinto era uma bobagem. O álcool ajuda a adormecer, mas não se obtém o mesmo nível de sono reparador verdadeiro de que o corpo precisa quando se consome álcool. O mesmo é verdadeiro para os remédios para dormir. Se você tiver dificuldade em pegar no sono, há vários excelentes livros e programas sobre sono para explorar. Recomendo dar uma olhada no trabalho do Dr. Michael Brus, o maior especialista em sono dos Estados Unidos. Ele também tem um programa de otimização do sono na Mindvalley.

O tempo total que economizo por semana ao otimizar meu sono é de trinta minutos por dia, ou três horas e meia por semana. E isso sem falar no humor, no metabolismo e na cognição melhorados. Então, como você pode ver, o sono é importante.

Tempo economizado: 3,5 horas

A rotina de meditação de seis passos

A meditação se tornou um melhorador de desempenho tão famoso que é de se imaginar que ninguém deixaria de praticá-la. Mesmo assim, muitas pessoas ainda não são adeptas. O motivo é que nos deixamos enganar ao crer que a meditação se resume a aquietar a mente.

Começo todos os dias com a Meditação de Seis Passos. É um método que desenvolvi combinando ciência e meditação, ideal para pessoas ocupadas e empreendedores que querem fazer mais nesse mundo. Hoje, milhões de pessoas fazem o mesmo, e você também pode fazer (você pode encontrá-la facilmente no YouTube ao buscar por "*6 Phase*").

A Meditação de Seis Passos se tornou um sucesso entre as pessoas com mais alto desempenho do mundo. Miguel, artista de R&B, disse à revista *Billboard* que a pratica antes dos seus shows para multidões. O famoso astro do futebol americano Tony Gonzales revelou que também pratica para manter uma vida saudável. E quando Bianca Andreescu ganhou o *US Open* e derrotou Serena Willians aos 19 anos de idade, disse aos repórteres que uma parte essencial de seus rituais de autoaperfeiçoamento foi o meu livro *O código da mente extraordinária*, que apresentou as seis etapas para o mundo. Bianca também concluiu o seminário que ensina o método criado por mim (confira em mindvalley.com/be).

Falo disso para ajudá-lo a entender o poder dessa técnica. Mas saiba que não se trata de uma meditação convencional. É, mais precisamente, uma prática para pessoas que querem fundir o Buda e o Cara de sua natureza. Sentir-se em êxtase, mas também seguir em frente para conquistar o mundo a seu próprio modo.

Por que essas pessoas tão competentes praticam a meditação? Porque ela melhora o desempenho visivelmente. Os astros do esporte têm muita consciência de como pequenas mudanças podem afetar seu rendimento. É por isso que muitos craques da maior divisão do futebol americano usam as seis etapas. Então por que essa meditação é diferente?

As seis fases reúnem seis práticas transcendentais em vinte ou trinta minutos, permitindo que você obtenha benefícios impressionantes. São elas:

1. **Compaixão:** acredito que todos os seres humanos precisam de amor e compaixão na vida. Essa etapa trata de ajudá-lo a ser mais

gentil com os outros e consigo mesmo. É uma poderosa ferramenta de autoamor.
2. **Gratidão:** nós temos muitos objetivos, mas é importante valorizar e ficar feliz pelo que você já conquistou até agora. A gratidão tem alta correlação com o bem-estar e a felicidade.
3. **Perdão:** estar em paz com o mundo e com as pessoas ao seu redor é uma das maneiras mais eficientes de manter estados elevados de consciência.
4. **Sonhos futuros:** como você aprenderá no capítulo 7, ter uma visão que o faça avançar é algo imensamente estimulante – é uma imagem de como você quer que a vida se desenrole no futuro.
5. **O dia perfeito:** essa fase dá a você um senso de controle sob como a vida acontece todos os dias. Ela traduz os seus sonhos futuros em passos que podem ser colocados em prática.
6. **A bênção:** precisamos nos sentir acolhidos, sabendo que, quaisquer que sejam os grandes projetos que nos propomos a fazer, as coisas darão certo. Essa fase consiste em fazê-lo se sentir seguro e apoiado na sua missão.

A mágica se dá na forma como você é guiado através das fases. Você pode acessar a Meditação de Seis Fases na página oficial no aplicativo Omvana, criado pela Mindvalley. Basta procurar por Omvana na App Store.

Ao praticar a meditação corretamente, você economiza muito tempo. Calculo que o ganho de produtividade que tenho com as seis fases me garantem umas duas ou três horas a mais por dia. Mas digamos que você esteja começando e consiga obter uma melhora de produtividade de uma hora por dia. Uma rotina de meditação de trinta minutos está somando tempo, e não diminuindo. E, assim, você economiza três horas e meia por semana, ao passo que se sente mais contente, feliz e saudável durante toda a semana.

Tempo total economizado por semana: 3,5 horas

Rotinas de exercício otimizadas (treinamento de força *super slow*)

Após a meditação, pratico exercícios físicos. A ideia tradicional de exercícios físicos sugere que você deve ir a uma academia de duas a três vezes por semana. Isso já não é mais verdadeiro. A ciência demonstra que alguns minutos por dia de uma dose de exercícios eficazes pode fazer maravilhas pelo seu corpo e equivaler a horas na esteira.

E o melhor tipo de exercício que se pode considerar é o treinamento de força *Super Slow*.

Treinamento de força usando o método Super Slow

A força tem alta correlação com a longevidade. Imagine se você pudesse aumentar sua força em 25%. Isso significa 25% a mais de energia gerada durante o dia. E se pudesse chegar a esse resultado em quatro semanas, passando menos de uma hora por semana na academia praticando treinamento de força?

Parece impossível, mas é exatamente o que promete a prática do treinamento de força pelo método *Super Slow*. O Dr. Doug McGuff o divulgou no livro *Body by Science*. Na Mindvalley, lançamos um experimento de três anos usando cerca de cem sujeitos e descobrimos que, após um mês de treinamento de força lento, observa-se um ganho de força de aproximadamente:

20%–40% para pessoas destreinadas abaixo dos quarenta anos de idade
50%–75% para pessoas destreinadas acima dos quarenta anos de idade

Fiz com que meu pai também experimentasse. Ele tinha 70 anos de idade quando começou. Em quatro semanas, com apenas duas idas à academia por semana, de menos de trinta minutos cada, ele viu um aumento de 70% em sua força. Esse protocolo é rápido assim. Entrei de cabeça nele aos 41 anos de idade, quando comecei. Vi minha força aumentar em 50% (medida pela minha habilidade de erguer peso em um máximo de repetições na academia) em trinta dias. Agora estou viciado.

Para mais informações, leia o livro de McGuff. Ou experimente o programa 10X, desenvolvido pela Mindvalley (você pode procurar "10X Mindvalley" no Google). É baseado em experimentos nesse processo que conduzimos com mais de cem de nossos funcionários e usuários ao longo de três anos.

Hoje em dia, vou à academia duas vezes por semana, por vinte minutos cada vez. E esse é todo o exercício que pratico. Mas o resultado é que hoje estou na minha melhor forma. Meu corpo está melhor do que nunca e consigo superar meu eu de 25 anos de idade em qualquer teste físico. Não acredite no apelo publicitário de que você precisa passar horas na academia para ficar em forma. Acredito que minha rotina me poupa cerca de duas horas inúteis na academia por semana.

Tempo total economizado por semana: 2 horas

Alimentação otimizada, jejum e suplementos

Depois dos exercícios, é hora de se abastecer. Nós tomamos café da manhã. É uma tradição comprovada pelo tempo, praticada há gerações. Mas e se essa tradição não for eficaz para a máxima saúde do corpo?

Hoje sabemos que podemos otimizar o desempenho e nossa biologia modificando a forma como tomamos café da manhã. Mas, para entender isso, você primeiro precisa entender que o café da manhã pode ser um ritual ou uma forma de obter energia.

Se você estiver tomando café da manhã pelo ritual – o cheiro de bacon e ovos, a reunião da família em volta da mesa após uma boa noite de sono –, então mantenha assim. Adoro essa sensação aos finais de semana.

Mas durante a semana é diferente. Como pai solteiro, corro para levar as crianças para a escola, então quero tomar um café da manhã para obter energia, e não pelo ritual. Assim, otimizo meu café da manhã. Para mim, ele pode vir na forma de um *shake* de proteína cheio de superalimentos orgânicos como couve *kale* em pó, grama de trigo ou espirulina.

E uma ou duas vezes por semana, pulo o café da manhã completamente para praticar o jejum intermitente. É uma forma de recarregar seus sistemas biológicos, dando ao corpo uma folga do processo digestivo por um período de doze a dezesseis horas. Então, se minha última refeição aconteceu às oito e meia na noite anterior, ao pular o café da manhã no dia seguinte e passar direto para o almoço ao meio-dia e meia, dou ao meu corpo um jejum de dezesseis horas. É uma forma poderosa de manter seus sistemas saudáveis.

Tempo total economizado por semana: 1 hora

Aprendizado a jato

Depois do café da manhã, gosto de investir vinte minutos do meu tempo para me aprimorar dedicando-me ao aprendizado. Mas uso métodos de aprendizado que são muito mais eficazes do que simplesmente ler um livro.

De acordo com o pioneiro do aprendizado a jato Jim Kwik, a maioria das pessoas foi treinada para ler como uma criança de seis anos. "Pense a respeito. Da última vez que você aprendeu a ler, mal tinha entrado na escola, lá pelos 6 ou 7 anos de idade", diz Jim.

Desde então, nunca mais nos demos ao trabalho de aprender a ler de uma forma diferente.

Jim me ensinou técnicas de leitura a jato. As ferramentas que ele compartilha abrangem ideias como marcadores visuais e como reprimir a tendência que temos de articular mentalmente todas as palavras com as quais nos deparamos, como uma criança de seis anos. Em algumas poucas horas de aula com Jim, consegui aumentar minha velocidade de leitura em 50%. A maioria dos seus alunos observa um aumento de 300% na velocidade de leitura. No meu caso, leio doze horas por semana, e isso representou uma economia de quatro horas para mim.

A leitura a jato não é só uma habilidade bacana. Hoje, ela é essencial. Se você contabilizar toda a leitura que fazemos, desde *e-mails*, mensagens no Slack, recados, relatórios, redes sociais, até notícias e livros, há quem estime que passamos de duas a quatro horas por dia lendo. Imagine o que acontece quando você dobra essa velocidade.

As técnicas de leitura a jato são muito detalhadas para ensinar neste capítulo, mas quero sugerir enfaticamente que você dê uma olhada no programa de leitura a jato de Jim Kwik. Chama-se SuperReading, e ajudei a produzi-lo. Procure no Google por "Kim Kwik Mindvalley".

Tempo total economizado por semana: 4 horas

Fazendo os cálculos, tudo isso resulta em quinze horas economizadas por semana. São sessenta horas por mês. Ou 720 horas por ano. Ou exatamente trinta dias por ano.

Com uma agenda otimizada como essa, você ganha um mês de vida por ano. E é algo que você está fazendo para ficar melhor, mais em forma, mais forte e mais saudável. O resultado: você se sente bem, fica mais bonito e faz mais em menos tempo.

Esses são alguns dos sistemas pessoais que se pode introduzir para fazer do crescimento uma meta, ou, em outras palavras, para buscar a autorrealização. Agora vamos ver como conceber um ambiente de trabalho propício à transformação.

Para quem quiser se aprofundar, criei um vídeo mostrando como agrupo todas essas ideias de manhã. Você pode acessá-lo gratuitamente em mindvalley.com/badass.

Como criar um ambiente de equipe transformador

Uma das condições para o crescimento é um ambiente saudável. A seguir, quatro estruturas que qualquer um pode implementar para levar crescimento ao ambiente de trabalho. Você pode fazer isso na sua equipe, sua empresa ou no seu próprio *home office*.

1. Dê autonomia matinal

Quando entrevistei Daniel Pink sobre seu livro, ele compartilhou uma ideia interessante comigo sobre a questão da inovação (você pode ouvir a entrevista original no *podcast* da Mindvalley). Daniel disse que as pessoas precisam de liberdade. Mas não significa necessariamente liberdade no trabalho. Pode significar liberdade *do* trabalho – durante as manhãs.

A manhã é quando precisamos focar em nós mesmos. Para mim, a manhã é o momento de meditar, me alimentar bem, praticar exercícios e ler. Permita que as pessoas tenham a soberania de que precisam para mandar em suas próprias manhãs. A forma mais fácil de fazer isso é deixá-las controlar o próprio tempo. Deixe-as chegarem ao trabalho na hora que quiserem e saírem na hora que quiserem. Contanto que participem das reuniões e façam um excelente trabalho nos seus projetos, faz diferença o horário de trabalho?

Na Mindvalley, nossa primeira reunião do dia acontece às 11h30. Porque a manhã é um momento pessoal. Ninguém precisa correr para o escritório. Pode-se acordar e ir para a academia, se essa for a vontade. Ou passar um tempo com a família. Ou praticar uma meditação matinal.

Talvez ler o capítulo de um livro com uma xícara de café. Os rituais matinais dão o tom para um dia incrível.

E se eles quiserem dormir mais, esse tempo também lhe dá essa oportunidade. Pink chama isso de *autonomia matinal*, e sua pesquisa sugere que ela dê mais comprometimento e lealdade dos funcionários do que o modelo tradicional que exige que as pessoas cheguem às nove ou dez da manhã.

2. Respeite o sono

Muitas empresas roubam um tempo precioso de sono de seus funcionários. O sono é essencial para o bem-estar e para um alto desempenho. A autonomia matinal ajuda a permitir que as pessoas durmam e descansem o quanto precisem. Mas você pode ir além. Acabe com a ideia de atrair notívagos de carteirinha. É um hábito destrutivo.

Sem sono suficiente, a imunidade baixa em até 500%. Isso significa mais dias de licença médica. A ansiedade e o estresse também vão lá em cima, o que é ruim para qualquer cultura. Isso sem falar que a cognição decai absurdamente. Lembre-se: noventa minutos de sono a menos do que o necessário significam uma perda de um terço de cognição, segundo Tom Rath. Então, deixe as pessoas dormirem.

Como bônus, damos um tempo para que as pessoas tirem uma soneca no trabalho. Em nosso novo escritório, construímos cabines em que as pessoas podem ir se deitar quando precisarem. Elas podem usar o tempo para dormir, ler ou meditar.

Uma soneca revigorante de apenas vinte minutos pode fazer maravilhas na produtividade das três ou quatro horas restantes da jornada.

3. Meditação e mindfulness

Essas práticas precisam ser adotadas no ambiente de trabalho. A meditação, por exemplo, é uma ferramenta poderosa. Há uma grande quantidade de estudos científicos que demonstram que meditar diariamente, mesmo que por períodos curtos de tempo, leva as pessoas a tomarem decisões melhores. Elas ficam mais criativas e comunicam-se com mais eficiência. Hoje, há quinze mil estudos que mostram que a meditação é benéfica para a saúde e o bem-estar e melhora o funcionamento do corpo humano.

Mas lembre-se de respeitar os limites das pessoas. Nada deve ser forçado. Em vez disso, deve-se dar oportunidades para que as pessoas aprendam novas técnicas de bem-estar pessoal. Você pode se surpreender em como esse fator é crítico para a inovação.

4. Estabeleça um orçamento para a educação transformadora

A sua empresa tem um orçamento que permite que os funcionários tenham acesso a treinamentos sobre saúde, bem-estar e crescimento pessoal? Se não tiver, crie-o. É uma das melhores ferramentas de produtividade que você pode introduzir.

Enquanto escrevo este livro, milhares de empresas usam a plataforma Quest, da Mindvalley, para melhorar o bem-estar de seus funcionários. Por um valor baixo, seus funcionários ganham acesso a programas com duração de trinta dias que tomam de cinco a vinte minutos por dia e lhes permitem dominar todos os aspectos do funcionamento super-humano – da leitura a jato ao sono. Imagine conseguir dominar a técnica de treinamento de força *Super Slow* em janeiro. E depois, em fevereiro, triplicar sua velocidade de leitura. Em março, aprender como ser um pai ou uma mãe melhor para os seus filhos. Em abril, como ser um orador excepcional. É isso que a plataforma Quest entrega.

É viciante, porque, quando você adquire o hábito de melhorar a si mesmo por vinte minutos por dia, passa a amar tanto seu novo eu em desenvolvimento que não consegue mais parar. É a transformação na sua melhor forma.

Ao decidir aplicar essas práticas na sua vida e na sua equipe, cria-se um ambiente verdadeiramente transformador. Um local em que as pessoas podem de fato crescer e se tornar a melhor versão de si mesmas.

E assim chegamos ao próximo nível da pirâmide de Maslow: transcendência. Ao nos tornarmos a melhor versão de nós mesmos, o próximo passo da evolução é reconhecer o desejo que começará a nascer, de retribuir ao mundo. Essa é a essência da transcendência, que você aprenderá no próximo capítulo.

Resumo do Capítulo

Modelos de realidade

Transformação é uma mudança permanente na forma como alguém vê o mundo. É diferente do aprendizado. Há dois tipos de transformação. Michael Beckwith as chama de *kensho* e *satori*. Você pode crescer por meio da dor (*kensho*) ou da revelação (*satori*).

Para fugir da dor e acelerar o crescimento por meio das revelações, faça do crescimento pessoal um estilo de vida.

Concentre-se no seu ritmo de autoevolução. Pense sempre no que precisa fazer em seguida em todas as áreas da sua vida para se tornar uma versão melhor de si mesmo. Assim, você naturalmente pode ser um guia positivo para os outros. Todas as pessoas são líderes e têm a capacidade de moldar outros líderes. O crescimento tem efeito composto. Então, dedique-se à transformação e *"cresça tão rápido que os amigos que você não vê há um mês terão que o conhecer novamente"*.

Sistemas de vida

Exercício 1: como organizar uma rotina de transformação pessoal

Consulte a seção "Como criar uma rotina de transformação pessoal" deste capítulo e use-a como guia para criar sua própria rotina diária. Pense em incluir práticas de:

1. Otimização do sono
2. Rotina de meditação de seis fases
3. Rotinas otimizadas de exercícios (Tabata e treinamento de força *Super Slow*)
4. Alimentação otimizada, jejum e suplementos
5. Aprendizado a jato

Exercício 2: como criar um ambiente de equipe transformador

Consulte a seção "Como criar um ambiente de equipe transformador" deste capítulo e use-a como guia para inserir novas estruturas de crescimento em uma equipe. Pense em incluir práticas de:

1. Autonomia matinal
2. Sono
3. Meditação e *mindfulness*
4. Orçamento para educação transformadora

CAPÍTULO 6

ESCOLHA SUA MISSÃO COM SABEDORIA

> O poder sem amor é inconsequente e abusivo, e o amor sem poder é sentimental e anêmico. A melhor forma de poder é quando o amor atende as necessidades de justiça, e a melhor forma de justiça é quando o poder corrige tudo que se coloca contra o amor.
> – Martin Luther King Jr., *The Autobiografy of Martin Luther King Jr.*

Com autorrealização, conquista-se uma vantagem na vida. O próximo passo é usar essa vantagem para ajudar os outros e para melhorar o mundo – é a transcendência. Ao viver nesse patamar, você tem acesso a um nível de realização que vai além de qualquer coisa que possa imaginar. O objetivo não é mais apenas se aprimorar ou sentar-se em eterna introspecção. Não, a ideia é usar suas habilidades recém-descobertas para fazer do mundo um lugar melhor para os outros, perpetuando-se por muitas e muitas gerações.

Já passava de meia-noite e eu estava sentado em uma mesa formal de banquete, com os pés aninhados nas doces areias brancas de Turtle Beach, na ilha de Necker. Em volta da mesa, estavam empresários de todo o mundo, participando de um encontro de *mastermind* que tinha Richard Branson como anfitrião. Branson tem um dom incrível de fazer com que empresários sisudos troquem seus ternos por fantasias e caiam na festa até o amanhecer. Naquela noite, éramos os piratas da ilha de Necker. Ele usava um tapa-olho e tinha um gancho na mão e calçava um par de chinelos bem ao estilo Branson clássico. Todos nós vestíamos roupas parecidas.

Quando a festa começou a esmorecer, fui sentar-me ao lado de Branson e decidi fazer-lhe uma pergunta importante – algo que estava na minha cabeça desde que havia recebido o convite.

"Certo, Richard, tenho uma curiosidade. O grupo Virgin tem cerca de trezentas empresas e algo em torno de trezentos parceiros. Você emprega umas cinquenta mil pessoas. E conquistou essa vida incrível. Se você pudesse resumir seu sucesso em um parágrafo, qual seria o seu segredo?"

Branson pausou por um momento para refletir. Virou a cabeça para o lado e olhou para o mar. Então se voltou para mim e disse:

> *O segredo é encontrar e contratar pessoas mais inteligentes que você, fazer com que elas entrem para o negócio e dar-lhes um bom trabalho, então sair do caminho e confiar nelas. Você precisa sair do caminho para poder se concentrar na visão mais ampla.*

Mas ele ainda me deu outro conselho naquela noite:

> *Isso é importante, mas o principal é:*
> *Você precisa fazê-las enxergar o trabalho como uma missão.*

O poder de uma missão

Em um dia de 2015, aprendi outra lição poderosa sobre visionários. Fui convidado para visitar a SpaceX com um grupo de membros da diretoria da fundação XPRIZE, uma organização sem fins lucrativos de desenvolvimento tecnológico que financia inovações benéficas para a humanidade. Como membro desse grupo de transformadores globais, pude conhecer os bastidores de vários dos maiores laboratórios de inovação tecnológica do mundo. Quando entrei na gigantesca fábrica que abrigava os foguetes de Elon Musk, fui imediatamente arrebatado pela absoluta grandiosidade do pensamento de caras fodas como Elon.

Naquela época, as suas empresas SpaceX e Tesla eram consideradas pelos engenheiros do Vale do Silício como as duas empresas mais atraentes para se trabalhar. A missão delas era, literalmente, de outro mundo, mas ainda assim bem possível de executar e realizar. Trata-se de algo grandioso: ambas as empresas planejam salvar a raça humana. A SpaceX existe para levar a raça humana a Marte e criar uma estrutura de apoio. Da mesma forma, a visão da Tesla é nos ajudar a avançar rumo a uma nova sociedade com um mercado mais justo, em que trocamos os combustíveis fósseis por fontes de energia alternativas.

Mas pense assim: a SpaceX não é nada mais do que uma empresa de caminhões verticais. Algumas empresas transportam bens horizontalmente, enquanto a SpaceX transporta bens verticalmente. Ela transporta satélites para o espaço. No fundo, não é um trabalho exatamente atraente. Mas não é assim que Elon o descreve.

Naquele dia, na sala de reunião do conselho da SpaceX, Elon mostrou uma foto enorme de Marte em uma tela. Ele nos falou sobre a colonização do Planeta Vermelho. Seu propósito transformador era claro como a água. Há uma chance em quarenta mil de que um asteroide colida com a Terra durante a nossa existência, exterminando a nossa espécie. Pense nisso. Poderíamos ser os próximos dinossauros. E assim, da mesma forma como você faria um *backup* do seu HD em outro computador caso sua máquina seja destruída, precisamos de um *backup* para a raça humana. Um dos presentes lhe perguntou: "Quanto tempo levará até chegarmos lá?".

"Estimo cerca de dez anos", respondeu.

"Mas sou conhecido por já ter sido otimista demais com prazos", prosseguiu, com um sorriso no rosto.

Elon não fala brincando sobre mandar cargas para o espaço. Ele fala sobre como sua empresa estará daqui a dez anos. E fala como se estivesse acontecendo *agora*.

Ele cria uma visão tão inspiradora que é impossível não se deixar levar por ela. Seu propósito e seu *porquê* são tão claros que as pessoas se amontoam ao seu redor, ainda que o ponto de chegada de sua visão esteja a uma década ou mais de distância.

As pessoas que entram para a SpaceX e para a Tesla não esperam que Elon saiba como resolver os problemas que a empresa está enfrentando ou qual será o cronograma. Lembre-se de que, quando a missão é assim tão grandiosa, não é necessário saber *como*. Começa-se pelo *porquê* e pelo *o quê*. Reúnem-se as tropas. A questão é descobrir *como* juntos, posteriormente. Uma missão envolvente é uma ferramenta incrível para atrair essas tropas.

Tanto Elon Musk quanto Richard Branson sabem atrair talentos com o poder de uma missão envolvente. Também sabem como manter suas equipes engajadas, dando-lhes um trabalho inspirador.

Seres humanos são criaturas movidas a metas. Somos programados para caçar a próxima refeição. Ou encontrar frutos em uma árvore. E em uma era em que nossa carne e nossos frutos estão logo ali no mercado da esquina, entediamo-nos se não usarmos o componente ávido por metas do nosso cérebro.

Alguns recorrem a *videogames* ou outros *hobbies* para satisfazer esse ímpeto, sendo que muitos deles usam táticas de realização de metas conhecidas como gamificção para manter seu público obcecado. Mas a maioria das pessoas recorre ao trabalho. Elas são atraídas por empresas que as permitem trabalhar em projetos tão ousados e inspiradores que lhes dão sentido à vida.

Em 2013, a Gallup publicou uma pesquisa sobre homens que se recusavam a se aposentar aos 65 anos de idade e continuavam trabalhando até os 80. Os resultados mostram que 60% desses homens continuaram trabalhando porque consideravam o trabalho divertido, enquanto 93% disseram que continuavam trabalhando porque viam a importância do próprio trabalho.

Quando o trabalho se alinha ao legado que uma pessoa quer deixar para o mundo, sua missão a motiva. Trabalhar a partir da transcendência é isso.

Maslow teorizou que a transcendência é o nível de vida mais alto. Uma pessoa vive nesse plano quando se concentra em algo além de si mesma. Um indivíduo transcendente vê o mundo como uma responsabilidade sua. Trabalha com base no altruísmo, no despertar espiritual, na liberação do ego e na unidade do ser. Esses são, sem dúvida, os melhores tipos de seres humanos, na minha opinião, pois fazem do mundo um lugar melhor para todos nós. É aí que o lado foda encontra o lado Buda. Essas pessoas modelam, dão forma e fazem o mundo ir para a frente porque seu amor pela humanidade as leva a fazer da raça humana uma espécie melhor.

A contribuição é a essência da transcendência

A contribuição é o *modus operandi* da transcendência. Pare para pensar por um momento em alguma vez em que você ajudou outra pessoa sem esperar nada em troca. Como foi a experiência? Como você se sentiu? O que ganhou em troca pelo serviço? Isso é funcionar a partir da transcendência. A parte incrível da contribuição incondicional é que ela também é uma porta de acesso a diversas outras necessidades humanas. Quando uma pessoa faz uma contribuição, suas prioridades, crescimento, amor e pertencimento (ou conexões) e significado também são supridos. Essa é a superestrutura da realização.

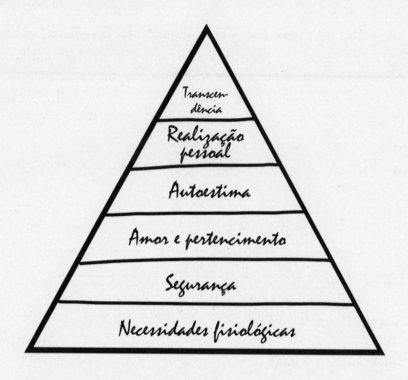

Sua vida não se resume a você

Em 2017, na Mindvalley University em Barcelona, eu estava sentado na plateia assistindo a um conferencista especialmente hipnotizante. Era Neale Donald Walsch, autor da mundialmente famosa série de livros que até agora já vendeu algo em torno de quinze milhões de cópias.

Os livros de Neale mudaram a vida de muitas pessoas, inclusive a minha. Peguei seu primeiro, *Conversando com Deus*, em 1998, quando estava na faculdade. Todas as páginas no livro me acalmavam. Ele escreveu sobre a verdadeira natureza de todos os seres humanos e sobre nossa herança divina.

A certa altura da sessão de perguntas e respostas, uma mulher de cerca de 40 anos se levantou e disse: "Neale, acordo todos os dias me sentindo estressada, ansiosa e deprimida. O que você recomenda que eu faça?".

Neale sorriu, encarou-a e disse:

> *Lembre-se disto todos os dias ao acordar:*
> *A sua vida não se resume a você.*
> *Ela diz respeito a todas as pessoas em quem você toca.*

Neale prosseguiu: "Faça um esforço para se lembrar disso. Quando você entender de verdade, quando mudar para valer e fazer sua vida girar em torno das outras pessoas, você nunca mais se sentirá deprimida, estressada ou com medo. Quando entrar em uma sala com a intenção de curar todos os presentes, quando acordar com o desejo de servir ao mundo, os seus problemas e a sua negatividade desaparecerão".

A ideia me tocou tão profundamente que a transformei em uma forma de vida. Tornou-se o código que uso para conduzir minha vida. E um código que norteia nossas operações na Mindvalley.

É preciso prática. Mas tirar o foco de problemas pessoais e direcioná-lo a outras pessoas é uma forma de imediatamente começar a ver o mundo através de lentes maiores. Vivendo assim, o indivíduo é impulsionado de forma motivadora, empolgante e prazerosa.

Quando uma empresa faz isso em uníssono – com sua equipe debruçada em torno de um problema específico para resolver –, cria-se um grupo poderoso de super-heróis (como você aprenderá adiante, há duas ferramentas para isso: o Grande Propósito Transformador e a Tomada de Posição).

Ao final deste capítulo, trataremos de táticas que qualquer um pode aplicar para que seu trabalho acesse o poder da transcendência. Ao começar a fazer sua vida girar em torno de outras pessoas, o contexto de toda ação tomada muda completamente.

Mas, em primeiro lugar, vamos voltar um pouco e lançar luz sobre por que precisamos transcender de nós mesmos. Hoje, mais do que nunca, o mundo precisa que se pense grande. A humanidade mudou de forma irreversível. Estamos mais conectados do que jamais estivemos. E, segundo o escritor e filósofo Tim Urban, tornamo-nos um novo tipo de espécie: o Colosso Humano.

Conheça o Colosso Humano

Tim Urban, autor do *blog Wait But Why*, é um personagem fascinante. Ele não escreve *posts* de *blogs* normais. Não, os seus chegam a ter sessenta mil palavras. Isso é 80% do tamanho deste livro. Isso lhe garantiu alguns fãs bem especiais.

Elon Musk se aproximou de Urban em 2017 para escrever um artigo explicando o trabalho da sua mais recente empresa-superconceito, chamada Neuralink. Ele precisava da capacidade explicativa de Urban, pois o que a empresa busca criar é uma conexão perfeita entre cérebro e computador.

Para explicar a Neuralink, Urban escreveu um *post* chamado de "*Neuralink and the Brain's Magical Future*" (leia o post completo em: https://waitbutwhy.com/2017/07/neuralink.html), que leva os leitores a uma viagem no tempo para 3,5 milhões de anos atrás e os acompanha pela linha do tempo da evolução do homem. De maneira divertida, ele expressa como a tecnologia que construímos nos permitiu expandir nossa espécie em formas que antes eram impossíveis. Nesse *post* de sessenta mil palavras, Tim sugere um experimento mental simples:

> *Imagine que um explorador alienígena está visitando uma nova estrela e descobre três planetas ao seu redor, todos com vida. O*

primeiro se mostra idêntico à forma como a Terra era em 10 milhões de anos a.C. O segundo se mostra idêntico à Terra em 50000 a.C. E o terceiro se mostra idêntico à Terra em 2017 d.C. O alienígena não é nenhum especialista em vida biológica primitiva, mas circula pelos três planetas, examinando cada um com um telescópio. No primeiro, vê muita água, árvores e montanhas e alguns sinais de vida animal. Avista uma manada de elefantes na planície africana, um grupo de golfinhos dando saltos ao longo da superfície do oceano, e outras poucas criaturas levando suas vidas.
Ele passa para o segundo planeta e dá uma olhada ao redor. Mais criaturas, poucas diferenças. Ele percebe uma coisa – pequenos pontos esparsos de luzes cintilantes espalhados pela terra.
Entediado, passa para o terceiro planeta. Uau. Vê aviões deslizando sobre a terra, vastos campos de terra cinza com construções gigantescas, navios de todos os tipos pontilhando os mares, extensas ferrovias cortando continentes, e precisa arrancar sua aeronave para fora do caminho de um satélite que vem em sua direção.
Ao voltar para casa, relata o que encontrou: "Dois planetas com vida primitiva e um planeta com vida inteligente".
É possível entender por que ele chegou a essa conclusão – mas ele estaria errado.
Na verdade, o primeiro planeta é o único diferente. Tanto o segundo quanto o terceiro têm vida inteligente – vida igualmente inteligente. Tão iguais que você poderia raptar um recém-nascido do Planeta 2 e trocá-lo por outro do Planeta 3 e ambos cresceriam como pessoas normais no planeta do outro, encaixando-se perfeitamente. O mesmo povo.
Mas como isso é possível?
O Colosso Humano. Simples assim.

Urban diz que estamos agora na era do Colosso Humano. Ele explica da seguinte maneira: "Já parou para pensar por que você não se impressiona com os seres humanos, mas fica estarrecido com os feitos da humanidade... À medida que melhoramos nossa comunicação em massa, nossa espécie começou a funcionar como um organismo único, em que o conhecimento humano coletivo funciona como o cérebro, e cada cérebro humano individual funciona como um nervo ou fibra muscular do corpo. Na era da comunicação em massa em que nos encontramos, surgiu o organismo humano coletivo – o Colosso Humano".

A internet é como o nosso sistema nervoso coletivo. Ela melhorou nossa habilidade de compartilhar ideias, e isso nos tornou uma espécie coletivamente mais inteligente. A colaboração ficou mais fácil. A humanidade ficou mais conectada, e isso facilitou a invenção de sistemas e tecnologias superiores que permitem que nossa espécie continue a evoluir. Os sistemas construídos por nós facilitaram a resolução de grandes problemas globais. As pessoas se reúnem com mais facilidade, combinam seus recursos intelectuais, compartilham ideias e alcançam novos níveis de inovação.

Ouvi Peter Diamandis dizer certa vez: "Hoje, uma pessoa comum com um *smartphone* tem acesso a mais informações sobre o mundo do que o presidente dos Estados Unidos tinha em 1994".

Estamos cada vez mais funcionando como um corpo unificado. Estamos não mais na era do indivíduo, mas na era da humanidade. E cada um de nós é apenas uma célula do corpo coletivo. Tudo o que você cria sempre que posta nas redes sociais, ou vota, todas as ações afetam as outras células. Estamos mais profundamente conectados uns aos outros do que jamais estivemos. Somos parte de uma entidade e um corpo único – o Colosso Humano.

As consequências são tanto negativas quanto positivas. Por exemplo, um *tweet* reacionário de um presidente pode se espalhar em um instante e fazer com que o mundo veja todo um país de forma negativa. Por outro lado, a parte incrível é a nossa habilidade de resolver problemas coletivamente, como o trabalho da colunista do *New York Times* Dra. Lisa Sanders, que busca financiamento coletivo para encontrar a cura para doenças raras, no programa *Diagnosis*.

ESCOLHA SUA MISSÃO COM SABEDORIA

Então, eis a grande questão: se todos somos células, você é uma célula saudável ou uma célula cancerígena? Seu trabalho tem um impacto positivo na humanidade? E para empresários, a missão da sua empresa está fazendo uma contribuição positiva com o Colosso Humano? Ou, tal qual uma célula cancerígena, o seu trabalho e as suas ações estão adoecendo o Colosso Humano? O engraçado é que células cancerígenas não sabem que são células cancerígenas. Elas acham que são células normais, crescendo e se reproduzindo. Na cabeça de uma célula cancerígena, ela só está fazendo seu trabalho celular.

A mesma analogia se aplica aos seres humanos? Se você fosse um soldado recebendo ordens de um ditador para bombardear uma cidade como Homs, na Síria, criando assim milhares de refugiados, *poderia ser uma célula cancerígena*? Não estou dizendo que o soldado é mau. Mas talvez ele esteja agindo sob os princípios errados. A analogia do soldado é fácil, mas aqui vai uma mais difícil.

Se você fosse executivo de uma grande empresa do segmento do tabaco ou do fumo, cuja missão é viciar cada vez mais pessoas em seu produto? Mais difícil ainda: executivo de uma grande empresa de refrigerantes vendendo xarope de milho aromatizado com alto teor de frutose na forma de felicidade em uma latinha? Você é então uma célula saudável ou cancerígena?

É aí que o fenômeno fica ainda mais estranho. Os seres humanos, quando agem como células cancerígenas, escolhem não se ver como células cancerígenas. Eles se veem fazendo o que é certo e necessário. Mas os famosos experimentos de Stanley Milgram em prisões mostram que nem sempre isso é certo. Obedecemos a ordens, hierarquias, padrões e regras – muitas vezes contra o nosso próprio coração, missão e valores. Fazemos isso por obediência e por causa da nossa necessidade de fazer parte de uma tribo ou comunidade.

Mas qualquer um tem o poder de se insurgir contra essa obediência. Até mesmo pequenas ações podem fazer uma grande diferença. Às vezes, é o simples ato de dizer não ou se afastar de determinada situação.

Pessoas que estão em uma situação que lhes permite fazer uma diferença positiva no mundo por meio do seu trabalho têm um nível mais elevado de integridade. É o que acontece com meu amigo Tom Chi. Ele sempre me inspirou com seu compromisso de usar os negócios como um veículo para fazer bem para o mundo. Tom é inventor, autor, palestrante e sócio fundador da X Development, às vezes chamada de Google X, que é o laboratório de inovação semissecreto da Google.

Poucos anos atrás, Tom administrava um grupo de pesquisa no Vale do Silício, no qual investi. Grandes empresas contratavam ele e sua empresa para ajudá-las a resolver seus problemas táticos. A certa altura, um grande fabricante de bebidas abordou Tom para resolver problemas de comercialização. Os adolescentes não estavam mais comprando uma quantidade suficiente de seus produtos.

No desenrolar da história, Tom olha para os executivos sentados à sua frente e diz: "Vocês entendem que seu produto está altamente correlacionado à obesidade e ao diabetes, não entendem?".

Os executivos da empresa defenderam o produto, tentando levar a conversa para outra direção. Mas Tom, por ser cientista, sabia que era bobagem. Ele me disse:

"Eles tinham muitas formas de negação, dizendo que há centenas de causas para o diabetes e que o produto é apenas parte de um conjunto de possíveis escolhas alimentares equilibradas".

Tom disse que a empresa alegou defender valores modernos. Foram, por exemplo, uma das primeiras empresas a exibir casais de raças diferentes em seus comerciais.

Tom me explicou: "É o exemplo clássico de autoengano, em que fazer o bem em uma área o isenta de fazer o mesmo em outras. A verdade é que temos que estar despertos e seguir aprendendo em todas as áreas possíveis".

Por fim, Tom recusou a oferta, negando um negócio de US$ 250 mil, porque ia contra seus valores. Tom é um líder que pensa muito no mundo.

ESCOLHA SUA MISSÃO COM SABEDORIA

Ele se importa de verdade com a raça humana, e seu trabalho contribui provocando mudanças positivas.

Pessoalmente, o que achei interessante na situação foi a observação de Tom segundo a qual muitas pessoas da empresa pareciam estar se enganando, que havia muitas formas de negação contrariando dados empíricos, tais como os efeitos adversos do açúcar no corpo humano e a correlação entre o consumo de refrigerantes e taxas de obesidade.

Mas ainda é possível ser solidário com esses executivos que forçam suas bebidas aos adolescentes. Eles não são pessoas más. Como Tom me disse: "Senti pena deles, porque, se a realidade deles fosse abalada, significaria ter que sair de uma empresa em que gostavam de trabalhar, com colegas que estimavam, abrindo mão da carreira na qual investiram e da estabilidade financeira que os ajuda a sustentar suas famílias. Isso fez com que se apoiassem em formas de negação e desinformação para assim proteger a si mesmos".

Sim, o produto da empresa contribuía amplamente para a epidemia de obesidade no mundo. Ainda que o produto possa ter seu lugar e seu momento de consumo moderado, alguns dizem que ele é totalmente inútil, assim como os cigarros. Você sabia que cigarros já foram anunciados para mulheres grávidas? Claro, isso foi muito antes de se conhecer os efeitos prejudiciais à saúde. Mas imagine ouvir que fumar com frequência podia ser útil para atenuar as perturbações da gravidez.

Sendo assim, é responsabilidade de todos nós questionar nossas ações. Posicionar-se pelo bem geral. Isso começa fazendo-se esta pergunta antes de agir: a função que estou desempenhando neste mundo está contribuindo ou prejudicando a humanidade?

Para isso, precisamos olhar com cuidado os produtos ou serviços que estamos oferecendo e fazer as perguntas difíceis, porque se pode administrar ou trabalhar em dois tipos de empresas: Pró-Humanidade ou Contra Humanidade (você também pode fazer essa pergunta sobre sua vida de maneira geral).

A natureza do Buda não pode fazer mal à vida. Ao abraçar sinceramente esse aspecto de si mesmo, você terá que começar a analisar os produtos ou serviços que seu trabalho está criando e se perguntar se está, de fato, beneficiando a humanidade.

> *Sabe qual é a diferença entre um empresário e um empreendedor de verdade? Empresários trabalham pelo dinheiro. Mas empreendedores de verdade trabalham pelo futuro da humanidade.*

Você é pró ou contra a humanidade?

Esta é a pergunta que devemos nos fazer sobre nossos empregos e empresas: o meu produto ou serviço é pró ou contra a humanidade?

Empresas contra a humanidade são negócios que existem somente para gerar lucro, sem agregar valor ao mundo. Vendem produtos nocivos, como *junk food* ou práticas insustentáveis, como combustíveis fósseis. Muitas empresas contra a humanidade são fundadas com base em uma demanda artificial – ou seja, vendem produtos de que não precisamos de verdade e que podem inclusive ser potencialmente nocivos. Mas são vendidos como necessidades de bem-estar ou felicidade.

Um exemplo é a recente polêmica em torno de empresas de fumo. Embora seja ótimo ver que os americanos estão largando o cigarro, fumar *narguilé* assumiu o lugar do tabaco. Muitos produtos à base de fumo para *narguilé* contêm substâncias cancerígenas, produtos químicos tóxicos e nanopartículas de metal tóxico. Cria-se um perigo completamente novo, uma vez que essas empresas pretendem atingir o mercado adolescente.

Empresas pró-humanidade, por outro lado, levam a raça humana adiante. São as empresas especializadas em fontes de energia limpas e renováveis, ou em produtos que promovem alimentação e vida saudáveis. Essas

ESCOLHA SUA MISSÃO COM SABEDORIA

empresas trabalham buscando novas formas de elevar e melhorar a vida no nosso planeta. Em um cenário ideal, é nelas em que deveríamos trabalhar e investir. Seus produtos tornam o Colosso Humano mais saudável, e não mais doente. São as empresas que atraem os Budas do mundo – pois a natureza do Buda não se envolve em ações que possam prejudicar a humanidade.

E, bem, pode-se trabalhar para uma empresa de um setor tradicional, como companhias aéreas, seguradoras, eletricidade e muitas outras, e a empresa ainda ter uma missão poderosa e inspiradora. Pense na Southwest Airlines, por exemplo – é um setor tradicional, mas que está contribuindo com o mundo ao inovar radicalmente o serviço ao cliente e a experiência de voo. O transporte aéreo favorece o aquecimento global, é verdade, mas também é uma necessidade até que criemos aviões movidos a algum tipo de energia alternativa.

Não diria que todas as empresas que favorecem o aquecimento global são contra a humanidade. O momento é tudo. A tecnologia necessária para substituir todos os combustíveis fósseis ainda não existe. Mas afirmo com certeza que empresas e marcas que usam *marketing* falso para nos empurrar produtos de que não precisamos estão cruzando aquela linha.

Seja qual for sua missão – abrir a própria empresa, entrar para um negócio, defender uma causa não relacionada ao trabalho, permitir que a sua luz criativa brilhe para o mundo ou se dedicar a criar crianças incríveis –, há de fato somente uma coisa que você precisa lembrar:

> *Você não precisa salvar o mundo.*
> *Mas não o arruíne para a próxima geração.*

Se sua empresa estiver no lado das contra a humanidade e você for incrivelmente talentoso, espero que veja que sua contribuição não reflete os seus valores. Vá para uma empresa em que seus dons possam servir melhor à coletividade do Colosso Humano. Faça a diferença para todos nós. Cabe a nós usar nossos talentos para o bem. Chegou a hora de dar um passo adiante? Pense nisto: as mentes mais brilhantes do mundo deveriam estar pensando em novas formas de fazer as pessoas comprarem um lançamento de refrigerante ou fumo? Ou deveriam estar resolvendo os verdadeiros problemas enfrentados pela humanidade?

Um *kit* de ferramentas para se centrar na missão

1ª Ferramenta: o Grande Propósito Transformador (GPT)

Para efetivamente dar sentido à sua vida e à vida de todos ao seu redor, precisamos ficar obstinados por metas ou problemas que vão *além* de nós mesmos.

Agimos como se fôssemos as células de um ser unificado. Dependemos um dos outros mais do que podemos imaginar. Tudo o que você faz, mesmo as menores ações, tem efeito cascata. Lembre-se das palavras de Neale Donald Walsch: "*A sua vida não se resume a você. Ela diz respeito a todas as pessoas em quem você toca*".

Empresas com um Grande Propósito Transformador (GPT) de transformar o mundo têm uma vantagem. Elas atraem as melhores cabeças, os solucionadores de problemas mais apaixonados, e inspiram as pessoas a trabalhar em nome de uma causa mais nobre.

Ao alinhar sua empresa a uma missão mais importante, você está elevando o grau de motivação das pessoas. Você dá a elas problemas maiores para se preocuparem. Não o garoto ou a garota que não responderam suas mensagens. Ou as gordurinhas sobrando na barriga. Ou o fato de estarem esgotados os ingressos para algum show. Pessoas foda não se preocupam com esses probleminhas irrelevantes, pois têm problemas maiores com os quais ocupar a cabeça.

> *O problema com a maioria das pessoas é que*
> *Seus problemas não são grandes o suficiente.*

Faça as pessoas se preocuparem em salvar o mundo e mudar o destino da humanidade. Deixe-as obcecadas com problemas reais. A destruição do meio ambiente, a ascensão do nacionalismo, a crise de saúde e obesidade, o fato de que milhões de pessoas não têm acesso a serviços básicos como água ou educação de qualidade. Ou quem sabe apenas focadas em melhorar a vida das pessoas por meio de boas ideias de *design*, bons produtos e serviços úteis.

Há um caso famoso que mostra como Steve Jobs usou essa tática para motivar os engenheiros da Apple a acelerar o lançamento de um dos primeiros Macs. No artigo "*Saving Lives*", publicado em 1983, Andy Hertzfeld, um dos cientistas da computação que trabalharam na equipe de desenvolvimento original durante a década de 1980, escreveu:

> *Uma das coisas que mais incomodavam Jobs era o tempo de inicialização quando o primeiro Mac era ligado. Levava alguns minutos, ou até mais, para testar a memória, inicializar o sistema operacional e carregar o Buscador. Em uma tarde, Steve chegou com uma ideia original para nos motivar a torná-lo mais rápido. Larry Kenyon era o engenheiro que trabalhava no disco do driver e no sistema de arquivos. Steve chegou na sua estação de trabalho e começou a exortá-lo: "O Macintosh inicializa muito devagar. Você precisa deixá-lo mais rápido!".*
> *Larry começou a explicar sobre alguns dos locais em que ele pensava que poderia fazer melhorias, mas Steve não estava interessado. Ele continuou: "Sabe, estive pensando sobre isso. Quantas pessoas vão usar o Macintosh? Um milhão? Não, mais*

do que isso. Em poucos anos, aposto que cinco milhões de pessoas inicializarão seus Macintoshes pelo menos uma vez ao dia.
"Bem, digamos que você possa reduzir o tempo de inicialização em dez segundos. Multiplique por cinco milhões de usuários e isso dá cinquenta milhões de segundos, todos os dias. Em um ano, provavelmente esse tempo é equivalente ao tempo de vida de uma dúzia de pessoas. Então se você acelerar a inicialização em dez segundos, terá salvado uma dúzia de vidas. Vale a pena, não acha?"

Seus engenheiros fizeram o trabalho. E em muito menos tempo do que haviam inicialmente previsto.

Quando Jobs ampliou a missão, conseguiu motivar sua equipe para reduzir o tempo de inicialização em mais de dez segundos nos meses seguintes. É muito mais estimulante trabalhar em um Grande Propósito Transformador.

O seu GPT é a grande mudança que você precisa causar no mundo para fazer dele um lugar melhor. Alguns livros de negócios o chamam de BHAG, uma sigla da expressão em inglês *Big Hairy Audacious* Goal, ou "Objetivo Audacioso, Grande e Cabeludo". Considero-os iguais. O seu GPT é um objetivo prioritário e fortalecedor de que sua empresa está em busca.

O GPT de Elon Musk é colonizar Marte. O de Bill Gates, quando a Microsoft começou lá atrás, era colocar um computador em todas as escrivaninhas do mundo. O GPT do Google é organizar as informações do mundo e torná-las globalmente acessíveis e úteis. O GPT da Mindvalley é criar a maior elevação na consciência humana que a nossa espécie já sentiu.

O GPT precisa ser algo desafiador e difícil. Não é necessário saber as respostas de imediato. É isso que o torna tão intrigante. É como um quebra-cabeças esperando para ser resolvido.

Tudo bem se o seu GPT for impalpável, pelo menos por enquanto. No próximo capítulos, veremos como usar um conceito chamado OKR para ordenar e materializar o GPT.

Mas e se a sua empresa não estiver trabalhando em um novo projeto capaz de transformar o mundo? Talvez você seja uma modelo no Instagram. Ou venda camisetas. Ou fabrique vidraria. Ou administre uma lavanderia.

Talvez você não tenha um grande propósito transformador, mas ainda pode atribuir um significado ao seu trabalho se assumir um posicionamento.

2ª Ferramenta: assumir um posicionamento

Srikumar Rao certa vez me disse: "Muitos líderes tentam ser motivadores. Pare com isso. Em vez disso, *seja motivado*".

Pense nisso. Se sua prioridade é ser motivado, você naturalmente inspira os outros. O estado de motivação é magnético. Pare por um momento para dar uma olhada no mundo ao seu redor. O que o inspira, o atrai, o anima? Pelo que vale a pena lutar? A história a seguir pode ajudá-lo a chegar lá.

Em 2009, o dono de uma lavanderia no bairro Upper East Side, em Nova York, chamado Carlos Vasquez, sentiu um desejo incontrolável de ajudar as pessoas da região que haviam perdido seus empregos durante a recessão econômica. Ele colocou uma placa na vitrine do seu negócio que dizia:

> *Se você está desempregado e precisa de roupas limpas para uma entrevista de emprego, nós lavamos as suas SEM CUSTO.*

Em uma entrevista, Carlos disse: "É só algo que faço para retribuir à comunidade. Para agradecer pelo apoio que tenho por aqui, por manter meu negócio funcionando ao me trazerem suas roupas".

Quando a imprensa nacional divulgou a história, Carlos sem querer deu início a um movimento. Em pouco tempo, lavanderias de todo o país estavam lavando roupas de graça para que os desempregados pudessem se preparar para entrevistas de emprego.

Inspirado por Carlos, o dono de outra lavanderia, Don Champan, lavou um total de dois mil ternos. Foi bonito de ver. O movimento aproximou comunidades e deu aos americanos um novo modelo de apoio mútuo. E tudo isso porque um homem escolheu se motivar. Qualquer um pode fazer o mesmo.

A *influencer* do Instagram pode decidir assumir um posicionamento a favor da saúde e contra a promoção de *junk food*. O *designer* de camisetas pode criar uma marca que gire em torno da positividade. Isso aconteceu de verdade. Os irmãos Bert e John Jacobs começaram a linha de camisetas *Life is Good* com a missão de espalhar o otimismo. Antes da grande epifania, eles tinham uma van na qual vendiam camisetas artesanais. Certo dia, ficaram de saco cheio de todas as notícias negativas difundidas pela mídia e decidiram criar uma linha para lembrar as pessoas de serem gratas e felizes. Não lhes faltaram clientes quando decidiram assumir esse posicionamento, e hoje a empresa vale muito mais de US$ 1 milhão.

Empresas maiores podem fazer o mesmo. A Patagonia é uma empresa de roupas e acessórios esportivos que inspira milhões de pessoas com seu posicionamento a favor do meio ambiente. A Nike se posiciona a favor da igualdade. A Starbucks se posiciona apoiando refugiados em todo o mundo.

E a melhor parte é que assumir um posicionamento pode inclusive aumentar a rentabilidade. Em um estudo recente, 75% dos americanos disseram querer que as empresas e os seus presidentes se posicionem. Talvez por isso, quando a Nike decidiu veicular uma campanha publicitária em apoio a Colin Kaepernick, o astro do futebol americano que se envolveu em uma grande briga pública com Trump, suas ações fecharam na maior alta de todos os tempos. As pessoas correram para apoiar a Nike.

Vivemos em um mundo extremamente polarizado. As pessoas estão perdendo a fé nos governos e se voltando aos empresários, esperando que eles se posicionem a favor do que é certo. Elas esperam que as marcas se posicionem na política, nas questões sociais, ambientais e, inclusive, em questões como posse de armas, igualdade de gêneros e justiça social. Em 2019, uma pesquisa feita pela Sprout Social relatou que 66% dos consumidores querem que as marcas se posicionem em questões políticas e sociais.

A velha forma de fazer negócios era não cruzando limites. Mas, hoje, não assumir um posicionamento pode ser até perigoso para o seu negócio.

Empresas que assumem um posicionamento atraem alianças incríveis com parceiros, funcionários e investidores que pensam da mesma forma. Então, assuma um posicionamento e compartilhe-o com frequência.

Ao começar a fazer isso, talvez você cresça e se torne uma nova versão de si mesmo. O empreendedor-ativista ou o CEO-ativista, ou criador-ativista. Foi o que, meio sem querer, aconteceu comigo.

A era do ativista

Está aí um termo que uso para me descrever, escrito em todas as minhas redes sociais e cartões de visitas. Abaixo de "Vishen Lakhiani", está escrito: *Fundador-Ativista*.

A definição de ativista é: *Uma pessoa que promove, restringe, direciona ou intervém em reformas sociais, políticas, econômicas ou ambientais com o desejo de mudar a sociedade.*

Nunca havia me dado conta de que era um ativista até ser chamado para participar do programa de entrevistas de Tom Bilyeu, o *Impact Theory*. O programa analisa a mentalidade dos nomes de maior sucesso do mundo. Tom os entrevista para aprender seus segredos do sucesso. Ele me ajudou a verbalizar uma mudança pela qual eu vinha passando havia meses. E tudo começou com uma pergunta.

"Você se considera um filósofo ou um empreendedor?", ele perguntou.

Respondi: "Eu costumava pensar que era empreendedor. Mas empreendedor é uma meta intermediária. Então não gosto do rótulo de 'empreendedor'.

Há empreendedores que trabalham como *freelancers*, criando logomarcas. Ser empreendedor significa apenas que você está ganhando seu dinheiro. Mas aí há empreendedores como você, que criaram empresas bilionárias. A diferença é muito grande para rotular ambos da mesma forma.

"Então não me defino com o rótulo de empreendedor, mas pelo que defendo. Acredito que rótulos não importam. É seu posicionamento que importa. Patrick Gentempo disse: 'Seu posicionamento é a sua marca'. Acredito que o que nos torna verdadeiramente únicos como indivíduos é aquilo que defendemos. E eu defendo UMA coisa, e ela está em tudo que eu faço. E essa coisa é a unidade. É meu valor principal. Então, antes de ser empreendedor, sou um ativista da unidade. Quer dizer, se eu perdesse minha empresa, não perderia a minha identidade. Mas se eu parasse de me posicionar a favor da unidade, eu não seria mais o Vishen. Tenho esse grande desejo de unidade. É o que me torna o que sou. Sou um lutador e um ativista pela unidade humana. É assim que me defino em primeiro lugar."

A partir dessas definições, você pode ver que levei as ideias dos valores fundamentais muito a sério. Meus valores fundamentais vieram em primeiro lugar – a empresa que fundei simplesmente reflete aqueles valores.

Após a entrevista, percebi que eu queria me comprometer por inteiro com o que havia dito publicamente. A primeira ação que tomei foi adicionar a palavra *ativista* aos meus cartões de visita e às minhas redes sociais. Também sentia que o mundo ao meu redor estava passando por uma mudança e, de certa forma, desmoronando, e eu queria fazer algo a mais.

E então a Mindvalley também mudou. Decidimos dedicar parte do nosso orçamento anual a causas sociais.

A reação imediata dos meus pares foi "E se você afastar clientes que discordem de você? Perderíamos seguidores?". Talvez. Mas não foi o que aconteceu.

Em vez disso, o que percebemos, nos primeiros seis meses em que mudamos o nosso *status* para empresa ativista, foram resultados impressionantes.

Em primeiro lugar, nossas vendas dispararam. Estreitamos nossas parcerias com mais pessoas que se encaixavam bem na nossa marca. Recebemos comentários nas redes sociais como "Eu achava que a Mindvalley só pensava em vender. Essa empresa tem coração. Não vivo mais sem essa marca".

Em segundo lugar, despertou grande motivação e orgulho nos nossos funcionários, pelo trabalho que estavam fazendo. Eles me contaram como estavam orgulhosos de fazer parte de uma empresa que se preocupava com coisas que realmente importavam.

Claro, assumir um posicionamento pode ser amedrontador. É desconfortável e solitário no início. Mas uma pessoa precisa dar o primeiro passo e erguer as mãos. Martin Luther King Jr. expressou isso com grandeza.

Talvez você tenha 38 anos, como eu. E certo dia,
Uma bela oportunidade apareça diante de você, pedindo seu apoio
a um princípio, um problema, uma causa importante.
E você se nega a apoiar porque tem medo...
Você se nega porque quer viver uma vida longa...
Você tem medo de perder seu emprego
Ou tem medo de ser criticado ou perder popularidade,
Ou tem medo de que alguém o apunhale, lhe dê um tiro ou incendeie sua casa;
Então você se nega a apoiar.
Bem, você pode seguir a vida e viver até os 90 anos,
Mas você morreu aos 38 anos, como morreria aos 90.
E parar de respirar, nessa sua vida, não é nada mais
Do que o anúncio tardio de uma morte precoce da alma.

Martin Luther King não poupava as palavras. Seja o líder disposto a sentir o incômodo de fazer uma mudança positiva. Não fique em cima do muro da vida.

Deixe-me esclarecer: *você é o escolhido*. Assim como eu sou. Como o mundo seria se todos assumíssemos essa posição?

Então, posicione-se. Contribua com uma causa. Una-se a outras pessoas e crie uma mudança positiva. A humanidade precisa de você.

E se você ainda não sabe como quer mudar o mundo, o próximo capítulo dará algumas ferramentas úteis para criar uma nova visão sobre como você pode fazer a diferença. Falaremos sobre como criar visões ousadas para mudar o mundo.

Resumo do Capítulo

Modelos de realidade

A chave para fazer qualquer missão acontecer é encontrar e se alinhar a pessoas mais inteligentes que você, dar-lhes projetos inspiradores e depois sair do caminho para que elas possam se concentrar na visão. Mais importante, você deve lembrar a missão a todos, inclusive a si mesmo. Isso ajuda a equipe a se manter motivada, empolgada e focada. Tanto Elon Musk quanto Richard Branson são mestres nisso. Ambos também têm um Grande Propósito Transformador.

Os seres humanos são biologicamente programados para atingir metas. Quando as missões são grandes e inspiradoras, a própria missão é motivadora e leva as pessoas a pensar em algo além de elas mesmas. Elas querem fazer parte de uma grande contribuição para a humanidade.

Lembre-se de que estamos mais conectados do que nunca. Somos o Colosso Humano. Somos todos células individuais conectadas, funcionando em conjunto. As ações de uma pessoa causam impacto em todas.

Portanto, sempre avalie se o trabalho ao qual você se dedica é a favor ou contra a humanidade. Em outras palavras, a sua missão está agregando valor ao mundo ou subtraindo?

Coloque na sua cabeça as acertadas pérolas de sabedoria de Neale Donald Walsch e de Srikumar Rao. Neale diz: *"Sua vida não se resume a você. Ela diz respeito a todas as pessoas em quem você toca".*

Rao diz: "Muitos líderes tentam ser motivadores. Pare com isso. Em vez disso, *seja motivado".*

Para isso, avalie: você é um ativista de qual causa? O que importa para você? Anime-se e, então, conecte-se e coopere com pessoas que pensam parecido. Não há ferramenta mais poderosa hoje do que assumir um posicionamento e viver por uma missão ousada.

Sistemas de vida

Exercício 1: Grande Propósito Transformador (GPT)

1º passo: Reflita sobre estas duas citações e perguntas abaixo:

"Sua vida não se resume a você. Ela diz respeito a todas as pessoas em quem você toca."
Neal Donald Walsch

"Muitos líderes tentam ser motivadores. Pare com isso. Em vez disso, seja motivado."
Srikumar Rao

Quais missões existentes no mundo o inspiram?
Por quais causas você poderia militar?
Quais assuntos ou áreas despertam seu interesse?
Para que tipo de grupos você gostaria de fazer diferença?
Quais marcas você pode apoiar?

Passo 2: parta para a ação

Quais atitudes você pode tomar para se alinhar ou criar missões positivas que fomentem iniciativas em áreas importantes para você? Anote-as. Então, parta para a ação.

PARTE 3

TORNE-SE UM VISIONÁRIO

UNINDO O BUDA E O CARA PARA MUDAR O MUNDO

Depois de ter conquistado os parceiros certos, a autoestima adequada, e incorporado a evolução pessoal e a transcendência, o próximo passo é assumir a frente para mudar o mundo.

Você passou a viver os seus valores e assim atraiu as pessoas de quem precisa para transformar qualquer visão em realidade (Parte I). Você criou estruturas que melhoram absurdamente o seu desempenho (Parte II). Agora chegou o momento de engatar a próxima marcha. A Parte III traz práticas de lógica e execução visionárias, de forma a unir as peças para que você possa mudar o mundo com alegria e tranquilidade. Trata-se de fazer uma contribuição ao Universo.

Torne-se o líder visionário que você nasceu pra ser. Crie missões inspiradoras que façam todos ao seu redor, inclusive você mesmo, entrar em ação. Aprenda a colaborar com outras pessoas formando uma frente unificada. Chamo isso de modelo do Cérebro Uno. E, então, não se esgote, como fazem muitos por aí. Você não precisa sacrificar a saúde, a vida amorosa ou a família.

Aqui está um resumo do que você irá aprender:

Capítulo 7: Desperte o visionário que há em você. Motivação é uma regra estúpida. Quando uma missão é suficientemente inspiradora, ela impulsiona você e todos que se identificam com ela. É esse o poder das visões ousadas. Aprenda como amplificar suas visões e criar metas audaciosas para inspirar e levar a humanidade adiante.

Capítulo 8: O cérebro uno. O mundo está mudando rapidamente. O mesmo está acontecendo com o cenário dos negócios. E a tecnologia está acelerando a uma velocidade exponencial. Ela se move mais rápido do que qualquer ser humano é capaz. Para se manterem competitivas, as equipes precisam colaborar a uma velocidade sobre-humana. Neste capítulo, você aprenderá a quebrar os degraus da hierarquia em uma equipe para inovar de forma ágil e trabalhar como uma frente unida. Em outras palavras, vocês se tornam um cérebro uno. Você aprenderá sobre esse modelo e sobre um antigo sistema militar de comunicação agilizada chamado de Ciclo OODA.

Capítulo 9: Renovação de identidade e a destruição maravilhosa. Chegou a hora de superar o mito do trabalho árduo. Aprenda a entrar em um nível superior de trabalho em que é possível acessar estados de consciência mais elevados que o permitam trabalhar sem grandes esforços.

Esse estado maravilhoso, que o coloca na natureza dual que você vem desenvolvendo ao longo deste livro, é aquilo que chamo de fusão do Buda e do Cara. Neste capítulo, você aprenderá a equilibrá-los de modo a nunca sentir esgotamento ou estresse debilitante.

Todos vivem entre dois mundos, e o seu mundo interior dá indicações sobre a identidade que você deseja assumir. Há um processo de três etapas para que isso aconteça. Assim, deixo um último exercício transformador que o ajudará a se tornar o que você quer de verdade e viver a vida que lhe é designada.

CAPÍTULO 7

DESPERTE O VISIONÁRIO QUE HÁ EM VOCÊ

> Bons líderes têm visão e inspiram os outros a ajudá-los a transformar a visão em realidade. Excelentes líderes criam mais líderes, e não seguidores. Líderes grandiosos têm visão, compartilham-na e inspiram os outros a criar suas próprias visões.
> — Roy T. Bennett, *The Light in the Heart*

Não há experiência melhor do que levar a vida trabalhando para concretizar uma visão tão ousada que chega a dar medo. Qualquer visão com a qual você se comprometa deve ser inspiradora a ponto de mantê-lo acordado à noite, pois é algo que o chama, que o seduz. É que há um segredo: quanto maior a visão, mais fácil é. Ao viver assim, você pode achar que a visão nem parte de você. Que é o Universo escolhendo o seu caminho para realizar o que o mundo precisa.

Em 2003, aos 27 anos de idade, saí do meu emprego de vice-presidente de uma *startup* promissora no Vale do Silício para poder dedicar a vida a uma carreira que me desse mais sentido. Decidi ensinar e promover a meditação.

Meu primeiro *site* me garantiu uma renda bem razoável dando aulas de meditação em todo o mundo. Mas logo me dei conta de que ensinar meditação não era nem de perto tão rentável quanto meu emprego anterior. Pelo contrário, era um caminho que certamente me levaria à falência. Então, para conseguir pagar as contas, eu também tocava paralelamente uma agência de *marketing* digital que ajudava autores a criar e administrar seus *sites* e sistemas tecnológicos de *backend*. Um desses autores era Bob Proctor.

Proctor, obviamente, é um autor, palestrante e *coach* de sucesso de origem norte-americana. Aos 14 anos, descobri seus livros nas prateleiras da biblioteca do meu pai. Proctor é um mestre da mentalidade da riqueza.

Em 2006, Bob Proctor precisava de um *site*. Ele me contratou para criar um para ele, o que foi um grande avanço. Proctor era um dos meus heróis. Quer dizer, poxa, ele era um dos caras de um dos DVDs mais assistidos do mundo na época. Bob Proctor, o cara do *The Secret*! Sua carreira estava em ascensão meteórica, e tive a honra de ser quem o ajudou a criar seus *sites* na internet.

Então, eu me dividia entre as aulas de meditação e o trabalho com minha minúscula equipe de dezoito pessoas. Era o princípio da Mindvalley. Mal chegávamos a um ponto de equilíbrio nas nossas contas. Éramos especializados, sobretudo, em criar *sites* para outras marcas de crescimento pessoal.

Mas aquilo estava prestes a mudar. Meu mundo estava prestes a ir pelos ares, e Bob seria o catalisador.

No meu primeiro livro, *O código da mente extraordinária*, cunhei um termo que chamei de *Destruição Maravilhosa*, que significa:

> *Às vezes, você tem de destruir parte de sua vida para deixar o próximo grande evento entrar.*

Naquela época, minha vida até que era boa. Mas não maravilhosa. E eu me acomodei sem nem perceber.

Eu não tinha lá grandes visões. Ia empurrando as coisas com a barriga, ano após ano. Focava-me no crescimento de curto prazo, sem perceber como meu pensamento era restrito. Quer dizer, até Bob Proctor apontar sem rodeios as minhas falhas, em um restaurante no centro de Londres.

Eu tinha ido a Londres realizar um seminário sobre meditação com um pequeno grupo de trinta pessoas. Proctor também estava lá no mesmo momento, palestrando para milhares de pessoas em um hotel próximo. Gentilmente, ele me convidou para almoçar.

Apareci de jeans e camiseta e, é claro, lá estava Bob Proctor em um terno azul-marinho clássico impecável, com uma gravata vermelha elegante e um relógio reluzente no pulso. Bob era um homem de estilo e bom gosto.

Então ele me perguntou: "O que você veio fazer em Londres, Vishen?".

Na minha cabeça, eu estava pensando: *Bob, você vai ficar tão orgulhoso de mim. Estou dando aulas de meditação. Não faço só* sites.

Expliquei que havia trinta pessoas no meu seminário, a um valor de £ 300 por pessoa. Falei sobre a alegria de ensinar algo pelo qual era apaixonado. Falei sobre as vidas que eu estava mudando.

Bob me interrompeu e disse: "Espera aí. Você veio da Malásia até Londres? Dá o quê, quinze horas de viagem? E você deixou sua esposa e seu filhinho de 1 ano?".

"Ahm... sim", respondi.

"Espero que tenha viajado na classe executiva, pelo menos", retrucou.

Mas não. "Bob, eu recebo apenas US$ 3 mil por seminário. Se viajasse na classe executiva, não teria lucro algum", expliquei.

Bob olhou para mim com olhos tão arregalados quanto os de um personagem de desenho animado, fez uma careta e suspirou profundamente. Sabia que algo sábio e profundo estava prestes a ser enunciado. Também sabia que seria doloroso de ouvir.

"Você viaja tão longe e é isso que ganha? Você está jogando o seu tempo fora", disse firme, com um suspiro. "Se eu fosse você, não faria isso", ele continuou.

Na minha cabeça soou um alarme, detonando uma série de pensamentos para justificar minhas ações. *Quer dizer, eu adoro ensinar, além disso, estou agregando valor à vida dos alunos, estou expandindo minha atuação internacional e não acho que seja um desperdício de tempo etc.*

Felizmente, diante de Bob, fechei o bico e não deixei aquela enxurrada de palavras sair da minha boca.

"Você é muito melhor do que isso. Isso é sonhar baixo demais, Vishen."

É o quê? Você está de brincadeira?

O diálogo interno era mais malcriado. *Respira, Vishen, respira.* Bob é um dos seres humanos mais gentis, solidários, bem-dispostos do planeta. Mas minha mente estava pensando:

Dane-se você, seus ternos chiques, seus milhões de dólares e seu perfume sofisticado...

Claro, nada disso saiu da minha boca. Engoli tudo. Porque, no fundo, eu sabia que ele estava certo.

Suas palavras ficaram ecoando na minha cabeça.

Concluí os seminários do final de semana, depois voltei para casa em uma viagem de avião de quinze horas, na classe econômica, em que tive bastante tempo para pensar. No dia seguinte, parei de oferecer os seminários. Estava mentindo para mim mesmo e para os meus alunos. Dizia-lhes para anotarem suas metas e sonhar alto, e eu não estava fazendo isso. Estava sonhando baixo. Aquele foi o último seminário de pequeno porte que ministrei.

Quando cheguei em casa, postei uma frase de Bob Proctor na minha descrição pessoal no Facebook. Foi em 2008. Onze anos depois, ainda está lá, dizendo:

> *A pergunta não é: você é digno de alcançar suas metas?*
> *A pergunta é: as suas metas são dignas de você?*

Os conselhos de Bob me transformaram. Equipado com uma visão mais ousada, voltei a ensinar crescimento pessoal em 2010, mas de uma forma completamente diferente. E dessa vez em escala muito maior.

Decidi criar um evento que combinasse beleza, música, magia e o nível de um festival com um encontro de crescimento pessoal. Chamei-o de *A-Fest*. Foi um imenso sucesso. Para participar, as pessoas precisavam se candidatar e ser selecionadas. O preço da entrada era US$ 3 mil. E o evento foi realizado em *resorts* cinco estrelas em locais paradisíacos espetaculares. Em vez de sair viajando para treinar pequenos grupos, dedicar dezesseis horas por dia a isso e trabalhar sozinho, agora eu estava reunindo os melhores professores do mundo sob o mesmo teto. A Mindvalley realiza o *A-Fest* até hoje, mas cresceu tanto que deu origem a outros eventos gigantescos, como o *Mindvalley University*, que reúne mil pessoas em três semanas de eventos. Essa nova versão é um dos maiores festivais de transformação do mundo. Deixei de ensinar para vinte pessoas em um hotel três estrelas para organizar um festival mundial. Tudo isso em dois anos.

O *A-Fest* se tornou um dos empreendimentos de mais sucesso que já lancei. Mas devo sua criação a Bob Proctor, por me fazer abandonar minha visão simples e pequena e começar a sonhar com uma meta que fosse digna do meu potencial.

A conversa com Bob foi um momento decisivo. Graças ao seu chute no meu traseiro, aprendi sobre a importância das visões. São elas que nos impulsionam e dão clareza. São a força propulsora que nos permite deixar uma marca maior no Universo. Mas, para chegar lá, precisamos dar uma boa olhada na nossa situação atual e questionar nossas escolhas e decisões. O desconforto é essencial. Por esse motivo, ser visionário se tornou uma prática constante. E as minhas visões continuam crescendo. Com o que você aprenderá neste capítulo, as suas também continuarão.

O poder de uma visão ousada

Vislumbrar é o ato de conceber uma ideia. É como tudo começa. Sobretudo porque, embora seja o primeiro passo para materializar algo, também pode refrear as pessoas. Um líder com uma visão de curto alcance pode reprimir toda a sua equipe.

Para explicar melhor o conceito, falemos sobre pulgas. Há um antigo experimento feito com pulgas em uma garrafa, em que uma equipe de cientistas colocou uma comunidade de pulgas em uma garrafa sem tampa. Como o *hobby* favorito das pulgas é pular bem alto, sem a tampa, todas pularam para fora. Então, os cientistas colocaram as pulgas de volta na garrafa e fecharam-na com uma tampa. As pulgas continuaram a pular, mas agora só até a altura da tampa. Após vários dias, quando os cientistas tiraram a tampa, ficaram chocados ao descobrir que as pulgas agora só pulavam até a altura da tampa, embora não tivessem mais a limitação do teto.

Os seres humanos são muito maiores, mais inteligentes e mais avançados do que as pulgas, mas estamos vulneráveis ao mesmo tipo de condicionamento. A capacidade de visão de uma pessoa também pode ser limitada por uma tampa. Uma tampa igualmente invisível, que se mantém no lugar por crenças pessoais sobre o que é possível e o que é impossível.

Antes do meu almoço com Bob, não conseguia ver que podia estar fazendo muito mais para expandir meus negócios. Estava de olhos vendados. Felizmente, Bob tirou a venda do meu rosto.

A prática de vislumbrar não pode parar nunca. É tão importante para os líderes porque requer que se mantenham em constante estado de aprendizado. Quando mais uma pessoa agrega à própria sabedoria e consciência, mais perspectivas pode usar para ampliar suas visões.

Em 1951, o montanhista William Hutchinson Murray publicou um livro chamado *The Scottish Himalayan Expedition*, em que escreveu as seguintes palavras, que se tornaram um dos discursos mais citados sobre visão:

> *Enquanto não há compromisso, há hesitação, há chance de desistir, há a ineficácia de sempre. Em todos os atos de iniciativa (e criação), há uma verdade elementar, que, se ignorada, mata inúmeras ideias e planos esplêndidos: a partir do momento em que nos comprometemos, a Providência também passa a agir.*
> *Acontecem todos os tipos de coisa para nos ajudar que, de outro modo, não aconteceriam. Todo um fluxo de eventos tem início a partir da decisão, colocando a nosso favor toda sorte de incidentes e encontros inesperados e apoio material que nenhum homem poderia sequer sonhar em receber. Aprendi a respeitar a máxima de Goethe: O que quer que você possa fazer ou sonhar que possa, faça. Coragem contém genialidade, poder e magia. Comece agora.*

Adoro essa passagem. E talvez você também goste. Mas a maioria de nós não imagina como fica mais fácil quando tentamos ser ousados.

Há quatro regras que venho seguindo para aumentar a capacidade de ousar nas visões.

Com frequência ouve-se falar sobre a natureza búdica das visões. Interiorizar-se e exercitar práticas transcendentais como a visualização criativa, o que eu adoro. Mas há algo de foda nas visões também.

Para que suas visões sejam fodas, não sonhe baixo e seja ousado quanto à marca que você quer deixar no mundo. Trata-se de adotar estas quatro táticas para pensar no futuro que destaco a seguir.

As quatro táticas para pensar no futuro

1. Quanto maior a visão, mais fácil fica
2. Sempre fale sobre seu projeto daqui a dez anos
3. Permita-se falhar
4. Seja audacioso, mas não fantasioso

Vamos nos aprofundar em cada um deles.

1ª TÁTICA:
Quando maior a visão, mais fácil fica

As pessoas tendem a pressupor que visões maiores são mais difíceis de alcançar e que têm alta probabilidade de fracasso. Nem sempre é verdade.

Quando eu fazia parte do Comitê de Inovação da Fundação XPRIZE, pude conhecer alguns dos maiores visionários e bilionários dos Estados Unidos – de Peter Diamandis a Anousheh Ansari e Naveen Jain. Eis a lição que eles gravaram na minha mente:

Quanto MAIOR a visão, mais FÁCIL fica.

Deixe-me explicar como Naveen Jain me ensinou isso. Naveen já fundou diversas empresas bilionárias. E, quando nos conhecemos, ele havia acabado de criar a Viome, uma companhia de testagem de microbiota intestinal que está revolucionando a medicina.

Enquanto a Viome registrava uma valorização de US$ 500 milhões em valor de mercado em dois anos, Naveen também foi selecionado para receber US$ 2,7 BILHÕES da NASA para enviar robôs à lua por meio da Moon Express, outra empresa sua. Sua antiga empresa, Infospace, foi a primeira a perceber o poder dos telefones móveis e chegou um valor de mercado de mais de US$ 35 bilhões.

Não é um cara que sonha pequeno. Naveen explicou dessa forma, enquanto eu anotava seus conselhos em meu bloco de anotações. *Observação*: estou escrevendo as palavras exatas de Naveen. Ele disse de forma muito poética. Ele fala com a intensidade de um cientista louco e a sabedoria de um monge zen. Suas palavras:

> *Ao fazer algo audacioso, fica mais fácil.*
> *Porque as melhores pessoas se unem a você.*
> *O problema a resolver vale a pena ser resolvido!*
> *Você tem ímãs.*
> *E* **dinheiro**.
> *Porque os investidores se aproximam.*
> *E aí você diz não, porque não precisa do dinheiro deles.*
> *Porque eles cobram uma facada!*
> *Então venda o benefício à humanidade.*
> *Líderes que querem ser ídolos dizem* **seja leal a mim**,
> *Mas os empreendedores dizem* **seja leal à causa**.

É por isso que grandes líderes são especialistas em inspirar. Naveen é um dos maiores pensadores visionários que conheço. E uma coisa de que gosto nele é sua origem humilde de imigrante indiano que chegou aos Estados Unidos sem nada.

Seu livro *Moonshots* trata de expandir visões de uma forma tão grandiosa que as próprias ideias coloquem as pessoas em ação. "Ideias impossíveis se tornam *mais* possíveis", ele disse.

O fato que importa é que uma grande ideia é apenas muito mais empolgante do que uma ideia pequena. As pessoas querem trabalhar nela. E, se forem constantemente lembradas da visão, e induzidas regularmente a estados de inspiração, as barreiras somem e os problemas são tratados com curiosidade, e não com medo.

Desperta-se um ímpeto eletrizante nas equipes quando se propõe uma visão excêntrica que resolva um problema.

"Se a missão da Viome fosse criar um aplicativo para encontrar alguém com quem dividir o apartamento, ninguém ligaria", explicou.

"Mas não, a visão da Viome é tornar a doença uma escolha."

A visão atraiu cientistas brilhantes para a sua causa. As pessoas mais inteligentes do mundo querem trabalhar em grandes problemas. O governo federal dos Estados Unidos inclusive licenciou tecnologia à Viome. Porque a empresa planeja resolver um enorme problema global. Foi assim que a Moon Express, sua empresa de exploração espacial, conseguiu uma parceria com a NASA. Naveen decidiu que era hora de os Estados Unidos voltarem à lua.

O impossível é um estado mental. "Quando uma pessoa acredita que um resultado é impossível, fica impossível não só para ela, mas também para todas as outras", diz Naveen.

Lembre-se das pulgas na garrafa. Crenças são profecias autorrealizáveis. Se você diz que algo não pode ser realizado, não tomará nenhuma ação. E provará que não pode ser realizado. Você coloca uma tampa invisível na sua garrafa.

Como explica Naveen, para criar visões inspiradoras que atraiam pessoas, um líder deve pensar em abundância. Especialistas, curiosamente, podem usar demais a mente lógica. Eles partem do princípio de que sabem tudo, e se negam a considerar o que não sabem.

Naveen diz: "Quanto menos se sabe, maiores são as chances de dar certo. Ao se tornar um especialista, você se torna também um incrementalista".

Para conceber uma visão, é importante se desapegar da lógica. Isso ajuda a se livrar de qualquer obstáculo que possa já estar programado em você. (Nota: é por isso também que a técnica de aceleração e navegação que ensinarei no capítulo 9 é tão eficaz.)

2ª TÁTICA:
Sempre fale sobre seu projeto daqui a dez anos

Já mencionei isso em capítulos anteriores. Para avançar a toda velocidade e atrair as pessoas certas, nunca fale sobre aquilo em que você está trabalhando agora, mas no que está planejando construir em dez anos.

Em 2014, quando lancei a Mindvalley Academy, um *site* de cursos de crescimento pessoal, não dizia que éramos uma "produtora de conteúdo *online* de crescimento pessoal". Seria óbvio demais. Era o que éramos naquela época. Em vez disso, eu falava sobre o que planejávamos ser – que estávamos *transformando a educação global.*

Nosso *site* em 2014 dizia:

> *A Mindvalley cria empresas que revolucionam a educação, por meios que vão desde publicação digital, aprendizado online, aplicativos para web e smartphones, conteúdo para eventos e muito mais. Defendemos ideias que permitem que as pessoas descubram seu verdadeiro potencial e vivam mais*

felizes e com mais saúde, com inovação no aprendizado e na educação para todas as idades.

O *site* também trazia uma lista de nossos projetos recentes. Mas, mais importante, listava o que planejávamos fazer. Incluímos nossos planos de lançar uma universidade em 2017, uma nova tecnologia de aprendizado baseada em aprendizado comunitário e até um departamento de saúde. Além disso, mencionávamos que, em 2017, daríamos treinamentos sobre saúde e bem-estar a governos e empresas presentes na lista *Fortune 500* (quatro anos depois).

Eram meros sonhos. Para ser honesto, não tinha nem ideia de como realizaria qualquer um deles. Mas saber *como* é irrelevante. Concentre sua mente no *quê* e no *porquê* e fale sobre sua visão como se ela já estivesse a caminho. Pensando assim, geralmente uma profecia autorrealizável se revela. O dinheiro, as pessoas e os clientes que acreditam no seu sonho vêm até você. As pessoas são atraídas pela sua ousadia.

Esses loucos que se unem a você vão ajudá-lo a expandir sua missão, e tudo se amplifica exponencialmente. Mas, se você escreve o que faz, atrai as pessoas que simplesmente buscam formas mais fáceis de fazer o próprio trabalho.

Em 2017, lançamos a nossa universidade – a Mindvalley University –, como havíamos declarado. Lançamos nosso departamento de saúde e, no ano seguinte, atendemos nossos primeiros clientes corporativos e demos nosso primeiro treinamento a órgãos governamentais.

Perdemos o prazo de alguns dos nossos objetivos. Nossa plataforma de aprendizado comunitário, chamada Quest, falhou em 2014 e 2015. Mas em 2016 mudamos o rumo e encontramos uma forma de fazê-la dar certo. Ela se tornou responsável por 90% da nossa receita.

Eram metas ousadas. E não tinha nem ideia de como chegaríamos lá. Mas, ao pensar com ousadia e falar sobre o futuro como se ele fosse inevitável, você se move mais rápido do que quando decide sonhar baixo e ficar preso no presente.

O pulo do gato? Falar não sobre o que você está fazendo agora, mas sobre o que planeja fazer.

Lembre-se, ao explicar a SpaceX, Elon Musk falava sobre seus planos futuros de colonizar Marte, mesmo se fossem acontecer daqui a dez anos ou mais. Essa habilidade de falar com ousadia e antever o futuro o ajudou a atrair as melhores mentes do planeta para descobrir *como* fazer.

Para articular sua visão de dez anos com eficácia, você precisa jogar um pequeno jogo mental e se perguntar: "Se eu ampliar minha empresa mil vezes, como ela seria?".

Se eu pegasse a Mindvalley de hoje e a ampliasse mil vezes, teríamos um bilhão de pessoas em todo o mundo estudando sobre educação transformadora e aprendendo como ser mais saudáveis, mais sábias e mais espiritualizadas. Provavelmente estaríamos na lista das cem maiores empresas da Fortune de todo o mundo e em todos os sistemas escolares de todo o planeta, ensinando crianças a praticar atenção plena, autoestima, e ensinando os pais a serem mais conscientes. Um bilhão de pessoas vivendo a vida da melhor forma.

Agora, após ampliar, pense no inverso. Como seria o mundo se sua empresa não existisse? Se você não fizesse o que busca fazer?

E se, por exemplo, a Mindvalley não existisse? Os seres humanos ainda estariam estressados. As crianças ainda estariam aprendendo as mesmas bobagens que aprendem hoje. As empresas continuariam operando como fábricas. E 85% das pessoas em todo o mundo continuariam a odiar seus empregos.

Ao fazer a comparação, é fácil ver por que *fazer o que você faz* é a diferença entre existir e não existir, multiplicada por 1.000%.

> *Lembre-se: não descreva o que você faz hoje. Descreva o que você fará em dez anos. Seja humilde e admita que há uma chance de fracasso. Mas fale com ousadia sobre o que você pretende fazer.*

Agora, como equilibrar o discurso sobre daqui a dez anos e também se manter focado nos seus objetivos trimestrais ou anuais, para que a sua equipe tenha clareza?

Sou um grande fã do processo de OKR (sigla em inglês para *Objectives and Key Results*, ou objetivos e resultados-chave), usado por empresas como Google e Intel. Minha bíblia é o livro *Avalie o que importa*, escrito por John Doerr. John sugere que, ao definir metas para o seu negócio ou sua equipe, você deve criar DOIS tipos distintos de metas (ou objetivos, como ele chama): *compromissado e aspiracional*.

No Google, empresa da qual John Doerr foi um dos primeiros consultores, ele usou estes objetivos, conforme descritos em seu livro:

> **Objetivos compromissados** são relacionados às métricas do Google: lançamento de produtos, programações, contratações, clientes. Os gestores os definem para o nível da empresa, os funcionários os definem para o nível dos departamentos. De maneira geral, esses objetivos compromissados – como metas de vendas e receita – precisam ser atingidos plenamente (100%) dentro de um período de tempo definido.
> **Objetivos aspiracionais** refletem ideias mais genéricas, de maior risco e focadas no futuro. Surgem a partir de qualquer camada e mobilizam toda a empresa. Por definição, são difíceis de alcançar. Fracassos – a uma taxa média de 40% – fazem parte do território do Google.

E agora vem a parte em que as pessoas tropeçam. Se eu dissesse que sei que uma empresa tem uma probabilidade de 40% de falhar em todas as suas metas, você diria que ela é uma droga. Mas é o que acontece no Google, que não é nenhuma droga. É um olhar único sobre o fracasso, adotado pelo fundador do Google, Larry Page. E é uma ideia que eu trouxe para a Mindvalley, com resultados fenomenais. É a essência da 3ª Tática.

3ª TÁTICA:
Permita-se falhar

Larry Page é um cara fascinante. Eu admirava seu estilo de liderança pelo que ele conquistou no Google, mas não só por isso. Formamo-nos na mesma universidade (Universidade de Michigan, com graduação em engenharia elétrica e ciência da computação) e, enquanto estudávamos lá, ambos participamos de um acampamento de verão esquisito chamado *Leadershape*, cujo lema era: "Lidere com integridade. Menospreze o impossível. Faça algo extraordinário".

Page participou do *Leadershape* em 1992, e eu participei em 1996. Foi uma parte marcante de nossas vidas. Na aula magna que ministrou em 2009 na Universidade de Michigan, Page compartilhou o que aprendeu na *Leadershape*:

> *Quando eu vivia aqui em Michigan, fui ensinado a transformar sonhos em realidade. Sei que parece engraçado, mas foi o que aprendi em um acampamento de verão que se tornou um programa de treinamento, chamado de Leadershape. O slogan do programa é ter um "menosprezo saudável pelo impossível". Aquele programa me incentivou a perseguir uma ideia louca para a época.*
>
> *Acho que costuma ser mais fácil fazer progresso em sonhos superambiciosos. Sei que parece uma loucura total. Mas, como ninguém mais é louco o suficiente para fazer, sua concorrência*

> *é baixa... As melhores pessoas querem trabalhar em grandes desafios. Foi o que aconteceu com o Google... Como resumir em uma frase a forma de mudar o mundo? Sempre trabalhe duro em algo que seja incomodamente emocionante!*

Essa ideia de "sempre trabalhar duro em algo que seja incomodamente emocionante" é a essência desta próxima regra. A palavra mais importante aqui é *incômodo*. Mas, para isso, você precisa se dar permissão para falhar.

Portanto, no Google, Larry e sua equipe desenvolveram um modelo para equilibrar a linha tênue entre falar sobre o futuro que está anos à frente e concentrar-se nas metas trimestrais ou anuais, para ter clareza. O que ele defende é:

> *Cinquenta por cento das suas metas devem ter uma taxa de fracasso de cinquenta por cento.*

Vamos por partes. Isso significa que, ao definir uma lista de metas (OKRs), metade delas deve basicamente ser um jogo de cara e coroa, o que, fazendo as contas, quer dizer que você só atinge de 60% a 80% das suas metas.

No Google, a taxa de fracasso é de 40%. Larry Page criou esse modelo por conceito. Permite que líderes visionários experimentem e tracem metas ousadas sabendo que não há vergonha ou perda se não conseguirem. Embora o Google falhe com frequência, a empresa também produz sucessos incríveis como o Gmail, o YouTube e o Google Photos.

Veja bem, costumamos entender mal as metas. Achamos que a questão é atingir todas elas. E achamos que o fracasso é algo ruim. Temos que mudar nosso cérebro para aceitar o que hoje chamo de regra dos 50-50: 50% das suas metas devem ter uma taxa de fracasso de

50%. Só assim elas podem ser ousadas de verdade. Bruce Lee exprimiu da melhor forma:

Metas não são para serem sempre alcançadas, às vezes servem apenas como algo em que mirar.

Então, lembre-se: permita-se falhar. E estruture as metas do seu time e suas próprias metas de forma que a taxa de sucesso seja, de fato, de 60% a 80%. Diferentemente do que possa parecer, funciona.

Na Mindvalley, quando vejo que atingimos 80% ou mais de nossas metas trimestrais, sei que estamos apostando muito baixo. E isso nos leva à 4ª Tática. Ao definir metas grandiosas e permitir-se falhar, certifique-se de não estabelecer metas intangíveis.

4ª TÁTICA:
Seja audacioso, mas não fantasioso

Fiquei parado de boca aberta admirando os sonhos escritos em um painel de visão gigantesco no corredor de uma conferência em que eu estava dando uma palestra. Na parte superior do painel, dizia: "Minha visão", em letras garrafais.

Participantes de mais de cinquenta países haviam escrito suas visões para o futuro em *post-its* e os colado no painel. Foi incrível ver que a maioria deles se centrava em servir a humanidade.

- Minha visão é espalhar felicidade ao redor do mundo.
- Minha visão é criar um mundo mais saudável.
- Minha visão é transformar a forma como educamos nossos filhos.
- Minha visão é criar uma empresa milionária.

Fiquei impressionado com os corações ousados e generosos das pessoas que estavam ali.

Mas percebi algo surpreendente. As visões escritas nos *post-its* eram aquilo que eu chamaria de "fantasiosas". A intenção era maravilhosa, mas nenhuma delas estava escrita de uma forma em que a linguagem fosse executável. Pessoas que escrevem visões impossíveis de serem executadas são o que o autor e empreendedor Peter Thiel chama de "otimistas indefinidos". Ele difundiu a expressão no brilhante livro *De zero a um*. Um otimista indefinido confia que o mundo ficará melhor, mas não tem nem ideia de como isso acontecerá. Eles simplesmente cruzam os dedos. Esperam que apareça alguém que faça alguma coisa.

Ele também cunhou o termo "otimista definido". Essas pessoas são líderes que pensam com atrevimento e seguem em frente. Escolhem ter voz para decidir como a visão irá acontecer. Assumem a responsabilidade e ajudam a transformar a visão em realidade. Também estabelecem metas incríveis para décadas à frente, de forma a transformar o mundo radicalmente.

Um otimista indefinido diria: "Meu sonho é transformar a educação".

Mas o otimista definido diria: "Meu sonho é transformar a educação, e aqui estão meus OKRs e como planejo executá-los".

Para que qualquer visão vá em frente, ela deve ser executável. Em primeiro lugar, o idealizador precisa acreditar nela de verdade. Eles próprios devem ser inspirados. Mas há um elemento de pragmatismo envolvido. Deve haver uma meta final mensurável.

Então, se você estiver tentando mudar a educação, precisaria pegar essa meta prioritária e quebrá-la em partes. Eu uso o conceito de OKRs. Como podemos ser audaciosos com nossas ideias sem ser fantasiosos?

1º passo: Comece anotando seu OBJETIVO PRINCIPAL

Um exemplo é o objetivo principal da Mindvalley: "Criar, até 2038, a maior elevação na consciência humana que a nossa espécie já sentiu, transformando a espiritualidade, a política, a educação, o trabalho e a forma como educamos nossos filhos".

2º passo: Divida seu objetivo principal em objetivos aspiracionais

Os quatro OKRs da Mindvalley exemplificam esse passo:

PARA ATINGIR NOSSO OBJETIVO PRINCIPAL, DAQUI A VINTE ANOS...
1. Criaremos a melhor experiência de transformação humana
2. Faremos da Mindvalley a maior empresa de transformação do mundo
3. Criaremos ambientes de trabalho em que as pessoas serão melhores e mais felizes
4. Elevaremos a consciência de toda a nação por meio do governo e da educação

Porém, por si só, a lista AINDA é nebulosa. Você precisa seguir adiante. Cada OKR aspiracional precisa ser dividido em *resultados mensuráveis*. Esse é o 3º passo.

3º passo: Crie resultados-chave para daqui a dez anos, três anos, um ano e um trimestre

Vejamos o OKR 3 acima: "Criaremos ambientes de trabalho em que as pessoas serão melhores e mais felizes".

Esse é um objetivo aspiracional. Fala sobre o nosso desejo de mudar a natureza do trabalho para fazer dele um lugar em que possamos nos desenvolver como seres humanos. Em síntese, pegar as ideias deste livro e ajudá-las a chegar a bilhões de pessoas em todo o mundo.

Pegamos aquele OKR e o transformamos em uma série de resultados-chave a atingir em diversos horizontes temporais que são importantes para nós.

Gosto de começar com a visão de dez anos e quebrá-la em partes de:

- três anos
- um ano
- um trimestre

Fica assim:

VISÃO DE TRÊS ANOS: ATÉ JANEIRO DE 2022
1. Fazer parte de todas as empresas da lista Fortune 500.
2. Mudar a cultura de dez mil empresas em todo o mundo.

VISÃO DE UM ANO: ATÉ JANEIRO DE 2020
1. Entrar em duzentas empresas com até quinhentos funcionários.
2. Assinar contrato com sete multinacionais.

VISÃO DE UM TRIMESTRE: TERCEIRO TRIMESTRE DE 2019
1. Finalizar e enviar o manuscrito deste livro.
2. Lançar novas funcionalidades do aplicativo Mindvalley for Business e ter mil clientes pagantes.

Observe que todos os itens são rigorosamente mensuráveis. É o que dá clareza e foco, porque geralmente listamos apenas de três a cinco OKRs por horizonte temporal (é importante não definir mais do que de três a cinco OKRs por período).

Se você acha a ideia dos OKRs interessante, fiz uma palestra de duas horas sobre o assunto, que pode ajudá-lo a traçar seus próprios OKRs. Está no canal do YouTube "Mindvalley Talks". Visite mindvalley.com/badass para acessar o *link* do vídeo.

Ao adotar as projeções no seu trabalho, muitas coisas mudarão. Mas a maior mudança será o confronto entre pessoas que naturalmente pensam em dez anos à frente e aquelas que se concentram naquilo que precisam fazer hoje. São ambas necessárias em uma equipe saudável. Mas apenas uma delas, a que é visionária, deveria liderar a equipe. Aprendi isso da forma mais difícil.

A arte da liderança visionária

Em 2017, dei-me conta de que eu estava faltando às nossas reuniões gerenciais semanais. Eram reuniões importantes em que os principais gerentes da Mindvalley se reuniam para falar das equipes, do progresso, de problemas de desempenho e muito mais.

Elas eram importantes. Mas comecei a considerá-las chatas e um desperdício de tempo. Pensei que fosse o único. Então notei que muitas das pessoas mais espertas da minha equipe também estavam faltando a essas reuniões.

Um dia, parei para conversar com vários gerentes e perguntei-lhes por quê. "Não estou absorvendo nada de útil ali", um deles disse.

"Tenho que construir meu produto, e minha equipe está a todo vapor. Não quero ouvir outros gerentes reclamando sobre seus funcionários mais fracos ou ficar discutindo coisas que acho que o RH deveria decidir de uma vez. Deixe-me construir o meu produto."

Eles estavam certos. A inovação, que era a força vital da Mindvalley, estava começando a desacelerar, e eu estava preocupado. Algumas das nossas equipes estavam criando e levando a empresa nas costas, enquanto outras estavam estagnadas. Faltava uma força motriz para essas equipes.

Percebi o que estava acontecendo. Cometemos um erro na nossa empresa. Começamos a selecionar gerentes com base na habilidade de *gerir* uma equipe, mas não na habilidade de *liderar*.

São coisas diferentes. Veja, liderança não se resume à gestão. Trata-se de montar uma equipe tão inspirada pelo trabalho que faz o que precisa ser feito sem precisar ser gerida. Steve Jobs colocou da melhor forma:

"As melhores pessoas são autogerenciáveis. Não precisam ser gerenciadas. Quando sabem o que fazer, vão descobrir *como* fazer... Elas precisam de uma visão comum. E liderança é isso... é ter uma visão, ser capaz de expressá-la para que as pessoas ao seu redor a entendam e cheguem a um consenso sobre uma visão comum."

Na Mindvalley, cometemos um erro. Colocamos pessoas que eram gestores, e não pensadores visionários, à frente das equipes. E, em alguns casos, quando acontecia de um visionário estar à frente de uma equipe, eles ficavam tão atolados com as picuinhas gerenciais que mal tinham tempo para a visão.

Percebi que muitos dos líderes de equipe não estavam concentrados em inovações, novas tecnologias ou em mudar o mundo. Em vez disso, concentravam-se em situações triviais e às vezes insignificantes que não faziam diferença no quadro geral. Em agosto de 2017, decidi fazer algo a respeito. Mudei os líderes de metade das equipes da Mindvalley. Deixei claro que as pessoas que lideravam equipes precisavam ser pensadores visionários. Foi uma verdadeira reviravolta. Promovi algumas pessoas. Outras tantas saíram da empresa. Algumas mudaram de função. Ao fim, consegui diversos visionários brilhantes que hoje estão liderando nossas equipes.

E, se a equipe fosse grande demais, não queria que o líder se ocupasse com questões gerenciais, então dei-lhes um gerente para cuidar dos aspectos gerenciais necessários. Mas o líder da equipe era a pessoa indicando o caminho a seguir. E, para isso, a característica de liderança visionária era essencial.

Dentro de um ano, a empresa estava transformada. Em agosto de 2019, havíamos aumentado nossa receita em 70% em comparação ao ano anterior. Foi nosso ano de maior crescimento em muito tempo. Além disso, todos os indicadores de bem-estar dos funcionários dispararam. Nossa pontuação de eNPS, que mede a satisfação dos funcionários, aumentou em quase 50%. A retenção também aumentou significativamente. As pessoas ficavam mais tempo conosco e cresciam mais.

Dov Seidman oferece uma descrição nua e crua no livro *COMO*. Ele chama de "Vislumbrar a disposição futura". É a ideia de que os verdadeiros líderes são focados no futuro, e não no curto prazo. Veja o que Seidman escreveu no livro:

> *Ter disposição para a liderança significa vislumbrar mentalmente um futuro melhor para si mesmo, para as tarefas a fazer e para aqueles com quem você trabalha. A liderança começa com a visão, e os líderes visualizam todos os momentos. Você pode visualizar um recurso em uma plataforma tecnológica, ou visualizar um produto completamente novo, ou simplesmente visualizar uma forma de melhorar um pouco o dia de alguém. Você pode criar uma nova visão ou adotar para si a visão de outra pessoa.*
>
> *Se você não tem uma visão, então não se enquadra nas lentes do COMO e é um gestor de curto prazo. Voltado a tarefas, obediente e obcecado e limitado por aquilo que está bem diante do seu nariz. Os gestores de curto prazo tendem a ser reativos por natureza e se veem apagando incêndios muito mais do que acendendo as tochas que iluminam o caminho.*

> *É uma postura defensiva, em que a preocupação é muito mais com satisfazer os outros do que com envolvê-los.*

O gestor de curto prazo presume que as pessoas precisam de regras, procedimentos e supervisão para fazer as coisas bem-feitas. Às vezes é verdade. Mas, quando você já escolheu pessoas excelentes e adotou os valores certos, as pessoas se autogerenciam. Elas precisam é de visão e clareza. E, quando a sua missão é ousada e inspiradora, é como abastecer sua equipe com combustível de foguetes.

No livro *Powerful*, Patty McCord, que foi diretora de talentos da Netflix de 1998 a 2012, escreve: "Grandes equipes não são criadas com incentivos, procedimentos e regalias. São criadas quando se contratam pessoas talentosas que são adultas e não querem nada além de enfrentar um desafio, e que sejam comunicadas, clara e continuamente, sobre qual é o desafio".

Ao praticar a liderança visionária, os pormenores insignificantes se tornam menos necessários, porque as pessoas são guiadas pela visão. Visionários guiando equipes removem obstáculos de modo automático.

E a liderança visionária é viciante. Faz com que todas as áreas de uma organização busquem a excelência.

Quando visitei a SpaceX em 2013, tive a oportunidade de ver como o pensamento visionário se estende do líder a toda a empresa. Após o encontro com Elon, fomos convidados a jantar no refeitório dos funcionários da SpaceX. O salão ficava logo na entrada do prédio, e acima de nós ficavam as câmaras de vidro que abrigavam o "Controle de Missão", a sala de onde Elon e sua equipe assistiam ao desenvolvimento dos foguetes que lançavam.

Fiquei impressionado com os ladrilhos hipnotizantes no chão do salão. Um dos nossos anfitriões, membro de uma equipe da SpaceX, nos explicou: "Estão vendo esses ladrilhos? Quando Elon chegou aqui pela primeira vez, odiou os ladrilhos. Eram da cor errada. Não refletiam bem a luz. Elon obrigou os pedreiros a tirar todos os ladrilhos e começar tudo de novo até acertar. Ele precisava que os ladrilhos refletissem o controle da missão a partir do ângulo exato".

Líderes visionários inspiram a excelência em todos os aspectos da empresa – sim, até nos ladrilhos da cozinha. Quando fizemos disso um princípio-chave na Mindvalley, outros departamentos embarcaram na ideia. Nosso escritório naquela época, em 2017, era bonito. Mas havia sido construído em 2009 e precisava de uma melhoria. Eu havia contratado um *designer* especializado em espaços corporativos chamado Luke Anthony Myers para se encarregar do assunto. O trabalho de Luke era melhorar nosso escritório para que passasse a noção de uma experiência profissional cinco estrelas. Por causa dos efeitos da liderança visionária que ecoam em toda a empresa, Luke abraçou esse conceito. Ele traçou a meta de construir um espaço de trabalho tão maravilhoso a ponto de entrar na lista de Dez Escritórios Mais Bonitos do Mundo da revista *Inc*.

Luke recebeu um orçamento, uma missão de criar um espaço lindo digno de prêmios e liberdade para sonhar, e, assim, uniu-se a arquitetos e empresas locais de *design* de interiores. Em dezembro de 2018, ele revelou nosso novo escritório. Era lindo de ver. Inspirado na Sagrada Família, a catedral de Barcelona projetada por Gaudí, usava vidro colorido e aço para criar um espaço moderno chamado de "Templo da Luz".

Eles inovaram em tudo, desde o piso até o *design* das mesas. E em agosto de 2019, entramos para a lista de Dez Escritórios Mais Bonitos do Mundo da *Inc*. Nesse dia, Luke veio até mim com lágrimas nos olhos. "Sabia que neste mesmo dia, há três anos, eu não tinha nem onde dormir em Melbourne?", disse. "Obrigado por me deixar sonhar tão alto." Eu não tinha ideia de que ele havia passado por isso. E fiquei orgulhoso demais pela sua conquista.

É isso que a liderança visionária faz com uma empresa. Permite que as pessoas libertem o melhor de si e ofereçam seu melhor trabalho. É por isso que, até hoje, minha equipe de alta liderança é escolhida, sobretudo, pela habilidade de vislumbrar o futuro.

Inspirando os líderes do futuro

Líderes visionários inspiram, envolvem e ajudam seus liderados a crescer. Os verdadeiros líderes plantam visões na mente das outras pessoas. É uma habilidade repleta de nuances, mas, quando aplicada da maneira correta, pode ser transformadora. Os melhores líderes visionários fazem os outros sonharem tão alto quanto eles mesmos. Foi basicamente isso que Bob Proctor fez por mim. E, em 2019, presenciei outro líder visionário fazer o mesmo.

Se um empreendedor visionário e arrojado como Richard Branson o desafiasse a fazer algo insano, você faria? Foi o que aconteceu comigo em uma quinta-feira à noite, durante uma sessão de *mastermind* na ilha de Necker. Durante o jantar, Branson fez um anúncio informal que nos pegou desprevenidos. Ele bateu o garfo em sua taça três vezes, levantou-se e, quando o salão se aquietou, declarou: "Estarei na praia amanhã às seis da manhã. Vou nadar cinco quilômetros, da ilha de Necker até a ilha Mosquito. Adoraria convidar todos que se interessarem a irem comigo".

Às seis da manhã, lá estava eu na praia. Branson havia reunido uma equipe de seis outros malucos. Natação não é um dos meus pontos fortes. Pensei que eu ficaria seguro no bote, apenas acompanhando. Eu adorava fotografar e pensei em ser o fotógrafo da brincadeira. Eu não nadava havia muitos anos.

Mas então Richard disse: "Olhem lá, rapazes".

Surgiu um belíssimo arco-íris sobre a ilha Mosquito. Era como se o Universo estivesse me provocando. Vi como um sinal para superar meus medos estúpidos. Então mergulhei de cabeça, quase literalmente.

Cinco quilômetros. Duas horas. E eu era um péssimo nadador.

Vi que eu não poderia morrer. Richard Branson é tipo um super-herói. Nada mata o cara – ele é famoso pelas suas proezas que desafiam a morte. Ele já teve 76 experiências de quase morte. E Richard, aos 69 anos de idade, nadou de costas todo o caminho ao perceber que havia esquecido seus óculos de natação. A forma como lidava com as coisas não nos permitiu dar desculpas.

De qualquer forma, fizemos o percurso a nado. Consegui nadar metade do caminho e fiquei no bote durante o restante do percurso. Os quilômetros finais na água, passando pelas rochas próximas à ilha, foram os mais difíceis.

A vencedora, que estava a cerca de 300 metros à frente de todos, foi minha amiga Stephanie Farr. Ela arrasou. Por fim, chegamos à ilha Mosquito, onde fomos recebidos pela família de Richard e tomamos um café da manhã *gourmet*. Achamos que nadar de uma ilha a outra já era insano o suficiente, mas Richard, como todos os bons líderes, não deixa ninguém que está ganhando desistir. Richard convenceu Stephanie a tentar VOLTAR nadando, contra todas as correntes, até a ilha de Necker. Ninguém havia feito isso antes. Mas, com a "pressão" de Richard, ela topou.

O que me impressionou foi a forma COMO Richard inspirou Steph a nadar.

Antes do café da manhã, Branson elogiou seu feito. Parabenizou-a, agradeceu e insistiu em tirar uma foto com ela. Então disse: "Mal posso esperar para vê-la voltar nadando".

Branson estava criando o futuro antes de ele acontecer. Estava fisgando Steph com um desafio que a faria descobrir do que era capaz de uma forma totalmente nova. Ela ampliou o conceito do que era possível. E demonstrou que acreditava nela. Steph concordou em voltar nadando. Ela se tornou o primeiro ser humano de que temos conhecimento que nadou entre as ilhas de Necker e Mosquito – ida e volta.

Essa é a poderosa arte de prever o futuro de outra pessoa. Há um nome para isso: Desfecho Pressuposto.

Ele pressupôs que ela aceitaria o desafio e conseguiria ir até o fim. E, assim, traçou uma imagem tão real da conclusão do desafio que ela não teve outra escolha a não ser aceitar.

Conheço a Steph, e sei que ela ficou contente de dizer sim. Essa pequena interação me lembrou de uma das lições mais poderosas: grandes líderes não permitem que você se acomode ou se conforme. Eles pressionam para que você se pressione. E, diante deles, você faz coisas que acreditava serem impossíveis.

Concluindo: qual é a sua visão?

Ao seguir seu caminho para descobrir qual é a sua visão, gostaria de compartilhar algumas palavras da minha amiga Lisa Nichols. Lisa é uma das palestrantes mais inspiradoras que já vi no palco. Ela é uma escritora brilhante e foi a segunda empresária negra a abrir o capital de uma empresa.

Em um dos meus eventos, Lisa trouxe uma declamação de uma poesia sobre o poder de viver sua visão mesmo quando as pessoas tentam ofuscar seu brilho. Fiquei tão profundamente tocado que pedi a Lisa para compartilhá-la. Deixarei o texto aqui como um lembrete poderoso para você sempre se permanecer fiel à sua visão.

Lisa Nichols sobre brilhar

Talvez o mundo não tenha lhe dado permissão para estar aqui, mas você nem pediu mesmo. Às vezes, é preciso parar de pedir permissão e simplesmente avisar ao mundo todo.

Convido-o a avisar ao mundo que está chegando. Avise ao mundo que está aqui.

Avise ao mundo que você brincou de ser legal por muito tempo – agora é hora de dar as caras.

Avise ao mundo que chega de desculpas.

Avise ao mundo que chega de negociar.

Avise ao mundo que, se não podem encarar o seu brilho, você se recusa a deixar sua luz apagar.

ELES que se protejam os olhos.

Pois, se você se torna ousado, se você se torna atrevido, se você se torna descarado, de repente, você se torna CONTAGIOSO.

De repente, seu mero vislumbre, sua mera visão, sua mera presença no meu mesmo hemisfério e na minha mesma atmosfera e no meu mesmo endereço causam algo em mim, só por estar perto de VOCÊ.

E assim você percebe com clareza sua verdadeira missão de vida, que você está aqui para nos salvar.

Você está aqui para nos inspirar pela forma como caminha,

Pela forma como se ergue diante das próprias incertezas,

Pela forma como se posiciona nas discussões sobre religião, cultura, economia ou gênero,

Pela forma como dá as caras e diz "Como posso servir à humanidade?",

Pela forma como reconhece que sua alma humana não pode ser quebrada,

Que seu espírito humano não pode ser abalado,

Que seu espírito humano não pode ser contido,

Seu espírito humano está apenas esperando suas ordens.
A quem ele servirá em seguida?
O que faremos,
E a qual montanha ordenaremos que se curve?
E ao se dar conta e passar a agir com essa consciência, de repente, você se torna contagioso, e as pessoas vão querer ficar no seu espaço e compartilhar do seu oxigênio.
Porque você devolverá a elas a fé.
Então, qual é a SUA visão?

Resumo do Capítulo

Modelos de realidade

Há um termo que cunhei, a que chamo de *Destruição Maravilhosa*. Quer dizer simplesmente: às vezes, você tem de destruir parte de sua vida para deixar o próximo grande evento entrar. Grandes visionários adotam essa ideia.

E lembre-se da regra de Bob Proctor: "A pergunta não é: você é digno de alcançar suas metas? A pergunta é: as suas metas são dignas de você?".

Visões ousadas são inspiradoras, motivadoras e estimulam as pessoas a agir. Então pense grande. Mire sempre no futuro. É assim que se concebe uma ideia. E é assim que tudo começa. É o primeiro passo para dar forma a algo sem forma. Lembre também que uma visão pequena pode limitar toda uma equipe. Portanto, há quatro táticas para aplicar ao pensar no futuro:

1. Quanto maior a visão, mais fácil fica
2. Sempre fale sobre seu projeto daqui a dez anos
3. Permita-se falhar
4. Seja audacioso, mas não fantasioso

Naveen Jain diz: "Ao fazer algo audacioso, fica mais fácil. Porque as melhores pessoas se unem a você. O problema a resolver vale a pena ser resolvido!". Então seja ousado. Seja um otimista definido, uma pessoa que pensa audaciosamente e segue em frente.

Inclui-se aí falar sobre o que você está construindo em um horizonte de dez anos. Isso dá origem a uma profecia autorrealizável. Suas ações se alinham ao que você acredita que irá conquistar.

Comprometa-se com o resultado global. O fracasso é inevitável. E é bom. O fracasso é seu mecanismo de avaliação. Use sempre aquilo que aprender com o fracasso em seu benefício e mantenha-se firme no compromisso com o resultado final. Talvez você precise fazer alguns desvios para chegar lá, mas aceite o fracasso.

As metas devem ser audaciosas, mas não fantasiosas. Pense sempre na engenharia reversa das suas metas. Comece com metas fantasiosas que o atraem, mas traga-as de volta à realidade. Pergunte-se: o que poderia fazer agora que me faria chegar mais perto daquela meta? Planeje dessa forma e certifique-se de que as metas sejam mensuráveis. O sistema de OKR é um método útil para dividir grandes metas em metas menores e de curto prazo.

Por fim, lembre-se de que os melhores visionários fazem as pessoas sonharem tão alto quanto eles. Use o Desfecho Pressuposto para isso. Fale com as pessoas como se elas já tivessem realizado o sonho que você imagina que elas teriam coragem de correr atrás. Você pode se surpreender com como os seres humanos são extraordinários.

Sistemas de vida

Exercício 1: Traga qualquer visão para a realidade

Passo 1: Volte para a Visão Clara que você criou no Capítulo 2. Agora comece a pensar nas etapas ousadas que precisa realizar para concretizar aquilo que imagina para o futuro. Pense em daqui a dez anos. Pergunte-se: "Se eu amplificar minha empresa (ou projeto ou ideia) mil vezes, como ela seria?". Crie uma lista.

Passo 2: Faça uma engenharia reversa com a sua lista. Pense no seu futuro, e reflita sobre o presente. *O que você precisa fazer primeiro para ir na direção do que deseja?* Isso poderá ajudá-lo a estudar melhor o sistema OKR para criar um plano de ação concreto. Ajudará a enxergar o caminho que efetivamente irá fazê-lo realizar seu sonho. Consulte a 2ª Tática e a 4ª Tática novamente para entender o funcionamento do OKR. Se quiser fazer um curso-relâmpago de noventa minutos sobre OKR, vá no YouTube e procure por "Vishen OKRs".

Passo 3: Compartilhe seus planos com todo mundo, em todos os lugares. Fique obcecado e empolgado com as suas metas. Fale com as pessoas com o nível de animação que teria se já tivesse atingido as metas. Você atrairá as pessoas de que precisa para ajudá-lo a realizar suas ideias. Você descobrirá que metas são profecias autorrealizáveis.

Passo 4: Parta para a ação. Ações produzem resultados. Inação não produz resultado algum. Então aja. E lembre-se, o fracasso é inevitável. Mas é algo bom. Use o fracasso como um mecanismo de avaliação.

CAPÍTULO 8

FUNCIONANDO COMO UM CÉREBRO UNO

É uma questão de comunicação. Uma questão de honestidade. De tratar as pessoas como merecedoras de conhecer os fatos. Não lhes conte a história pela metade. Não tente esconder-lhes nada. Trate-as como iguais, e comunique-se, comunique-se e comunique-se.
— *Louis V. Gerstner Jr., ex-CEO da IBM*

Para lidar com uma visão realmente grandiosa, você precisa ter muitos cérebros; você precisa de uma equipe de pessoas que trabalhem como um único supercérebro. Pela primeira vez, temos ferramentas incríveis para esse fim. E, mesmo assim, a maioria das equipes ainda trabalha com sistemas de colaboração arcaicos. Ao aprender a criar um cérebro uno, você passa a se mover com velocidade e destreza impressionantes.

No verão de 2019, sentei-me com o meu diretor de recursos humanos. "Sabe, Kiel. Acho que não quero mais ser CEO", eu disse.

Ezekiel, ou Kiel, como o chamo, tem um jeito intuitivo de ler a alma de uma empresa. "Tenho pensado na mesma coisa", disse sorrindo.

Foi naquele dia que tirei o título do meu nome. Pedi à minha equipe que parassem de me chamar de CEO. Joguei fora meus cartões de visita. Atualizei meus perfis nas redes sociais. Pedi a todos que me enxergassem como o fundador da Mindvalley.

Cargos são coisas criadas, afinal. Os seres humanos são processadores de informações; somos "máquinas de criar significados". Títulos são apenas ferramentas úteis para interpretar, organizar e classificar informações de forma rápida. *Mãe. Pai. Senador. Coronel. Rabino. Professor. Diretor.* São simplesmente palavras que descrevem uma série de atributos. Também informam as pessoas sobre como devem agir. E sobre como as outras devem agir na presença delas.

Quando duas pessoas trabalham em um nível humano-para-humano, respeitando-se, mas ao mesmo tempo desconsiderando o nível hierárquico, o limite do que é possível se expande exponencialmente.

Embora o título de CEO explicasse meu papel para o mundo, ele era destrutivo dentro da empresa. Muitos dos meus colegas me separavam do grupo. Eu era visto como *diferente deles*. A interpretação de um título afetava a forma como as pessoas me tratavam, bem como a maneira como eu reagia a elas, uma vez que as relações são recíprocas.

Se alguém acreditasse, de forma genérica, que "o *CEO é muito ocupado para falar comigo*" ou "*CEOs são babacas*" ou "*CEOs se importam mais com negócios do que com pessoas*", esse raciocínio fundamentaria seu comportamento. Em todos esses casos, a pessoa estaria mais propensa a evitar, guardar rancor ou se distanciar de mim.

Então não me surpreendeu que, quando mudei meu título para fundador, minhas relações se transformaram. E o nível de inovação, alegria e diversão na Mindvalley estourou.

A maioria das pessoas consegue se identificar mais com fundadores do que com CEOs. O próprio nome faz lembrar aquelas histórias de superação, de anos de luta com sonhos frustrados e sucessos inesperados até chegar ao topo. Toda *startup* passa por momentos de quase morte. A mudança de título me fez parecer mais humano, embora, na verdade, meus comportamentos, valores e crenças não tenham mudado em nada.

Quando escrevi este capítulo, fui ao Google buscar expressões como "histórias de CEOs" e "histórias de fundadores" para comparar como a mídia retrata cada um. Para "histórias de CEOs", esta foi a primeira notícia que apareceu como resultado da pesquisa:

> *O CEO da NPM, uma* startup *que presta um serviço crucial para onze milhões de desenvolvedores, demitiu-se após um ano de um mandato controverso.*

Era uma reportagem sobre um escândalo. Um CEO teve que se demitir após ser criticado por dispensar funcionários envolvidos em tentativas de sindicalização. Por outro lado, o primeiro resultado da busca para "histórias de fundadores":

> *O cofundador da Netflix Marc Randolph fala sobre os primórdios da empresa, a guerra do* streaming *e sobre o futuro.*

Era uma história de coragem e esperança. Mostrava como a Netflix foi de *startup* batalhadora que mal pagava as contas a uma empresa que vale hoje US$ 130 bilhões.

Então nós temos um CEO? Bem, ainda sou eu que tomo as decisões importantes, mas na prática não temos. O que temos é um *cérebro uno*.

Cada pessoa funciona como um neurônio que envia e recebe sinais. Mas funcionamos como uma entidade em movimento. Deixe-me explicar por que essa é uma forma de trabalho extraordinária.

Sexo de ideias e união de cérebros

As ideias causam no cérebro o mesmo efeito das drogas da felicidade. Quando o cérebro se encontra em estado de inspiração, ele libera uma explosão de dopamina e serotonina. É por isso que nos sentimos incríveis quando temos ideias brilhantes. E compartilhá-las é ainda melhor. A sensação é a mesma de uma criança na frente de uma vitrine de sorvetes. Você pede uma bola de chocolate e o atendente pergunta se você gostaria de uma segunda bola. Então, para aproveitar a ideia brilhante, você pede outra de morango. Você tem, assim, um combo delicioso de morango e chocolate, muito melhor do que havia imaginado a princípio.

A expressão moderna para essa combinação de pensamentos geniais é *sexo de ideias*. O sexo de ideias acontece quando dois pensadores se unem com ideias separadas e as combinam para formar uma ideia nova e melhor.

Quando as pessoas compartilham ideias e acertam em cheio, vivenciam uma experiência de encantamento difícil de descrever. No entanto, há um nome para esse fenômeno: *união de cérebros*. É assim que explica Jason Silva, apresentador da famosa série de TV da National Geographic *Brain Games* e finalista do *Emmy*:

> *Todos já tivemos aquela sensação de realmente nos conectar com alguém, não é? Você conhece uma pessoa bacana e fica hipnotizado pela sua presença. Você a acha fascinante. E vocês começam a conversar. Ao compartilhar suas histórias, vocês sentem que entraram em um tipo de sincronia. Vocês se sentem conectados.*

Sentem o entrosamento. Sentem que estão na mesma vibração, que estão na mesma frequência.

Esse tipo de interação é cativante e difícil de descrever. Mas a maioria de nós já sentiu algo assim e diria que são interações desejáveis. Pesquisas neurocientíficas mostram que há um motivo para isso. Quando duas pessoas se entusiasmam com uma ideia, os cérebros delas também se animam. Um estudo conectou indivíduos a um equipamento de ressonância magnética para descobrir o que acontecia no cérebro deles. Revelou-se que os indivíduos estavam sincronizados. Eles estavam, literalmente, na mesma frequência.

"É assim que ficamos quando nos conectamos com alguém. Algo como 'Quer juntar seu cérebro com o meu... vamos unir nossos cérebros porque é disso que eu gosto?'. Vamos deixar de lado as conversinhas à toa e ir direto ao êxtase subjetivo da alma", diz Silva.

Por isso o modelo do cérebro uno é tão eficiente, e muito mais agradável. É revigorante trabalhar em um ambiente assim. Todos podem criar um ambiente de trabalho de cérebros unos. Não precisa ser no trabalho. O modelo pode ser aplicado a famílias, grupos comunitários, amigos e organizações sem fins lucrativos. Então deixe-me mostrar como funciona e como construir o seu próprio.

O poder do cérebro uno

A tecnologia está evoluindo rapidamente. E, ainda assim, muitas empresas operam como se estivéssemos nos anos 2000.

Em uma manhã de domingo em 2019, senti na pele como a tecnologia está acelerando. Havia acabado de comprar um HomePod da Apple para a minha sala. Minha filha Eve havia aprendido a pedir ao aparelho que tocasse músicas e contasse piadas (Siri, a Inteligência Artificial do

HomePod, tem um senso de humor surpreendente). Mas aí, como todas as crianças de 5 anos de idade, Eve começou a aprender sozinha o verdadeiro poder dessa tecnologia. Eve aprendeu a pedir à Siri que enviasse mensagens. Para imitar o papai, enviou uma mensagem à equipe da Mindvalley.

Então, um grupo de colegas recebeu do CEO da empresa, às oito da manhã de um domingo, a seguinte mensagem: "Conte tudo sobre UNICÓRNIOS!! Eles existem? São de verdade?".

Muitos dos membros da minha equipe agora acham que o CEO deles passa as manhãs de domingo drogado. Tive que enviar um comunicado público: "Foi a Eve. Apenas para constar, não sou obcecado por unicórnios. E não uso drogas aos domingos de manhã. Obrigado pela compreensão".

Mas veja, a tecnologia está conectando pessoas de formas impressionantes. E mudou completamente o poder que temos de tomar decisões e compartilhar ideias.

Em certo momento, estou conversando no meu *smartphone* com 25% dos funcionários da Mindvalley, inclusive com acionistas, anunciantes, terceirizados e autores. São, no total, cerca de quatrocentas pessoas. Geralmente tenho uma centena de mensagens para responder nesse grupo do WhatsApp. Pode parecer insano, mas a consequência disso é algo especial.

Não faço mais ligações. Reduzi o número de reuniões. A maioria do meu tempo "no trabalho" é gasta trocando ideias e eliminando obstáculos para a tomada de decisões. Meu trabalho é ser um *acelerador* do fluxo de ideias, para que os negócios estejam sempre crescendo, evoluindo e inovando.

Menos reuniões e menos ligações significam menos tempo desperdiçado. Tenho tempo para escrever, ficar com meus filhos, viajar pelo mundo e administrar uma empresa com trezentos funcionários, que cresce mais de 50% a cada ano.

Essa é a essência do modelo do cérebro uno. Meu trabalho é garantir que os especialistas de toda a empresa tenham acesso aos dados, se conectem e obtenham as informações de que precisam para tomarem as melhores decisões.

Para levar o modelo do cérebro uno à sua empresa, não importa se for apenas você e seu primeiro funcionário ou se você tiver uma empresa com milhares de funcionários, há dois passos a seguir:

1. Quebre a hierarquia e crie as crenças corretas
2. Introduza o OODA

Tenha em mente que, se você trabalha para uma empresa maior, não precisa aplicar o modelo do cérebro uno a toda a empresa. Como líder disfarçado, você pode levar o modelo para uma equipe menor. Também pode levar essas ideias para os seus relacionamentos, sua família e seus grupos sociais.

1. Quebre a hierarquia e crie as crenças corretas

A maioria de nós foi treinada para funcionar de acordo com uma cadeia de comando ultrapassada, em que um funcionário está subordinado a um superior e trabalha em uma equipe com colegas igualmente qualificados. A primeira parte do modelo do cérebro uno é transformar a forma como as pessoas enxergam a hierarquia.

A maioria das empresas e dos funcionários acredita que as ideias precisam fluir através da cadeia de comando tradicional. Mais ou menos assim:

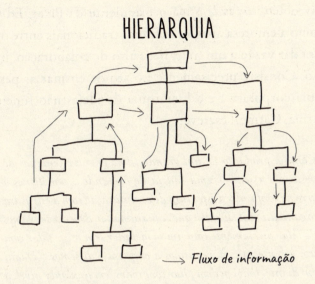

Mas o fluxo de ideias deve ficar livre da hierarquia corporativa. O modelo ideal deve ser algo parecido com isso:

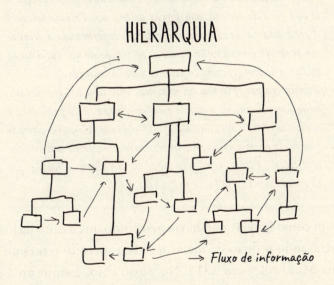

No livro *Criatividade S.A.*, o presidente da Pixar, Ed Catmull, explica como a empresa apagou as linhas tradicionais entre os funcionários para dar vazão a um nível mais alto de colaboração, inspiração e inovação. Consiste precisamente no ato de ensinar as pessoas que a hierarquia corporativa e a hierarquia de ideias não funcionam da mesma forma. Catmull escreve:

> Como a produção de um grande filme envolve centenas de pessoas, é essencial uma cadeia de comando... cometemos o erro de confundir a estrutura de comunicação com a estrutura organizacional. É claro que um animador deveria ser capaz de falar diretamente com um modelador sem antes falar com um gerente. Assim, reunimos a empresa e dissemos: "Daqui em diante, todos podem falar com todos, em qualquer nível, a qualquer momento, sem medo de reprimendas".
> A comunicação não teria mais de se dar pelos canais hierárquicos. É claro que a troca de informações era vital para nosso negócio, mas eu acreditava que ela poderia – e em muitos casos deveria – se dar fora de ordem, sem forçar as pessoas. Pessoas falando diretamente uma com a outra e depois informando o gerente era mais eficiente do que tentar se certificar de que tudo acontecia na ordem "correta" e pelos canais "adequados".
> Aquilo era por si só um sucesso, mas veio com um inesperado benefício adicional: o ato de pensar a respeito do problema e a ele reagir era revigorante e estimulante. Compreendemos que nosso objetivo não era simplesmente construir um estúdio que fizesse filmes, mas promover uma cultura criativa que continuamente iria fazer perguntas.

Assim como Ed Catmull havia percebido que o mito da hierarquia estava atrasando o fluxo de ideias na Pixar, percebi o mesmo acontecendo na Mindvalley em 2014. No nosso caso, éramos uma empresa menor, com cerca de cem funcionários. Nosso problema era que as pessoas vinham de diversas partes do mundo e traziam consigo suas percepções culturais singulares sobre hierarquia e crenças sobre como se comportar no trabalho.

Em 2014, escrevi uma nota para a minha equipe sobre a importância de questionar as crenças. É uma prática com a qual sou obcecado. É o principal fator de expansão. A inovação não acontece com facilidade se nos apegamos às velhas ideias.

A nota que escrevi para a minha equipe

---------------------- INÍCIO DA NOTA ----------------------

Enviada em: 27 de novembro de 2014

Oi, equipe,

Crenças são interessantes. Temos a tendência de acreditar em ideias baseados nas nossas suposições. Ou porque elas partem de uma figura de autoridade que diz o que é certo sobre o mundo.

E fazemos isso muitas vezes sem de fato pensar sobre essas crenças por nós mesmos.

O cientista Paul Marsden chama isso de "Mimética e Condicionamento Social". É um fenômeno fascinante que explica por que adotamos uma religião, acreditamos nas ideias de algumas figuras políticas ou assumimos identidades nacionais. Eis o que Marsden escreve:

"As evidências comprovam que não herdamos e transmitimos comportamentos, emoções, crenças e religiões através de escolhas racionais, mas por contágio. Quando não temos certeza de como reagir a um estímulo ou situação, essas teorias sugerem que buscamos ativamente outras que nos guiem e conscientemente as imitamos."

Pense sobre o que Marsden diz e como isso se aplica a empresas como a Mindvalley. Ele está dizendo que, quando não estamos seguros de uma situação, adotamos *as ideias e crenças de outras pessoas*.

Todos os novatos que chegam à Mindvalley sentem isso. Eles adotam as crenças (verdadeiras ou não) sobre como é trabalhar aqui, sobre como interagir comigo, sobre as características de seus gestores ou líderes. O problema é que muitas das crenças adotadas não têm nenhuma validade prática. Não há nenhuma evidência tangível que as suporte.

Mas o que acreditamos ser VERDADE torna-se verdade. Todos nós criamos a nossa própria realidade. O tempo todo. Sem exceções. E foi isso que aprendi recentemente.

Então ontem fui tomar um café com os novos funcionários. Falávamos de suas experiências, seus cargos, como crescer na empresa e muito mais.

E uma delas, Alexandra, disse o seguinte:

"Quando cheguei aqui, perguntei às pessoas se eu podia falar com você, e elas disseram: 'O Vishen só dedica tempo aos funcionários mais antigos, porque ele é muito atarefado, não tem tempo para conversar com os novatos.'"

E depois:

"Perguntei a algumas pessoas se eu podia me queixar com você sobre a minha péssima experiência com o nosso serviço de mudança e moradia, e elas disseram: 'Ah, boa sorte – ele é superocupado, não tem tempo para essas coisas pequenas.'"

Tudo isso é muito engraçado, porque é o exato oposto da realidade dos fatos.

1. Não só me encontro com frequência com os novatos, como também decoro suas 3 Perguntas Mais Importantes e as utilizo para ajudar a criar programas de desenvolvimento para eles;

2. Preocupo-me tanto com a questão da moradia que mudei nossas políticas de RH para garantir que os novos funcionários não enfrentem situações complicadas relativas à moradia ao se mudarem para cá.

E, ainda assim, Alexandra havia sido contaminada por crenças inválidas bastante desencorajadoras sobre mim. E se ela não fosse tão madura, talvez tivesse agido com base nessas crenças e nunca me convidado para um café.

Então vamos lembrar...

Seres humanos são entidades complexas. Se você não me conhecer a fundo, então você não me conhece. Por favor, nunca presuma um comportamento ou característica de alguém na Mindvalley que possa desencorajá-lo. Não será justo com ninguém.

E, pior ainda, não deixe a cabeça das outras pessoas se contaminarem com crenças desencorajadoras. Pressuposições são *perigosas*. Caso tenha alguma crença desencorajadora, questione-a. Convide a pessoa para um café. Compartilhe a ideia. Manifeste-se para dar suas sugestões (sugestões e até mesmo reclamações não são negativas – são apenas informações que nos ajudam a melhorar).

Um aviso: ao fazer isso, pode ser que você ouça um "não" de vez em quando.

Mas *tente de novo*.

Certa vez perguntei a uma pessoa (vamos chamá-la de Belle) que trabalhava na Mindvalley havia anos por que ela nunca tinha me convidado para almoçar até o momento em que eu mesmo a convidei. Ela disse que convidou uma vez. Mas eu já tinha um compromisso e preferi almoçar com outra pessoa (vamos chamá-lo de Duke) a almoçar com ela. Então, por DOIS anos, ela presumiu que eu não me interessava por ela.

Eu nem me lembrava desse fato. Assim, fui checar o meu histórico do Google Calendar. Descobri que havia marcado dois almoços naquele dia dois anos antes, e escolhi almoçar com Duke porque ele estava enfrentando uma crise e precisava da minha ajuda.

Mas por DOIS anos Belle evitou me convidar para almoçar porque interpretou a situação de uma forma que a desencorajava. E, durante todo aquele tempo, eu adoraria ter almoçado com ela, porque a tinha em alta conta. Finalmente, fomos almoçar juntos e nos divertimos muito. Nota: Belle continua conosco até hoje, oito anos depois, e é uma das nossas funcionárias mais fiéis.

Porém, uma simples suposição a freou.

Isso já aconteceu com você? Se aconteceu, não o culpo.

Todos nós temos inseguranças. Quando eu era adolescente, tinha a cara cheia de espinhas e usava óculos "fundo de garrafa". Em toda a minha vida, dos 13 aos 17 anos, saí com "amigos" não mais do que cinco vezes. Pensava que as pessoas me achavam feio e chato, então nunca as convidava para interagir comigo. Eu não tinha nenhuma habilidade social, e tinha pouquíssima confiança. Achava que era impossível gostarem de mim.

E eu agia de acordo com essas crenças.

Quero que vocês saibam disso caso estejam se privando de dar uma opinião ou expressar uma preocupação, ou estejam insatisfeitos com uma situação realmente importante, ou caso queiram conselhos profissionais...

Eu ME IMPORTO. Nós NOS IMPORTAMOS. E estamos aqui. E encontraremos um tempo.

A Mindvalley é forte porque podemos ter conversas sinceras como esta e podemos construir relações autênticas. Não subestime o seu valor ou pense que seus superiores não terão tempo para as suas preocupações ou perguntas.

E NUNCA tome para si uma crença desencorajadora de outra pessoa. Na verdade, ao ouvir algo assim, corrija. Basta fazer uma pergunta como: "Você validou essa crença com dados científicos concretos? Ou é apenas uma opinião pessoal obscurecida por um Erro Fundamental de Atribuição e pelas suas próprias inseguranças infantis projetando alguma característica em outra pessoa?".

Você entendeu a ideia ;-)

A regra para a vida é:

"Se a crença me faz sentir desencorajado e não for embasada em dados científicos empíricos, mas apenas refletir a opinião de alguém, prefiro ignorá-la e fazer só o que me fortalece."

Suas crenças são seu bem mais importante. Não são suas habilidades, nem seu cérebro. São suas crenças. Acredite no valor do seu trabalho e nas suas ideias da melhor forma possível. E pense da melhor forma possível sobre seus colegas e sobre você mesmo.

No que você escolhe acreditar?

-V

---------------------- FIM DA NOTA ----------------------

Espero que essa nota o ajude a entender a importância das crenças para a criação de um ambiente de perfeita colaboração.

2. Introduza o OODA

OODA é uma das ideias mais revolucionárias que já introduzi no meu ambiente de trabalho. Aprendi sobre ela em uma aula na Singularity University, quando participava de uma série de palestras sobre cérebro e inteligência artificial.

OODA é uma sigla para Observação-Orientação-Decisão-Ação. Foi desenvolvida por John Boyd, estrategista militar e coronel das Forças Armadas americanas.

Em síntese, o coronel Boyd percebeu que os melhores pilotos militares também eram os que mais desperdiçavam munição. Erravam mais. Mas também derrubavam mais aeronaves inimigas.

O OODA trata de acelerar a inovação e agir depressa, otimizando duas coisas:

Em primeiro lugar, trata-se de aumentar a quantidade e a velocidade de ideias trocadas. Criam-se sistemas em que as pessoas podem se comunicar fácil e rapidamente para acelerar o fluxo de ideias.

Em segundo lugar, trata-se de acelerar a tomada de decisões. Age-se com base em ideias imperfeitas. A ideia é que, embora muitas dessas decisões possam falhar, é melhor do que mirar na perfeição e andar devagar.

Na Mindvalley, elevamos o OODA a outro nível, com nosso toque pessoal. O OODA simplificou drasticamente a minha vida. Agora passo menos da metade do meu tempo no escritório. Enquanto estou na estrada, ou viajando ou escrevendo, posso me comunicar com a minha equipe e coordenar ideias e executá-las com uma rapidez e facilidade surpreendentes. Você também pode aprender a usar essas ferramentas. São aplicáveis não só aos líderes, mas a qualquer um, em qualquer empresa, que queira ousar e inovar rapidamente e executar com agilidade.

O OODA acabou com cerca de vinte horas de reuniões semanais da minha agenda. E permite que eu administre a empresa a partir do meu *smartphone*, usando apenas o WhatsApp. Passo apenas 30% do meu horário de trabalho em um computador. Setenta por cento do trabalho é feito usando apenas meu iPhone e o WhatsApp. Eles permitem que o cérebro uno funcione perfeitamente.

Para entender melhor o ciclo OODA, quero compartilhar outra nota que envio à minha equipe todos os anos como forma de lembrete.

Nota 2: O poder do OODA

----------------------- INÍCIO DA NOTA -----------------------

Querida equipe,
A Mindvalley tem uma particularidade que acabará com algumas pessoas. E fará outras brilharem. Essa nota é sobre isso.

Se você quer vencer na Mindvalley, leia a nota e absorva-a. Porque nós QUEREMOS que você vença. A SUA vitória é a nossa vitória coletiva.

Mas, primeiro, alguns números:

1. As receitas da Mindvalley crescerão de 60% a 70% neste ano, em relação ao ano passado. Para uma empresa com mais de dez anos de atuação, esse crescimento é bastante impressionante.
2. Muitos dos negócios que temos hoje não existiam doze meses atrás. Oitenta por cento das nossas receitas atuais vêm de produtos que não existiam há 24 meses.

Então, aqui está a lição:
O ciclo OODA e a Mudança Rápida

Se você entender esse conceito, vai nos ajudar a avançar MUITO mais rápido como equipe. E seu trabalho ficará mais divertido, porque você entrará em uma esfera em que cocriará os projetos, e não os tocará lentamente sozinho. O que trago aqui costuma enfrentar resistência entre os novatos que vêm de ambientes de trabalho tradicionais porque desfaz as ideias de "trabalho" que são enfiadas na nossa cabeça pela sociedade.

Se não entender isso, você talvez:
1. Sinta que seu trabalho foi parar no lixo, porque as mudanças o tornaram obsoleto.
2. Não saiba como sugerir ideias e, assim, se sinta menos importante.
3. Pergunte-se por que algumas pessoas são promovidas e você fica para trás.

Um pouco de contexto:

Em 2017, percebi que, desde que abandonamos os *e-mails* e passamos a nos comunicar pelo Slack, ganhei cerca de 45 minutos do meu tempo todos os dias. Atribuo esse ganho à redução nas sequências de *e-mails* e a um processo de tomada de decisões mais rápido.

Depois, passei a usar o WhatsApp e, mais especificamente, sua ferramenta de áudio. Quando comecei a viajar mais, passei a usar apenas o WhatsApp como meio de comunicação, o que livrou mais cerca de uma hora do meu dia.

Então, aprendi outro truque, que me livrou outras duas horas por dia. Parei de fazer reuniões programadas com frequência. E acabei com todas as ligações telefônicas agendadas. Comecei a usar as ferramentas de vídeo e áudio do WhatsApp para comunicar-me com todos os trezentos membros da equipe e com mais de cem autores, clientes e fornecedores de todo o mundo. Aquilo que antes precisava de uma reunião presencial de meia hora, consegui reduzir para três minutos de trocas de mensagens de voz, vídeos ou comentários no WhatsApp.

Mas o principal motivo não é o Slack ou o WhatsApp em si. É isto:

Aceleração dos ciclos de tomada de decisão

Quero que você leve em consideração que todos os nossos *e-mails*, reuniões, telefonemas e Slacks servem apenas para *tomar decisões*. Se for possível acelerar o processo de tomada de decisões, caminha-se mais rápido. Mas, é claro, acelerar o processo decisório pode ocasionalmente acarretar decisões *erradas* porque não se dedica tempo suficiente a discutir ou analisar a questão. Então como harmonizar isso tudo?

Foi algo que aprendi durante uma sessão na Singularity University em 2016 (veja a imagem abaixo), durante uma aula sobre inteligência artificial.

Chama-se ciclo OODA.

Aqui está uma imagem de um diagrama explicativo.

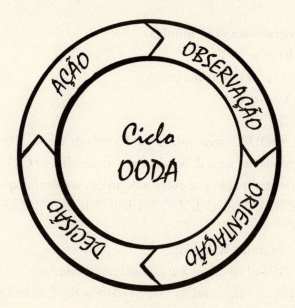

Ao observar a imagem apresentada, percebe-se que o ciclo OODA significa o seguinte:

- Observação
- Orientação
- Decisão
- Ação

O OODA foi um modelo criado pelo estrategista militar e coronel das Forças Armadas americanas John Boyd. Boyd aplicava o conceito ao processo de operações de combate, geralmente no nível estratégico das operações militares.

Dito de forma simples, ao seguir o OODA, os pilotos militares tendem a abater mais aeronaves inimigas.

A ideia é simples. AJA RÁPIDO – **mesmo com conhecimento imperfeito**. No jargão militar, significa:

- Observe a aeronave inimiga.
- Oriente-se.
- Decida o seu próximo passo.
- AJA e dispare!

O ciclo OODA sugere que se ganha ao agir rápido. Pensar demais pode, na verdade, ser uma desvantagem competitiva. O OODA foi concebido para evitar inação por excesso de análise e permitir que os pilotos tomem o máximo possível de decisões dentro de certo período.

De acordo com a Wikipédia:

O ciclo OODA tornou-se um conceito importante em litígios, negócios, aplicação da lei e estratégia militar. De acordo com Boyd, a tomada de decisão ocorre em um ciclo recorrente de observar-orientar-decidir-agir. Uma entidade (seja um indivíduo, seja uma organização) que pode processar esse ciclo rapidamente, observar e reagir aos acontecimentos que se desenrolam mais rapidamente do que um adversário pode, assim, "entrar" no ciclo de decisão do adversário e ganhar vantagem.

Resumindo:

Quanto mais rapidamente as decisões são tomadas, assimiladas e desenvolvidas, maiores são as chances de vitória.

Mas lembre-se: o piloto que está voando em uma aeronave com um ciclo OODA mais acelerado irá gastar mais munição.

Ele está disparando mais.

Está errando mais.

Mas também está abatendo mais aeronaves inimigas.

Mas TUDO BEM se gastarmos munição, porque é isso que GANHA a guerra.

Já ouvi dizer:

"É tanto desperdício aqui na Mindvalley, começamos algo e depois *destruímos.*"

"*Vamos fazendo antes mesmo de planejar bem. Aí o projeto dá errado.*"

Eles estão certos. Mas isso é gastar munição. E gastar munição está completamente certo, de acordo com a filosofia do OODA. Porque você irá *abater mais aeronaves inimigas.*

O ritmo da inovação é o mais importante.

Não me importo se erramos de 40% a 50% das vezes. O Google também erra com frequência. Segundo Steven Levy, no livro *Google – A biografia*, o Google falha em 40% das vezes que começa algo (lembra-se do Google Glass ou do Google Plus?).

Ao avançar rápido, aprendemos, orientamos, adaptamos e inovamos com mais agilidade do que a concorrência.

Falhar é completamente NORMAL. Na verdade, está integrado aos nossos OKRs (50% do OKR devem ter uma taxa de fracasso de 50%).

Falhar é NORMAL. Mas ser devagar NÃO.

O que OODA significa para nós é o seguinte:

1º. Faça tudo o que puder para acelerar o ciclo de tomada de decisões

Oitenta por cento de certeza é melhor do que cem por cento se você puder agir mais rápido. Uma equipe que consegue tomar 80% de decisões corretas por semana em relação a um projeto é melhor do que uma equipe que consegue tomar uma decisão com 100% de certeza.

O que percebo é que costumamos desacelerar por não conseguir tomar decisões com a rapidez necessária. Seguem alguns exemplos:

- Se um teste A/B demonstra 90% de sucesso após uma semana e você precisa de mais uma semana para chegar a 95%, elimine a semana a mais e prossiga com o teste com 90% de certeza. Busque VELOCIDADE.

- Evite enviar *e-mails* para tratar de decisões importantes. Use o Slack. Se precisar que eu me envolva, fale comigo ou use o WhatsApp. O intuito de qualquer *e-mail* ou do Slack é fechar um ciclo de decisão. Não estou interessado em quanto você escreve. Então, mensagens breves são sempre bem-vindas. De novo, VELOCIDADE.

- Você perceberá que ultimamente tenho marcado várias sessões de troca de ideias de uma hora. Elas servem para acelerar as decisões. Não precisamos esperar meses para descobrir como criar páginas de vendas otimizadas para celular ou a página perfeita de

cancelamento de inscrição. Podemos trazer as melhores cabeças para uma sala e, em uma hora, bater o martelo sobre uma estratégia bastante efetiva que resolva 80% do assunto – mas que nos dá impulso para seguir mais depressa.
Isso nos leva ao 2º item...

2º. Aja rápido, mude de direção e aprenda pelo caminho

Qual diagrama abaixo lhe parece a melhor forma de chegar a um objetivo?

Opção A, é claro, não é?

Porque a A leva diretamente ao objetivo, pelo caminho mais curto. Mas, na verdade, você nunca terá certeza absoluta do caminho que leva a um objetivo. Então, na realidade, é necessário MOVER-SE rápido e aprender pelo caminho. Sendo assim, B é o modelo mais próximo ao que as empresas (e o mundo) seguem.

Em A, levam-se meses para lançar um *podcast*, porque ele tem que sair perfeito.

Em B, leva-se uma semana para lançar um *podcast*, e os ajustes são feitos no caminho, rumo à perfeição.

Sempre opte pelo caminho B. Você terá um produto melhor, e mais rápido.

Para chegar à perfeição com A, são necessárias várias semanas de planejamento. B requer mais que se prepare o terreno – mas você chegará ao resultado mais rápido porque *aprende pelo caminho*. Esse é o ciclo OODA.

Então, resumindo:

Aja com Conhecimento Imperfeito e mude de direção ao longo do caminho.

Quando isso acontecer, você também criará a mudança.

Aceite.

Com que velocidade VOCÊ consegue testar e ajustar ideias? Você está tomando decisões com 80% de precisão ou está sendo bobo e esperando pela precisão de 95% e atrasando sua capacidade de implantar, testar e aprender?

3º. Erre rápido. Erre bastante. Aprenda com os erros

Salim Ismail, dirigente da Singularity University, veio à Malásia para um encontro com o governo. Ele me disse ter aconselhado o primeiro-ministro a lançar uma gigantesca conferência nacional e chamá-la de algo como Fracasso S.A. Segundo ele, o primeiro-ministro deveria usar a conferência para conceder um prêmio ao empreendedor que tivesse o maior fracasso nas costas. Se temos medo de errar, nem tentamos. Então, Salim sugere acabar com o estigma do fracasso.

Ninguém nunca foi demitido da Mindvalley por ter fracassado em alguma tentativa. O fracasso é maravilhoso, pois nos torna mais inteligentes.

Falhar em uma inovação nunca vai impedir uma promoção na Mindvalley. Mas não tentar inovar ou agir muito lentamente, sim.

4º. Incorpore a mudança e a inovação rápida

Posso dizer que uma das minhas maiores frustrações ao lidar com os novos contratados da Mindvalley é o medo cultural da mudança. Todos os anos, vemos na nossa avaliação alguém dizendo que "mudamos rápido demais", "estamos 'sempre' mudando as coisas" etc. Mas deixe-me perguntar. Mudamos o que funciona ou o que não funciona?

Estamos deixando de lado as fórmulas vitoriosas? Ou as ajustamos enquanto jogamos fora nossos modelos fracassados? Não estamos mudando, mas pivotando. É o que fazem as boas empresas.

Jeff Bezos certa vez escreveu em seu *blog* um *post* intitulado "Pessoas inteligentes mudam de ideia", em que disse: *As pessoas que acertam mudam de ideia com muito mais frequência*.

Bezos segue dizendo que não acredita que consistência de pensamento seja um traço particularmente positivo: "É melhor, e até mais saudável, ter uma ideia que vá contra a outra que *veio antes*. *Pessoas inteligentes constantemente reveem sua percepção sobre um assunto. Reconsideram problemas que achavam que já tinham resolvido. São abertas a novos pontos de vista, novas informações e desafios que se oponham às suas próprias formas de pensar*".

A Mindvalley muda e evolui em um mês tanto quanto a maioria dos computadores muda e evolui em seis meses. O responsável por um produto que esteja trabalhando em algo importante e não converse com frequência comigo pelo WhatsApp e pelo Slack estará obsoleto em termos de conhecimento e compreensão das nossas necessidades em trinta dias.

Deixe-me ressaltar isso. Se você não estiver ligado, conectado e se comunicando, terá dados incorretos e provavelmente tomará decisões redundantes.

5º. Comunicação, comunicação e comunicação

> "É uma questão de comunicação. Uma questão de honestidade. De tratar as pessoas como merecedoras de conhecer os fatos. Não lhes conte a história pela metade. Não tente esconder-lhes nada. Trate-as como iguais, e comunique-se, comunique-se e comunique-se."
> – Louis V. Gerstner Jr., ex-CEO da IBM

É por isso que na Mindvalley TODOS os documentos de OKR são abertos a todos. Todos os documentos de planejamento também são abertos. Você pode ficar aqui por um dia e mesmo assim terá o direito de editar o documento de planejamento ou de OKR de uma equipe que não é a sua. A própria equipe executiva não tem uma pasta secreta em que escondemos visões ou planos isolados de todo mundo.

Se você entender isso, então entende seu poder aqui.
– V

------------------------ FIM DA NOTA ------------------------

O cérebro uno é realmente incrível. Quando o fluxo de ideias se movimenta sem restrições e as decisões são tomadas rapidamente, uma empresa evolui a um ritmo exponencial. No entanto, há um lado obscuro nisso. É que, quando se corre depressa na direção de visões incríveis, pode-se esquecer o equilíbrio e o cuidado. É sobre isso que trata o último capítulo deste livro.

Você aprenderá uma forma totalmente nova de trabalhar que consiste em fundir o Buda com o Cara em você para criar um profundo equilíbrio na sua vida.

Resumo do Capítulo

Modelos de realidade

Ideias causam no cérebro o mesmo efeito das drogas da felicidade. Quando o cérebro se encontra em estado de inspiração, ele libera uma explosão de dopamina e serotonina. É por isso que nos sentimos incríveis quando concebemos ideias brilhantes. E compartilhá-las é ainda melhor. É o que chamamos de sexo de ideias.

Junção de cérebros é o que acontece quando duas ou mais pessoas vibram na mesma ideia. Durante esses momentos, suas frequências cerebrais espelham uma a outra. A experiência é empolgante, alegre e divertida.

Quando os papéis entre as pessoas são respeitados, mas não colocados em primeiro lugar ao se colaborar em algum projeto, e são estabelecidas estruturas para agilizar a comunicação, qualquer grupo de pessoas pode trabalhar como um cérebro uno. Trabalhar assim é revigorante. Qualquer um pode criar um ambiente de trabalho com um cérebro uno. Esse modelo pode se estender a famílias, grupos comunitários, amigos e organizações não governamentais.

1. Quebre a hierarquia e crie as crenças corretas
2. Introduza o OODA

Sistemas de vida

Exercício 1: mudança de contexto

Uma crença para lembrar e levar para a vida:

Seres humanos são entidades complexas. Se você não conhece alguém a fundo, então não o conhece. Nunca presuma um comportamento ou característica de alguém que possa desencorajá-lo. Não será justo com ninguém.

Pratique isso questionando como você enxerga outras pessoas sempre que se sente desencorajado. Pergunte-se:

> *Por que essa pessoa é assim?*
> *Com base em suas ações, minhas crenças são verdades factuais?*
> *O que pode estar acontecendo com ela?*
> *Estou tendo dificuldades nessa relação porque me sinto intimidado pelo título da pessoa?*
> *O que outras pessoas dizem ou acham dessa pessoa?*
> *A partir de qual posicionamento encorajador posso ver essa pessoa/situação?*
> *Se acredito que todos são bons por natureza, o que posso ver nessa pessoa agora?*

Se você trabalha em um grupo e vê que outras pessoas estão enfrentando dificuldades por causa de crenças desencorajadoras, compartilhe essas perguntas. Geralmente ficamos presos às nossas próprias percepções da realidade. Perguntas encorajadoras o ajudarão a mudar o contexto e enxergar uma realidade muito mais favorável. Pratique esse exercício e ajude outras pessoas a praticarem também.

Exercício 2: introduza o OODA

O OODA foi um modelo criado por John Boyd, estrategista militar e coronel da Força Aérea norte-americana. Boyd aplicou o conceito ao processo de operações de combate, geralmente em um nível estratégico das operações militares. Em termos simples, ao seguir o OOCDA, os pilotos da Força Aérea tinham mais chances de abater aeronaves inimigas. A ideia é simples – **AJA RÁPIDO** – **mesmo com conhecimento imperfeito**.

No jargão militar, significa:

- Observe a aeronave inimiga.
- Oriente-se.
- Decida o seu próximo passo.
- AJA e dispare!

O ciclo OODA sugere que se ganha ao agir rápido. Pensar demais pode, na verdade, ser uma desvantagem competitiva. O OODA foi concebido para evitar inação por excesso de análise e permitir que os pilotos tomem o máximo possível de decisões dentro de certo período.

Passo 1: Consulte a Nota 2 apresentada neste capítulo para entender o processo completo.

Passo 2: Pense em quais sistemas de troca de mensagem você pode introduzir em uma equipe para acelerar a comunicação. Então, implemente-os e veja como eles irão otimizar seu tempo e acelerar a inovação.

Passo 3: Atenha-se à regra "Não apresente; reflita". Se as pessoas estão apresentando ideias bem boladas, provavelmente estão pensando demais, colaborando de menos e desacelerando a inovação. Tudo bem ser um pouco desorganizado ao trocar ideias. A inovação costuma ser um processo interativo.

CAPÍTULO 9

MELHORE A SUA IDENTIDADE

A vida consiste não em se encontrar, mas sim em se construir.
— George Bernard Shaw

O Universo age como um espelho. Ele reflete aquilo que você é. A graça é que você pode mudar a sua identidade, e o mundo irá acatar. Mas você precisa transformá-la de maneira tão profunda que acredite nessa nova identidade e viva a vida em consonância com ela.

Em *O código da mente extraordinária*, trago um conceito chamado de Destruição Maravilhosa. É quando se percebe que, para evoluir até uma versão melhor de si mesmo, é necessário destruir alguns aspectos já construídos para que uma nova versão possa surgir. Geralmente uso a frase a seguir para expressá-lo:

Às vezes, você tem de destruir parte de sua vida para deixar o próximo grande evento entrar.

MELHORE A SUA IDENTIDADE

Às vezes escolho a Destruição Maravilhosa. Às vezes é ela que me escolhe. Todas as vezes, é assustador para caramba ter que eliminar comportamentos, relações e ambientes aos quais me acostumei. Teria que enfrentar muitos desconhecidos. Mas, sempre que passo por algo assim, afloram milagres das ruínas da minha antiga vida. Visões com as quais antes eu sonhava agora se tornam realidade.

A primeira vez foi quando fui embora dos Estados Unidos. Fiz as malas, deixei o país que eu amava e me mudei para Kuala Lumpur. Você deve lembrar dessa história do Capítulo 2. A escolha de me negar a deixar as circunstâncias determinarem meu futuro conduziu ao enorme sucesso da Mindvalley.

A segunda Destruição Maravilhosa foi quando Bob Proctor me enquadrou. Contei essa história no Capítulo 7. Ele disse que eu estava sonhando muito baixo, e estava certo. Imediatamente parei de viajar para dar seminários. Dois anos depois, lancei o *A-Fest*, que se tornou um gigantesco festival de transformação. Hoje ele está na décima edição.

Minha maior Destruição Maravilhosa aconteceu quando minha empresa quase desmoronou, transformando completamente a forma como eu trabalhava. Aconteceu em 2008. Vou contar esta história em breve. Para falar a verdade, na época, me custou quase tudo. Mas, se não fosse por isto, minha vida atual, e este livro, não existiriam.

Sempre que decidi optar pelo caminho iluminado, foi assustador. E todas as vezes, passei por uma mudança total de identidade. Tornei-me uma nova pessoa.

Mas é essa nova identidade que me impulsiona a uma vida ainda mais incrível. É porque sua identidade molda o seu mundo. O universo reflete o que você é. E, se você for teimoso demais para mudar, a Destruição Maravilhosa é a forma de o Universo modelar você para ajudá-lo a evoluir para a próxima versão daquilo que você está destinado a ser.

Mudança de identidade

A mudança de identidade acontece quando criamos uma grande mudança na forma como nos vemos em relação ao mundo. Acredito que é a mudança de identidade, e não a Lei da Atração, que importa de verdade.

Certa vez, sentei-me para tomar café da manhã com o mestre espiritual Michael Beckwith. Estávamos em Portugal, onde Beckwith subiria ao palco no *A-Fest* de 2019. E, durante o café da manhã, começamos a conversar sobre suas filosofias. Beckwith compartilhou comigo seu conceito da Lei da Ressonância.

Ele explicou assim:

> *Veja, essa coisa da "Lei da Atração", da forma como a maioria das pessoas pensa, é incompleta. O mundo não lhe dá o que você quer ou deseja, mas sim QUEM ou O QUE você é. A sua identidade molda a sua experiência.*

Beckwith continuou explicando que é por isso que muitas pessoas falham ao traçar metas ou ao criar quadros de visão ou visualizações criativas. Se o que você QUER não está de acordo com o que você É, o Universo vai se opor.

Se a Lei da Ressonância dá uma dimensão espiritual à mudança de identidade, qual é a ciência por trás disso?

No brilhante livro *Hábitos atômicos*, James Clear fala sobre a melhor forma de mudar um comportamento, em um sentido mais psicológico. Ele aconselha a não lutar para mudar um hábito. Em vez disso, mude a sua identidade. Crie uma identidade que o faça ir totalmente além do hábito.

Por exemplo, digamos que você seja uma pessoa que vá à academia três vezes por semana e adore. Você pode se concentrar no resultado, que talvez seja perder cinco quilos e ficar bonito.

Ou você pode se concentrar no processo, que pode ser programar um despertador, acordar, ir à academia todas as segundas, quartas e sextas e contratar o melhor *personal trainer* que puder encontrar. Mas os dois métodos são de difícil manutenção.

Se você tenta se motivar com os resultados ou processos, você se verá acordando de vez em quando e se sentindo muito cansado ou com sono para ir para a academia. É por isso que muitas pessoas deixam de pagar seus planos caros de academia. Não é suficiente para manter ninguém motivado.

Então, no lugar disso, concentre-se na mudança de identidade. Concentre-se em assumir uma nova identidade como: "Sou um cara de quarenta anos em forma, com o corpo de um atleta bonitão".

O hábito de ir à academia se torna muito mais fácil. O atleta não quer ficar deitado na cama. Seu corpo quer se movimentar e melhorar. Atletas não matam treinos. É simplesmente o que eles FAZEM. James Clear sugere que adotar uma mudança de identidade é muito mais poderoso do que mudar um comportamento.

O diagrama fica assim:

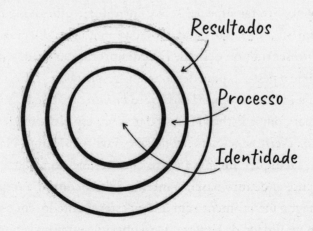

Isso me leva de volta à minha história. Em 2008, passei por uma mudança de identidade total. Como esperado, ela fez meu mundo desaparecer e desvelou um mundo novo e ampliado.

O fim do mundo que eu conhecia

Ao longo do ano de 2008, tive crises terríveis de insônia. Acordava com frequência em estado de ansiedade, porque minha empresa estava em perigo; jorrava dinheiro do nosso caixa diariamente. Eu tinha dezoito funcionários. Mudanças no mercado causaram uma paralisação na nossa máquina de receitas, e estávamos lentamente ficando sem dinheiro.

Para complicar ainda mais, virei pai. Meu filho, Hayden, tinha sete meses. Minha vida não se resumia mais a mim. Eu tinha uma família para sustentar. Além disso, sentia a necessidade de ser um modelo de sucesso para aquele serzinho.

Havia tentado todas as fórmulas de negócios para ajeitar as coisas, inclusive contratar especialistas e introduzir um sócio, alguém com MBA em Stanford, para ajudar. Nada funcionava. Decidi recuar. Não recuar no sentido de desistir. Decidi aprofundar meus estudos sobre crescimento pessoal, para descobrir as respostas.

Fui a inúmeros seminários sobre *mindset* e riqueza. Viajei até San Diego para ouvir Esther Hicks falar sobre espiritualidade. Mergulhei em livros escritos pelos meus mestres favoritos, como Neale Donald Walsch. Dediquei um mês inteiro ao crescimento pessoal profundo e abrangente enquanto nascia a intenção de encontrar a resposta.

Chegou um momento em que eu estava sentado, em um seminário sobre mentalidade da riqueza. Descobri que estava vivendo a partir de uma crença interna que estava arruinando a minha vida. Era o seguinte: é necessário trabalhar duro para ter sucesso.

Nasci em uma família de imigrantes. Minha mãe era uma professora infantil que dava duro. Meu pai abriu uma empresa quando eu tinha 13 anos. Ele trabalhava por muitas horas, noite adentro. Na adolescência, eu costumava encontrá-lo no depósito da sua empresa depois da escola. Fazíamos trabalhos extenuantes, como carregar caixas de roupas nos caminhões ou separar e encaixotar mercadorias. Naturalmente, a regra estúpida "Para ter sucesso, você precisa trabalhar muito" se tornou parte da minha identidade.

Aí eu também me tornei pai. E, como respeitava e amava muito meu pai, queria ser um excelente pai para o Hayden. Estava determinado a chegar cedo em casa do trabalho para poder passar mais tempo com ele.

Minhas crenças estavam em conflito. Pensei: se eu trabalhasse menos, poderia ser um pai melhor. Mas, assim, eu não seria um sucesso.

Naquela época, eu tentava de todas as formas dar conta de tudo. E, mesmo assim, minha empresa estava ruindo. Minha crença no poder do trabalho árduo estava tão profundamente arraigada que minha identidade estava atrelada a ela. Se eu decidisse abrir mão de algumas horas de trabalho para ser pai, me sentiria culpado ou indigno do sucesso profissional. E essa crença se tornou verdade, porque a realidade vai se refletir no que você acredita.

Foi em um seminário de T. Harv Eker que comecei a me dar conta de que havia adotado cegamente a regra do trabalho árduo. Esse despertar imediatamente fez a regra perder seu poder. Percebi que trabalhar duro tinha pouca ou nenhuma relação com o meu sucesso.

De repente, minha identidade mudou. Uma antiga crença caiu no esquecimento.

Assim que transformei as regras estúpidas que se apoderavam de mim, meu mundo exterior mudou rapidamente. Em agosto daquele ano, os negócios haviam duplicado. Em dezembro, haviam duplicado novamente. Em oito meses, havíamos crescido 800%. Nossa equipe passou a ter cinquenta funcionários, e nos mudamos para um escritório novo fantástico.

Um ano depois, a forma como eu trabalhava havia passado por uma revolução total. Se, em maio de 2008, eu tinha quase perdido minha empresa me matando de trabalhar no escritório, em maio de 2009 eu estava na praia. Na verdade, em diversas praias. Passei 21 dias passeando de praia em praia ao redor do mundo. Fui ao casamento de um amigo em Cabo. Depois fui ao *mastermind* na ilha de Necker. Passei nove dias no resort de Tony Robbins em Fiji. Fiquei apenas seis dias no escritório. Naquele período, quebramos novos recordes de faturamento.

Quebrei minha regra do trabalho árduo em milhões de pedacinhos. Minha nova identidade havia mudado as leis do mundo para mim. Você também pode fazer isso. Na metade final deste capítulo, trago meu exercício de mudança de mentalidade, que você pode usar para fazer o mesmo. Você pode criar uma nova identidade e, com as novas ferramentas, pode demolir quaisquer barreiras de crenças que estão no caminho entre você e uma nova realidade.

E, se você também acredita que trabalhar precisa ser difícil, isso não passa de uma armadilha da sociedade, na qual você caiu. Não é assim que funciona.

Os mitos sobre o trabalho

No livro *Thrive*, de Arianna Huffington, ela conta sobre um período em sua vida em que trabalhou tanto que acabou indo parar no hospital. No segundo ano em que administrou o *The Huffington Post*, ela trabalhava dezoito horas por dia. Parecia bem-sucedida, e seu negócio certamente era um sucesso, mas ela estava exausta e completamente consumida pelo trabalho. Um dia, desmaiou no seu escritório em Los Angeles, bateu a cabeça na mesa e apagou.

"Eu era bem-sucedida segundo todos os padrões, mas obviamente ficar deitada numa poça de sangue no chão do meu escritório não era um sinal de sucesso", ela explicou em uma entrevista no *HuffPost Live*.

Foi preciso uma crise de saúde grave para que Huffington percebesse que estava perdendo o foco. Ela estava sacrificando a saúde porque fora ludibriada por uma mentira: *trabalhe mais, vá mais longe*. Assim como eu, ela aprendeu a lição do jeito difícil. A parte boa é que isso a despertou.

Muitos empreendedores ainda abraçam o trabalho duro. Se você acha que trabalhar duro é o segredo do sucesso, então todos os trabalhadores explorados que trabalham cem horas por semana nas fábricas da Ásia deveriam ser bem-sucedidos. O trabalho duro não entra nessa conta.

Mas há uma lealdade cega a essa ideia. E o resultado são seres humanos destroçados, relacionamentos prejudicados e uma péssima cultura corporativa em que as pessoas são estressadas e exaustas demais para fazer um bom trabalho ou para aproveitar a vida de alguma forma.

Em 2019, entrevistei Regan Hillyer, uma das maiores *coaches* mundiais de *mindset* com menos de 30 anos. Ela é uma das muitas CEOs que conheço pessoalmente que estão sempre alegres, adoram administrar várias empresas e só trabalham cerca de duas horas por dia *se quiserem*. Admiro Regan porque ela criou diversas empresas de sucesso antes dos 30 anos e também leva uma vida em que consegue viajar e aproveitar o que o mundo tem de melhor.

Conto aqui o que ela compartilhou comigo:

> *Vejo muitos empreendedores menos bem-sucedidos do que eu trabalhando duro, e, quando vou cavando mais fundo e começo a fazer algumas perguntas, eles genuinamente acreditam que empreender é difícil.*
> *Já tive pessoas que vieram até mim e faturam US$ 1 milhão ou US$ 2 milhões, mas não conseguem aumentar as receitas e não sabem por quê. É porque estão no limite do que o trabalho duro é capaz de alcançar. Como a estrutura interna delas está programada para funcionar assim, realmente acham difícil criar resultados.*
> *E se começássemos a pensar que empreender é fácil? E se faturar milhões de dólares fosse fácil e divertido? E se tivéssemos a crença de que quanto mais dinheiro eu faturo, mais dinheiro irei faturar automaticamente?*

A ideia de Regan era simples. Se você acredita que trabalhar é difícil, verá o trabalho duro como o único caminho a seguir. E você se sentirá encurralado, porque há uma quantidade de horas de trabalho limitadas em um dia.

Uma forma melhor de entender é que, às vezes, o caminho rumo ao sucesso não passa nem perto do trabalho. Talvez o próximo grande salto aconteça quando você passar da aceleração para a navegação.

Como mudar de identidade

Aceleração x navegação

Percebi que, para encontrar harmonia no trabalho, é necessário manter um equilíbrio sutil entre estes dois modos operacionais. Chamo-os de *aceleração* e *navegação*.

Então deixe-me explicar como funciona no contexto do trabalho.

A aceleração acontece quando estamos executando uma missão. É quando estamos no modo de execução, focados nas tarefas. Para mim, é quando estou maximizando os negócios, encontrando-me com a equipe, desenvolvendo novos produtos e sistemas. Mas a aceleração por si só não é suficiente.

Quando apenas o modo *aceleração* está ativado, não é possível ver novas oportunidades, inovar ou aprender com outros mentores, ou até mesmo analisar erros. Nesse modo, um trabalhador estará tão ocupado e correndo que se esquece de se sintonizar e se perguntar se aquilo que está fazendo tem qualquer relevância. Se muito tempo é gasto nesse modo, a criatividade, a energia e a diversão diminuem, o que leva a uma redução de produtividade e realização.

Os melhores trabalhadores oscilam entre aceleração e navegação.

É por isso que, de vez em quando, eu sumo. Há pouco tempo, viajei pelo mundo por sete semanas seguidas. Tudo estava planejado. Eu estava em modo navegação.

Navegar não quer dizer andar rápido, mas sim entender se o caminho está correto. Quer dizer bolar novas visões para um negócio, buscar novas áreas para explorar, basicamente perceber para onde direcionar sua visão.

Ao passar muito tempo navegando, perde-se o ritmo e a capacidade de executar.

A clareza e a evolução acontecem de forma melhor quando alternamos entre esses dois modos. Acontece uma bela integração quando você consegue se ausentar por um momento para aprender, se revigorar e voltar com novas ideias.

Meus momentos de clareza de 2008 aconteceram porque me afastei do trabalho por um momento para me dedicar ao crescimento pessoal. Eu estava começando a navegar. Houve momentos em que me questionei se realmente poderia deixar o trabalho de lado para participar de um seminário de quatro dias. Mas foi o que fiz. E ideias incríveis mudaram o rumo da minha empresa.

Também há uma razão científica que explica por que as ideias vêm quando estamos em modo de navegação. Talvez você já tenha sentido isso. Já parou para pensar por que você tem excelentes ideias no banho, enquanto dirige ou quando está caindo no sono ou acordando?

Os neurocientistas chamam de rede de modo padrão (DMN, da sigla em inglês para *Default Mode Network*). É um modo cerebral exclusivamente humano que produz grandes picos de criatividade, inovação e resolução de problemas. Quando o cérebro está concentrado em uma tarefa, ele entra no modo padrão do fluxo de pensamentos. Nesse modo, as pessoas sonham acordadas, imaginam e pensam sobre o futuro. Esses pensamentos são vitais para organizar e planejar o futuro. Ajudam a analisar situações e decidir sobre as próximas ações.

Por outro lado, a rede de modo tarefa (TMN, da sigla em inglês para *Task Mode Network*) acontece quando a mente está concentrada em uma tarefa como digitar em um teclado, tocar um instrumento, ler um livro ou qualquer coisa que precise de foco e atenção. Muitos meditadores experientes têm um TMN altamente desenvolvido.

Em uma entrevista no Big Think, Scott Barry Kaufman, diretor do Instituto da Imaginação da Universidade da Pensilvânia, disse: "Acontece uma experiência única da consciência quando ambas as redes estão no mesmo nível da gangorra".

Muitos artistas, inventores, líderes empresariais falam sobre as ocasiões em que uma ideia brilhante surgiu para eles, ou quando tiveram um clique. Alguns dizem que foi Deus ou o Universo que atuou. Talvez você já tenha sentido algo assim. Você tem uma capacidade inata de vislumbrar.

Quando alguém está em navegação, é como se a bússola interna lhe mostrasse aonde ir. A aceleração é o combustível que alimenta suas ações, faz você chegar a resultados e o leva aonde você precisa ir.

Você precisa recuar e dar-se um tempo para aumentar sua consciência. Essa é a importância da navegação.

Você pode fazer um exercício que rapidamente o ajudará a mudar sua identidade.

O processo de mudança de identidade

Há um processo rápido de mudança de identidade que o levará a crenças mais encorajadoras sobre o mundo. Ao aplicá-lo, você passará a caminhar na direção de uma vida em que seu trabalho é a sua paixão e a vida parece um parque de diversões que você curte ao máximo.

Se fizer isso, você conseguiu fundir o Buda e o Cara. O processo é o seguinte:

1º Passo: visualize sua vida perfeita

Como deixar para trás o mito do sufoco ou a ideia do trabalho árduo e viver de fato uma vida em que o trabalho desapareça?

Em primeiro lugar, entenda que você não é quem pensa ser.

As suas duas versões: todo mundo tem duas versões de si mesmo. Em primeiro lugar, há a identidade que você exibe por aí, cheia de papéis. Você é o gerente do escritório. Ou o programador. Ou o *designer* gráfico *freelancer*. Ou o advogado ou CEO. Mas isso, no entanto, é apenas sua superfície. É o papel que você está desempenhando no mundo em que vive. E, honestamente, é um papel que você está desempenhando para alguém. É o papel que você escolheu para poder se encaixar no grande coletivo humano, a intrincada rede da sociedade humana à qual você pertence.

Mas *não* é você. Há uma segunda versão sua. É a pessoa que você secretamente deseja ser. É sua identidade fundamental (sua versão profunda). Por exemplo, vamos falar de um cara que trabalha como advogado em um escritório de advocacia, trabalha setenta horas por semana e não está muito contente. Sua superfície é a de um advogado estressado. Sua identidade fundamental poderia ser a de um artista. Ou de um aventureiro. Ou uma estrela do rock. Essa é sua identidade fundamental. É quem ele deseja ser.

Por mais satisfeita que uma pessoa esteja com a própria vida, ela sempre terá essas duas versões de si mesma. A identidade fundamental (a versão profunda de si) sempre tenta avisar o mundo externo sobre a próxima revolução que acontecerá.

Nossos desejos mais profundos e íntimos nunca são coisas como "ganhar dinheiro" ou "fazer contatos". Se você acha que esse é seu desejo profundo, seu cérebro está mentindo. Esses são apenas os resultados superficiais. A verdade é que o principal objetivo da existência humana é criar e perpetuar experiências. Objetivos são inúteis se não vierem acompanhados de uma experiência. Como disse Terence McKenna:

> *A verdade é você e seus amigos e conhecidos, seus altos, seus orgasmos, suas esperanças e planos, seus medos. E ouvimos dizer que não, não somos importantes, somos secundários. "Você precisa de um diploma, de um emprego, disso, daquilo." E quando entra no jogo, nem quer mais jogar. Você quer reaver sua própria mente e tirá-la das mãos dos engenheiros culturais que querem transformá-lo num idiota meia-boca que consome todo o lixo sendo produzido com o suor de um mundo agonizante.*

McKenna tem razão. Nossos sistemas escolares ultrapassados nos programam para nos encaixarmos perfeitamente, como uma engrenagem na roda da sociedade moderna, para manter o *status quo* e as indústrias funcionando. Então você acorda, se arruma, trabalha como um camelo e compra mais bobagens de que não precisa.

Porém, se pensar sobre o que quer da vida, provavelmente descobrirá que não se trata de dinheiro ou riqueza. São as experiências. Riqueza e dinheiro são os objetivos intermediários para acumular experiências, seja a experiência de uma viagem, seja uma bela casa para morar, seja fazer amor com alguém especial. Ao começar a se concentrar nas suas metas reais, você irá facilmente se transformar por dentro e se descobrirá capaz de influenciar seu mundo exterior também. Comece pensando em experiências. Talvez pareça audacioso resumir a vida a uma fórmula, mas, se fosse possível, seria algo assim:

$$Experiência + Identidade = Vida$$

Ao encontrar sua identidade fundamental e começar a vivê-la, você atrairá pessoas que se alinham a ela. O conceito de identidade fundamental me foi apresentado por um *coach* de empreendedorismo brilhante chamado Frank Kern. Esta é uma adaptação do exercício original de 2008 elaborado por Kern.

O seu verdadeiro objetivo é:
- Experiências (porque objetivos intermediários são insignificantes),
- Uma nova identidade, e
- A soma de tudo isso, que é a **Vida**.

Então, a grande pergunta é: **se não houvesse limitações ou consequências, como seria o seu dia normal perfeito?**

Deixe-me explicar o que quero dizer.

Limitações significa que você não precisa se preocupar com dinheiro, saúde, barreiras geográficas ou pessoas limitantes.

Consequências significa que seu sonho de dia perfeito precisaria ser seguro. Nada que pudesse machucá-lo, causar confusão ou levá-lo para a cadeia.

Normal significa que você poderia fazer as mesmas coisas todos os dias e não morrer (isso significa que o seu dia perfeito não incluiria escalar o monte Everest, por exemplo).

Agora crie o seu dia perfeito. Escreva sobre ele. E então dê um passo atrás. O que esse dia perfeito diz sobre você? Esse dia perfeito vai ajudá-lo a se entender e a descobrir sua identidade fundamental.

Faças estas perguntas sobre o seu dia perfeito (e observe que estas perguntas são todas baseadas em experiências desejadas – e não em coisas):

1. Onde você viveria?
2. Como seria a sua casa?
3. A que horas você acordaria?
4. Com quem você gostaria de acordar?
5. Qual seria a primeira coisa que você faria pela manhã?
6. Como seria o seu café da manhã?
7. Como seria a sua rotina (por exemplo, levar as crianças para a escola)?
8. O que você faria na primeira metade do seu dia?
9. O que você almoçaria?
10. Com quem você faria suas refeições?
11. Como seriam o seu corpo e a sua saúde?
12. Quem seriam os seus amigos?
13. O que você faria para se realizar profissionalmente?
14. Qual seria o propósito pelo qual você lutaria?
15. Qual seria o seu negócio?

16. Quem seriam os seus clientes?
17. Como seriam os seus relacionamentos? O que vocês gostam um no outro?
18. Como você passaria o tempo com a sua família?
19. O que você jantaria? Onde comeria?
20. Sobre o que vocês conversariam durante o jantar?
21. Onde você iria passear à noite?
22. Com quem você iria?
23. Quais seriam seus pensamentos antes de dormir?

2º Passo: crie a sua nova identidade

Então você tem uma visão do seu dia perfeito. Talvez você tenha ido mais longe e criado uma visão para o seu mês, seu ano ou sua vida perfeita. Melhor ainda. Agora é hora de se lembrar dessa nuance importante sobre a identidade humana.

> *O mundo refletirá aquilo que você genuinamente acredita ser. A sua identidade criará uma ressonância com o Universo.*

O que faz uma identidade? Essa pergunta é ainda mais difícil. Ao longo dos últimos anos, fiquei fascinado com técnicas avançadas de treinamento cerebral. Trabalhei em laboratórios com neurocientistas para mapear no meu cérebro as ondas cerebrais de monges e bilionários. O que vivenciei foi o mais próximo que já estive da ideia de *Matrix*, em que o personagem Neo conecta seu cérebro a um computador.

E o que descobri? Diferentes estados de ondas cerebrais destravam diversos aspectos do ser humano. Há quatro estados que uma pessoa pode acessar:

1. **O estado alfa**: quando uma pessoa funciona em frequências de nível alfa, aumenta sua amplitude e coerência. Ela sente um aumento generalizado na sua sensação de bem-estar; por exemplo, mais saúde e vitalidade, menos estresse emocional, mais encantamento.
2. **O nível theta**: funcionar em frequências theta aumenta a habilidade da pessoa de acessar sua intuição e criatividade.
3. **O nível delta**: um dos estados mais curiosos é o delta. Quando uma pessoa está em delta, sente mais sincronia e adquire a habilidade de lidar com grandes projetos com facilidade.
4. **O nível gama**: essa é uma nova frequência descoberta apenas em 1993, e parece estar relacionada à conexão mais profunda e ao amor.

Curiosamente, esses quatro estados cerebrais sugerem que há quatro diferentes aspectos em uma identidade saudável.

- Estados alfa estão relacionados ao bem-estar
- Estados theta estão relacionados à criatividade e à inspiração
- Estados delta estão relacionados à abundância e ao poder
- Estados gama estão relacionados ao amor e à conexão

Agora que você planejou seu dia perfeito, o próximo passo é se perguntar "*Quem* devo me tornar para ser o homem ou a mulher que tem esse dia perfeito?" (percebe como esse exercício se conecta ao exercício das Três Perguntas Mais Importantes do Capítulo 4?).

Ao explorar a sua nova identidade em termos de bem-estar, criatividade e inspiração, abundância e poder, amor e conexão, escreva e anote como você quer que sua vida seja nessas quatro áreas. Você só precisa dedicar mais ou menos cinco minutos a cada categoria, então são vinte minutos no total.

1º Estado: bem-estar

O estado de bem-estar significa que você cuida do seu corpo e da sua mente. Sabemos hoje que o corpo e a mente estão conectados, então, embora bem-estar implique necessariamente praticar exercícios físicos, cuidar do seu sono e da alimentação, também implica dedicar um tempo a cuidar da mente por meio de práticas de meditação e atenção plena.

Se você se sente melhor, você trabalha melhor. Privação de sono e energia baixa afetam sua capacidade de dar o seu melhor no trabalho. Da mesma forma, o estresse reduz a capacidade de tomar boas decisões e gerar ideias. Se você conseguir eliminar o estresse e aprender a relaxar, certamente verá um aumento na capacidade de tomar decisões e raciocinar.

Assuma a identidade de uma pessoa bastante saudável. Alguém que medita diariamente, se alimenta bem, cuida do corpo e pratica exercícios. Você não é ocupado demais para praticar exercícios e meditar – na verdade, já foi comprovado que essas práticas *aumentam* o seu tempo.

Agora olhe para a visão do seu dia perfeito e pergunte-se: "Sendo o homem ou a mulher que vive esse dia, quais níveis de bem-estar eu atingiria?".

Considere estes fatores:

Saúde e vitalidade: descreva sua sensação geral de saúde e vitalidade.
Energia: que nível de energia você sente ao longo do dia?
Estados emocionais: que estados emocionais você sente diariamente?

2º Estado: criatividade e inspiração

Já notou como algumas pessoas tendem a fazer brotar ideias excelentes? Você já sentiu estados mentais em que está tão concentrado no trabalho que as coisas *fluem* sem esforço e você arrasa naquele texto, projeto ou apresentação? Esses estados elevados de inspiração e criatividade têm raízes em traços de identidade únicos.

Você precisa assumir uma identidade criativa se trabalhar em uma área que requer criatividade, como *design* gráfico ou produção de texto. Mas, se você trabalha com finanças ou, digamos, otimização de campanhas *online*, precisa mirar na intensidade da concentração – a capacidade de triturar os números com velocidade para chegar a conclusões inteligentes. Tal senso de identidade lhe garante a habilidade de detonar no trabalho, ainda que trabalhando menos horas por dia.

Agora olhe para a visão do seu dia perfeito e pergunte-se: "Para ser o homem ou a mulher que vive esse dia, quais níveis de criatividade e inspiração eu deveria ter?".

Considere estes fatores:

Fluidez: com que facilidade acesso estados de fluidez para atingir a produtividade ideal? Como sinto esses estados?
Clareza e foco: tenho clareza sobre meus objetivos e visões de vida e de trabalho?
Propósito e direção: tenho clareza sobre o meu propósito de vida? O que faço diariamente é consistente com meu verdadeiro propósito?

3º Estado: abundância e poder

Se você tem o traço da abundância ou do poder na sua identidade, acha a vida fácil e tranquila. Lembre-se dos milionários japoneses do

Capítulo 5, que acreditavam que ganhar dinheiro é fácil. Essa é a identidade da abundância.

O traço da abundância significa que você vê abundância por todos os lados. No seu mundo, o dinheiro vem até você com facilidade para realizar todos os seus sonhos, projetos e empreendimentos. Você acredita que as pessoas, as oportunidades e as circunstâncias certas virão até você quando necessário. Você também se sente no controle da própria vida e do próprio destino.

Agora olhe para a visão do seu dia perfeito e pergunte-se: "Para ser o homem ou a mulher que vive esse dia, quais níveis de abundância e poder eu deveria ter?".

Considere estes fatores:

Riqueza: o seu acesso ao dinheiro, conexões, sua casa, suas empresas e bens.
Sem sobrecarga: sua habilidade de lidar com estruturas complexas, múltiplos projetos e trabalhos, dominando a complexidade em tudo que você se arrisca a fazer.
Facilidade e sincronia: se a vida lhe parece fácil. Se as respostas, conexões e pessoas certas costumam surgir.

4º Estado: amor e conexão

Se você tem o traço do amor e da conexão na sua identidade, nunca se sente sozinho na vida. Tem o parceiro ou parceiros certos. Tem amigos maravilhosos que o amam e se importam com você.

Seus negócios e sua rede de contatos, desde seus clientes até seus fornecedores, são relações vantajosas para ambos os lados. Você quer que todos os acordos sejam firmados não com base na competição ou de forma que alguém saia perdendo, mas de maneira que sempre seja uma vitória para ambos.

Você se importa de verdade com as pessoas ao seu redor, desde sua família até amigos e colegas, e eles, por sua vez, se importam com você. Resumidamente, você respeita todos os seres humanos com quem tem contato. E sente um amor profundo e poderoso por si mesmo.

Agora olhe para a visão do seu dia perfeito e se pergunte: "Para ser o homem ou a mulher que vive esse dia, quais níveis de amor e conexão eu deveria ter?".

Considere estes fatores:

Relações ganha-ganha: como são suas relações com os membros da sua equipe, seus colegas e clientes? As suas relações são honestas e todos saem ganhando?

Cercado de amor: você se sente cercado de amor? O amor pode vir do seu próprio coração ou das pessoas ao seu redor.

Autenticidade: você acredita em si mesmo? Você tem coragem de se destacar, ser original e viver a própria vida livre das expectativas dos outros?

Após esse exercício, você está pronto para o terceiro passo.

3º Passo: atualize seu sistema de crenças

Após concluir os dois passos anteriores, você está pronto para incorporar novas crenças à sua vida. Atualizar seu sistema de crenças é uma forma de auto-hipnose para incorporar essas novas identidades à sua vida.

A técnica aqui é chamada de Perguntas Preciosas. Aprendi com Christie Marie Sheldon, uma das professoras da Mindvalley e *coach* de intuição renomada mundialmente.

MELHORE A SUA IDENTIDADE

Para entender as Perguntas Preciosas, você primeiro precisa compreender que afirmações são bastante inúteis. Já em 1980, o pioneiro da ciência da mente Jose Silva declarou que afirmações não costumam funcionar para as pessoas. Em vez disso, o que você precisa fazer é enganar sua mente subconsciente para que ela acredite na identidade que você está colocando ali. E isso não é feito por meio de declarações afirmativas como "Eu tenho um corpão", mas sim fazendo perguntas como "Por que eu tenho um corpo tão maravilhoso?". Ou: "Por que sou tão gentil e educado com todos ao meu redor?".

Afirmações não funcionam porque você não pode reafirmar uma crença na qual não acredita de verdade. Você pode dizer a si mesmo que é maravilhoso, incrível, gentil e genial, mas, se houver um pingo de dúvida pairando na sua mente, acabará questionando sua própria afirmação.

Ao fazer uma Pergunta Preciosa, porém, você não está fazendo uma afirmação, mas sim uma pergunta ao seu cérebro, e pedindo evidências. A mente subconsciente é maravilhosa. Ela vai pegar essa pergunta e encontrar uma forma de responder. Quanto mais evidências forem obtidas, mais você começará a acreditar de fato.

Perguntas Preciosas são umas das ferramentas mais poderosas que já conheci para a completa transformação humana. Deixe-me explicar como funcionam. Digamos que você queira aumentar sua clareza mental; segue abaixo um exemplo de Perguntas Preciosas que você poderia se fazer:

- Por que sou tão criativo no trabalho?
- Por que minha escrita vai fluir tão bem hoje?
- Por que tenho um nível de foco tão foda?
- Por que tenho tanta clareza sobre minha visão e meus objetivos?
- Por que existo com um senso de propósito tão profundo?

Você não precisa fazer todas essas perguntas. Basta uma delas. E, com as Perguntas Preciosas, o ritmo de mudança da sua vida fica realmente estonteante.

Em janeiro de 2016, comecei a me fazer a Pergunta Preciosa "Por que tenho um corpo tão saudável e atraente?". Naquela época, havia acabado de completar 40 anos e não estava na minha melhor forma. Fui relaxando ao longo dos anos. Mas estava determinado a conquistar um corpo do qual me orgulhasse e que fizesse eu me sentir ótimo. Fazia a pergunta a mim mesmo todos os dias durante a meditação. Levava apenas cinco segundos. Você faz a pergunta uma vez só, sem repetir.

Duas semanas mais tarde, estava em um encontro de *mastermind* para os maiores autores de negócios e crescimento pessoal dos Estados Unidos chamado *Transformational Leadership Council*, e conheci Eric Edmeades, que estava recebendo um prêmio por sua contribuição com a comunidade. Ele havia criado um programa de noventa dias, o WildFit, que ensina as pessoas a mudar de mentalidade em relação à comida. Naquela ocasião, Eric anunciou que faria uma sessão de noventa dias do WildFit gratuitamente para todos os participantes do evento daquele dia que quisessem participar.

Motivado pela pergunta que vinha me fazendo fazia duas semanas, inscrevi-me. Eu tinha 22% de gordura corporal. Nada mal. Mas não era um corpo do qual eu me orgulhava quando tirava a camisa na praia.

Em maio de 2016, três meses depois, eu havia perdido mais de cinco quilos de gordura. Meu peso corporal diminuiu 15%. Fiquei maravilhado em como minha alimentação e minha saúde haviam mudado em poucos meses.

Então continuei com as Perguntas Preciosas. Dessa vez, mudei para "Por que tenho um corpo tão definido e musculoso?".

Naquela época, eu me alimentava bem, mas ainda odiava ir à academia. As respostas da Pergunta Preciosa chegaram com tudo. Em julho de 2016, conheci um *personal trainer* que trabalhava em uma equipe da Mindvalley, e ele me apresentou o treinamento de força *Super Slow*. Novamente, motivado pela Pergunta Preciosa, decidi seguir em frente.

Seis meses depois, eu havia construído três quilos de puro músculo. Meu peitoral havia crescido tanto que tive que jogar fora muitas das minhas velhas camisas. E agora eu tinha um corpo do qual me orgulhava.

E então, foi a pergunta que motivou a mudança? Foi o ato de fazer essas perguntas que, de alguma forma, ativou uma sincronia no mundo para me trazer as pessoas e as circunstâncias perfeitas? Foi o fator místico de distorção da realidade sobre qual falam tantos filósofos espirituais? Ou foi o sistema ativador reticular do meu cérebro? Essa é a parte do cérebro que ajuda a captar objetos ou ideias nos quais você vem pensando internamente e que passa a perceber na sua órbita externa.

Sinceramente, não me importa. Deixarei que os filósofos espirituais discutam a questão. Tudo que sei é que funciona. Hoje em dia, começo minhas manhãs com trinta Perguntas Preciosas. Conheço-as de cor. Elas me ajudam a crescer na vida e me permitem criar novas realidades para mim rapidamente. E com processo, consigo um equilíbrio agradável entre trabalho, bem-estar, felicidade e alegria.

É assim que o processo das Perguntas Preciosas começa:

1. Dê uma olhada nas anotações que você fez sobre os quatro aspectos da sua nova identidade e comece a criar as Perguntas Preciosas que vão reforçar as mudanças que você quer fazer.
2. Anote de cinco a dez Perguntas Preciosas.
3. Decore-as e faça as perguntas para si mesmo todas as manhãs enquanto medita, ou antes de se deitar à noite.
4. Quando as perguntas forem assimiladas, você pode começar a acrescentar perguntas.
5. À medida que as situações da sua vida mudem, modifique ou faça novas perguntas.

Aqui estão algumas Perguntas Preciosas para você começar. Escolha aquelas com que mais se identifica.

Perguntas Preciosas sobre bem-estar

Por que estou sempre aprendendo e crescendo?
Por que só como alimentos que fazem bem ao meu corpo?
Por que tenho um corpo tão musculoso, definido e atraente?
Por que estou ficando mais jovem a cada ano?
Por que estou em um estado de saúde perfeito?
Por que meu corpo está se curando e melhorando ano após ano?

Perguntas Preciosas sobre criatividade e inspiração

Por que tenho uma intuição tão poderosa?
Por que meus dias são tão repletos de inspiração?
Por que tenho tanta clareza sobre meus objetivos e visões?
Por que sou um escritor/produtor/cineasta tão brilhante?
Por que meu dia a dia é tão inspirador?

Perguntas Preciosas sobre abundância e poder

Por que tenho uma avalanche de abundância vindo na minha direção para todos os meus objetivos, visões e inspirações?
Por que sou tão bom em administrar, guardar e multiplicar dinheiro?
Por que administro uma empresa multimilionária?
Por que minha renda está aumentando ano a ano com tanta facilidade?
Por que meu trabalho toca um milhão de pessoas a cada ano?
Por que tenho uma casa tão linda em (inserir local)?
Por que tenho um manifesto tão poderoso?
Por que o Universo está ao meu lado?

Perguntas Preciosas sobre amor e conexão

Por que tenho uma vida amorosa tão ativa e excitante?
Por que tenho uma vida sexual tão fantástica?
Por que as pessoas me acham tão atraente?
Por que desperto amor e alegria em todos que entram na minha vida?
Por que estou sempre cercado de amor?
Por que tenho uma relação tão maravilhosa com meus filhos?
Por que tenho uma relação tão maravilhosa com meu/minha parceiro(a)?
Por que tenho uma equipe tão incrível trabalhando comigo?

Use as perguntas citadas como base para começar ou crie as suas próprias. Parabéns pelo seu novo *eu* que vai nascer.

Para concluir

No início deste livro, trouxe um poema de Rumi. Disse que sua interpretação do poema mudaria ao ler este livro. *O que ele significa para você agora?*

> *Quando vou atrás do que acho que quero,*
> *Meus dias são de angústia e inquietação;*
> *Se repouso em um local de calma,*
> *O que preciso vem a mim, sem aflição.*
> *Assim entendo que o que eu quero também me quer,*
> *Me procura e me cativa.*
> *Há nisso um grande segredo para quem quiser entender.*

Dê uma olhada na primeira interpretação do poema que você anotou no Capítulo 1. Alguma coisa mudou? Essas mudanças refletem como mudou sua identidade e seu sistema de crenças. Essas mudanças possivelmente irão mudar sua experiência física na vida. Boa sorte com isso.

Considerações finais

Com a altivez do Buda e o poder do Cara, você criará coisas maravilhosas para este mundo. Mal posso esperar para vê-lo mergulhar na liderança e ser sua melhor versão para si mesmo, sua família, sua comunidade e para o mundo. Mal posso esperar para ver o impacto que você irá causar.

Por ora, vamos nos conectar. Uso o Instagram para me conectar com todos os meus leitores e compartilhar minhas ideias semanalmente. Siga-me em @vishen.

Além disso, criei um belo *site* em que você pode acessar vídeos extras para reforçar muitas das ideias que compartilhei neste livro. Visite www.mindvalley.com/badass.

Obrigado por viver essa aventura comigo.

Resumo do Capítulo

Modelos de realidade

Você *pode* criar uma vida em que o trabalho não pareça trabalho. Quebre a pior das regras estúpidas sobre sucesso: a falsa crença de que você precisa trabalhar mais do que todo mundo. Recuse-se a aceitar a mentira do trabalho duro. Troque-a por:

MELHORE A SUA IDENTIDADE

A experiência da alma na Terra não se destina ao trabalho duro e à fadiga. Destina-se a liberdade, tranquilidade e crescimento.

Você precisa fundir o seu Buda interior com o cara foda que há em você.

O Buda é o arquétipo do mestre espiritual. A pessoa que consegue existir neste mundo, mas também se mover com simplicidade, graça e naturalidade, fazendo parecer que o mundo está a seu favor.

O Cara é aquele que muda as coisas. É o arquétipo da pessoa que está criando mudanças, construindo, programando, escrevendo, inventando, liderando. Impulsionando a humanidade para dar vida a novas estruturas no plano físico.

Agora, lembre-se desta equação. É o seu objetivo na vida:

$$Experiências + Identidade = Vida$$

- Experiências (porque metas são insignificantes),
- Uma nova identidade, e
- A soma de tudo isso, que é a **Vida**.

Há duas identidades em você. Aquela que anda por aí se conectando com o mundo exterior, e sua identidade fundamental; essa é a visão da pessoa que você deseja se tornar. A vida é uma eterna caminhada à procura da sua identidade fundamental. Para descobri-la, são necessários três passos:

Passo 1: Visualize sua vida perfeita
Passo 2: Crie sua nova identidade
Passo 3: Atualize seu sistema de crenças

Sistemas de vida

Exercício 1: aceleração e navegação

Os melhores profissionais oscilam entre a aceleração e a navegação.

A **aceleração** acontece quando alguém está executando uma missão. É quando se está no modo de atuação em que o foco é a realização de tarefas.

A **navegação** não significa movimentar-se depressa, mas sim desacelerar e se distanciar da ação para entender se você está indo no rumo certo.

Lembre-se, há evidências contundentes sobre por que se alternar entre esses modos é mais eficaz. Durante a aceleração, ativa-se um modo cerebral de conectividade chamado Rede de Modo Tarefa (TMN), em que a mente se concentra nas tarefas à sua frente. Durante a navegação, ativa-se a Rede de Modo Padrão (DMN), em que o cérebro produz grandes picos de criatividade, aceleração e resolução de problemas.

Passo 1: **Analise sua carga de trabalho diária atual.** Você alterna entre aceleração e navegação o suficiente todos os dias para sentir que está sempre dando o seu melhor? Se não estiver, pense em uma estrutura mais equilibrada. Implemente-a e veja como seu desempenho irá melhorar.

Passo 2: **Analise seus cronogramas mensais ou anuais.** Há períodos de pausa suficientes entre ações para manter a sustentabilidade e o alto desempenho? Caso não haja, pense em uma nova estrutura mais equilibrada. Implemente-a e veja como seu desempenho irá melhorar.

Exercício 2: trace sua identidade fundamental

Há três passos para unificar seu mundo interior (identidade fundamental) com o seu mundo exterior. São eles:

Passo 1: **Visualize sua vida perfeita.** É aqui que você se deixa levar pela imaginação. Pense no seu dia perfeito na sua visão de vida ideal. Desenvolva. Volte ao capítulo, às perguntas listadas na seção *1º Passo: Visualize sua vida perfeita*.

Passo 2: **Crie sua nova identidade.** Depois de entender o que gostaria de viver, a pergunta é: quem devo me tornar? Lembre-se da Lei da Ressonância de Beckwith: *"O mundo não lhe dá o que você quer ou deseja, mas sim QUEM você É"*.

Volte à seção intitulada *2º Passo: Crie sua nova identidade* e percorra o processo.

Passo 3: **Atualize seu sistema de crenças.** Após criar sua nova identidade, você deve criar as Perguntas Preciosas para que possa se treinar nas novas crenças e comportamentos até os internalizar. Volte à seção *3º Passo: Atualize seu sistema de crenças* para fazer esse trabalho.

BIBLIOGRAFIA

INTRODUÇÃO

"Reality is what we take to be true": Ricard, Matthieu, and Trinh Xuan Thuan. The Quantum and the Lotus: A Journey to the Frontiers Where Science and Buddhism Meet. Vintage Books, a division of Penguin Random House, 2001.

"At the root of his reality distortion was his belief": Isaacson, Walter. Steve Jobs. Simon & Schuster, 2011.

"I was early taught to work as well as play": Chernow, Ron. The Life of John D. Rockefeller, Sr. Three Rivers Press, a division of Penguin Random House, 2004.

CAPÍTULO 1

"Never forget what you are, for surely the world will not": Martin, George R. R. A Game of Thrones (A Song of Ice and Fire, Book 1). HarperVoyager, an imprint of HarperCollins, 2011.

"You can't connect the dots looking forward": Stanford News, https://news.stanford.edu/2005/06/14/jobs-061505/ (acessado em julho de 2019).

"Suffering ceases to be suffering at the moment it finds meaning": Frankl, Viktor E. Man's Search for Meaning. Beacon Press, 2006.

CAPÍTULO 2

"Find a group of people who challenge and inspire you": Harvard Magazine, https:// harvardmagazine.com/2011/05/you- cant- do- it- alone (acessado em janeiro de 2020).

"Little ideas that tickled, and nagged, and refused to go away": Miller, George (producer) and Chirs Noonan (director). Babe [motion picture]. United States: Kennedy Miller Productions, Universal Pictures, agosto 1995.

"You are a bus driver": Collins, Jim. Good to Great: Why Some Companies Make the Leap... and Others Don't. HarperCollins, 2001.

"People don't buy what you do; they buy why you do it": TED (setembro 2009). Simon Sinek's talk: How Great Leaders Inspire Action. Video retrieved from www.ted.com /talks/simon_sinek_how_great_leaders_inspire_action?language=e.

Human beings are biologically hardwired to make decisions: "The Importance of Feelings," The MIT Technology Review, www.technologyreview.com/s/528151/the-importance-of-feelings/ (acessado em fevereiro 2019).

Brain-injured participants could conceptually discuss decisions: "The Role of the Amygdala in Decision- Making", U.S. National Library of Medicine, www.ncbi.nlm.nih.gov/pubmed/12724171 (acessado em fevereiro 2019).

"Forget mission and vision": Mindvalley (producer), 21 de outubro de 2018. Cameron Herold on How to Create a Vivid Vision for Your Career and Life. Audio podcast retrieved from https://podcast.mindvalley.com/cameron- herold-vivid-vision/.

CAPÍTULO 3

"We all are so deeply interconnected": Ray, Amit. Yoga and Vipassana: An Integrated Lifestyle. Inner Light Publishers, 2010.

Experiences of social pain (like loneliness) cause activity: Psychology Today, www.psychologytoday.com/us/blog/the-athletes- way/201403/the-neuroscience-social-pain (acessado em janeiro de 2020).

One of Harvard's longest, most qualitative studies: TED (producer), 2015. Robert Waldinger on What Makes a Good Life? Lessons from the Longest Study on Happiness. Video retrieved from www.ted.com/talks/robert_waldinger_what_makes_a_good_life_lessons_from_the_longest_study_on_happiness?language=en.

Social bonds have a 0.7 correlation: Deiner, Ed, and Martin Seligman. Very Happy People (Volume 13; issue 1, page(s) 81–84), 2002. Retrieved from SAGE Journals, https://doi.org/10.1111/1467-9280.00415.

The four upper levels of Maslow's pyramid: "Maslow's Hierarchy of Needs." Simple Psychology, www.simplypsychology.org/maslow.html (acessado em março de 2019).

In order for any person to move from one level: Maslow, Abraham. "A Theory of Human Motivation," Psychological Review (1943).

"My employer" (75%) is significantly more trusted than NGOs: "2019 Edelman Trust Barometer," www.edelman.com/sites/g/files/aatuss191/files/2019-02/2019_Edelman_Trust_Barometer_Global_Report.pdf (acessado em março de 2019).

"Society's preoccupation with happiness": BigThink (producer). Dr. Susan David on The Tyranny of Positivity: A Harvard Psychologist Details our Unhealthy Obsession with Happiness. Video retrieved from https://bigthink.com/videos/susan – david-on- our-unhealthy – obsession- with- happiness.

A high PQ means they have a higher ratio of positive feelings: Chamine, Shirzad. Positive Intelligence: Why Only 20% of Teams and Individuals Achieve Their True Potential. Greenleaf Book Group Press, 2012.

Coworkers who report a best friend at work: "Your Friends and Your Social Well-being," Gallup News, https://news.gallup.com/businessjournal/127043/friends – social- wellbeing.aspx (acessado em janeiro de 2020).

When the brain is in a positive state, productivity rises: "How to Use Happiness to Fuel Productivity," training by Shawn Achor with Vishen Lakhiani, Mindvalley Mentoring Program, 2014.

"The people we interviewed from good- to- great companies": Collins, Jim. Good to Great: Why Some Companies Make the Leap... and Others Don't. HarperCollins, 2001.

When two people first meet they both make a quick calculation: Cuddy, Amy.

Presence: Bringing Your Boldest Self to Your Biggest Challenges. Orion Publishing Co., 2015.

The CEO of Shopify talked about establishing a metric: "Tobi Lütke of Shopify: Powering a Team With a 'Trust Battery,' " New York Times, www.nytimes.com/2016 /04/24/business/tobi-lutke- of- shopify- powering- a- team- with- a- trust- battery.html (acessado em abril de 2019).

"The only true currency in this bankrupt world": Crowe, Cameron (produtor, director, and writer), and Ian Bryce (producer). Almost Famous [motion picture], September 2000. United States: Columbia Pictures, DreamWorks Pictures.

Moods go viral, in a similar way as the flu: Psychology Today, www.psychologytoday. com/ca/blog/the- science- work/201410/faster- speeding- text- emotional- contagion – work (acessado em março de 2019).

When leaders are in a positive mood: Achor, Shawn. The Happiness Advantage. Currency, a division of Penguin Random House, 2010.

CAPÍTULO 4

The very first task they had to complete: Mindvalley (producer), 2014. Shawn Achor on How to Use Happiness to Fuel Productivity. Video retrieved from https://mindvalley.com/channels/mindvalley- mentoring/media/769- how- to-use – happiness- and- love – to- fuel-productivity.

End goals are the beautiful, exciting rewards: Lakhiani, Vishen. The Code of the Extraordinary Mind. Rodale Books, a division of Penguin Random House, 2016.

CAPÍTULO 5

"Transformation involves experiencing a deep, structural shift": O'Sullivan, Edmund, Amish Morrell, and Mary O'Connor. Expanding the Boundaries of Transformative Learning: Essays on Theory and Praxis. Palgrave Macmillan, 2004.

A life crisis or a major life transition: Mezirow, Jack. Learning as Transformation: Critical Perspectives on a Theory in Progress. Jossey- Bass, Inc., 2000.

"Google recently demonstrated that its best employees": Ismail, Salim. Exponential Organizations. Diversion Publishing Corp., 2014.

"I've been making a list of the things they don't teach you": Gaiman, Neil. The Sandman, Vol. 9: The Kindly Ones. DC Comics, 2006.

"Human beings are not smartphones": TED (producer), 2013. Sugata Mitra on Build a School in the Cloud. Vídeo acessado em: https://www.ted.com/talks/sugata_mitra _build_a_school_in_the_cloud?language=en.

Depriving yourself of ninety minutes: Rath, Tom. Eat, Move, Sleep. Missionday, 2013.

It takes 10,000 hours to attain mastery in any field: Gladwell, Malcolm. Outliers. Little, Brown and Company, 2008.

They spent an average of 8 hours and 36 minutes sleeping: Ericsson, Enders K. 1993. "The Role of Deliberate Practice in the Acquisition of Expert Performance" (Vol. 100. No. 3, 363- 406). Acessado em Psychological Review http://projects.ict.usc. edu/itw/gel/EricssonDeliberatePracticePR93.pdf.

Imagine if you could boost your strength by 25 percent: McGuff, Doug. Body by Science. Northern River Productions, Inc. 2009.

Most people have been trained to read like a six- year- old: Mindvalley (producer). Jim Kwik on 10 Powerful Hacks to Unlock Your Super Brain. Video retrieved from: https://events.blinkwebinars.com/w/5750669740081152/watch-now?_ga=2.163744822.800747580.1575308463- 1706431628.157 4210435#5924650399563776.

Daniel said that people need freedom: Mindvalley (producer), February 1, 2019. Daniel Pink on the Surprising Truth About Motivation. Audio podcast retrieved from https://podcast.mindvalley.com/daniel- pink- truth- about-motivation/.

CAPÍTULO 6

"Power without love is reckless and abusive": Carson, Clayborne. The Autobiography of Martin Luther King, Jr. Warner Books, Inc., 2001.

In 2013, Gallup published a poll on men who refused to retire: "Most U.S. Employed Adults Plan to Work Past Retirement Age." Gallup News, https://news.gallup.com/poll/210044/employed- adults- plan- work- past- retirement-age.aspx (acessado em janeiro de 2020).

To explain Neuralink, Urban wrote a post: Urban, Tim. "Neuralink and the Brain's Magical Future," April 20, 2017. Post do blog acessado em https://waitbutwhy.com/2017/04/neuralink.html.

Stanley Milgram's famous prison experiments: Simply Psychology, www.simply psychology.org/milgram.html (acessado em janeiro de 2020).

One of the things that bothered Steve Jobs: Hertzfeld, Andy. "Saving Lives," August 1983. Blog post retrieved from www.folklore.org/StoryView.py?story=Saving_Lives.txt.

Carlos Vasquez felt a burning desire: "East Side Dry Cleaner Helping Jobless with Free Spruce up of Interview Garb," Daily News, www.nydailynews.com/news/money /east- side- dry- cleaner- helping- jobless- free- spruceup- interview-garb- article – 1.369155 (acessado em julho de 2019).

75 percent of Americans said they want companies: "Glassdoor Survey Finds 75% of Americans Believe Employers Should Take a Political Stand," Glassdoor, www.glassdoor.com/employers/blog/glassdoor- survey-finds- 75- of-americans- believe -employers- should- take- a- political-stand/ (acessado em julho de 2019).

66 percent of consumers want brands to take a public stand: "#BrandsGetReal: Championing Change in the Age of Social Media," Sprout Social, https://sprout social.com/insights/data/championing- change-in- the-age-of- social-media/ (acessado em julho de 2019).

"I used to think I was an entrepreneur": Impact Theory (producer). Vishen Lakhiani on Breaking all the "Brules." Vídeo disponível em www.youtube.com/watch?v =BvpAeRGnkJ4.

"Your stand is your brand": Gentempo, Patrick. Your Stand Is Your Brand: How Deciding Who to Be (NOT What to Do) Will Revolutionize Your Business. Penguin Random House Canada, 2020.

"You may be thirty- eight years old": Carson, Clayborne. The Autobiography of Martin Luther King, Jr. Warner Books, Inc., 2001.

CAPÍTULO 7

"Good leaders have vision and inspire others": Bennett, Roy T., The Light in the Heart. Roy Bennett, February 2016.

"Until one is committed, there is hesitancy": William Hutchison. The Scottish Himalayan Expedition. Read Books Ltd., 1913.

"When you do something audacious": Mindvalley (producer), April 5, 2019. Naveen Jain on How to Dream so Big You Can't Help but to Change the World. Audio podcast retrieved from https://podcast.mindvalley.com/naveen- jain- dream- big- change- the- world/.

When setting goals for your business or team: Doerr, John. Measure What Matters. Portfolio, a division of Penguin Random House, 2018.

"When I was here at Michigan": Google (producer). Larry Page University of Michigan Commencement Address, May 2, 2009. Video retrieved from http://googlepress. blogspot.com/2009/05/larry – pages- university-of- michigan.html.

People who write inactionable visions: Thiel, Peter. Zero to One. Currency, a division of Penguin Random House, 2014.

The greatest people are self- managing: Inc., www.inc.com/marcel- schwantes/a -young- steve- jobs- once- gave- this-priceless- leadership- lesson- here- it- is- in- a- few – sentences.html (acessado em janeiro de 2020).

Dov Seidman describes it bluntly: Seidman, Dov. How: Why How We Do Anything Means Everything. John Wiley & Sons, 2007.

"Great teams are not created with incentives": McCord, Patty. Powerful: Building a Culture of Freedom and Responsibility. Missionday, 2017.

CAPÍTULO 8

There is a name for this phenomenon and it's brain coupling: Jason Silva (producer). Jason Silva on Brain Coupling: The Neuroscience of Romantic Love, August 1, 2016. Vídeo disponível em www.facebook.com/watch/?v=1720981828166095.

Pixar blurred the traditional lines between workers: Catmull, Ed. Creativity, Inc.: Overcoming the Unseen Forces That Stand in the Way of True Inspiration. Random House Canada, 2014.

Phenomenon which explains why we embrace religion: "Memetics and Social Contagion: Two Sides of the Same Coin?". Journal of Memetics—Evolutionary Models of Information Transmission, http://cfpm.org/jom-emit/1998/vol2/marsden_p.html (acessado em dezembro de 2019).

Google fails at 40 percent of everything they start: Levy, Steven. In the Plex: How Google Thinks, Works, and Shapes Our Lives. Simon & Schuster, 2011.

"The people who are right a lot more often change their minds": Bezos, Jeff. "The Smart People Change Their Minds," October 19, 2012. Post de blog disponível em https:// techcrunch.com/2012/10/19/jeff- bezos- the- smart- people- change- their- minds/.

CAPÍTULO 9

"The world doesn't give you what you want or desire": Mindvalley (producer), 2019. Michael Beckwith on True Manifesting from the Soul. Vídeo disponível em https:// events.blinkwebinars.com/w/6246203867791360/watch- now?_ga=2.124996995.800747580.1575308463- 1706431628.1574210435#5053427020988416.

Build an identity that makes you rise: Clear, James. Atomic Habits: An Easy & Proven Way to Build Good Habits & Break Bad Ones. Avery, a division of Penguin Random House, 2018.

"I was successful by all standards": "Arianna Huffington Reveals How Fainting Changed Her Whole Life," HuffPost, www.huffingtonpost.ca/entry/arianna-huffington-fainting_n_5030365?ri18n=true&guccounter=1&guce_referrer=aHR0cHM6Ly93d3cuZ29vZ2xlLmNvbS8&guce_referrer_sig=AQAAAAluVU44dbycY5 BJ6TzcEnoiWiRUIqvHliW4c4cFdQWvj1HVsTtpSAV2nqAlU- 7H3jTMuTqSBEoqS AuUodgPtEsyv5jz7YGE27twGhQDXbDfrSyPEBF27Dwivxi83LyBX-2Ze1bPoDKW f0EwLJGwuRSymDez47Urs_zre9viqHV1Q (acessado em December 2019).

"When I peel back the layers with them": "The Power of Focused Thought" training by Regan Hillyer. Mindvalley Mentoring Program, 2019.

"There is a unique experience of consciousness": BigThink (producer). Scott Barry Kaufman on The Science of Creativity: How Imagination and Intelligence Work Together in the Brain. Vídeo disponível em https://bigthink.com/videos/scott-barry-kaufman-on-intelligence-and-imagination.

"What is real is you and your friends and your associations": McKenna, Terence. Food of the Gods: The Search for the Original Tree of Knowledge. Tantor Audio, 1992.

AGRADECIMENTOS

Agradeço:

Em primeiro lugar, a todos os escritores da Mindvalley: Jose Silva, Burt Goldman, Christie Marie Sheldon, Jim Kwik, Eric Edmeades, Jon and Missy Butcher, Steven Kotler, Steve Cotter, Jeffrey Allan, Donna Eden and David Feinstein, Marisa Peer, Barbara Marx Hubbard, Ken Wilber, Neale Donald Walsch, Robin Sharma, Marie Diamond, Emily Fletcher, Srikumar Rao, Denis Waitley, Lisa Nichols, Ben Green Field, Marisa Peer, Anodea Judith, Shefali Tsabary, Michael Breus, Katherine Woodward Thomas, Michael Beckwith, Christine Bullock, Ken Honda, Paul McKenna, Keith Ferrazzi, Geelong Thubten, Naveen Jain, Alan Watts.

A Jeffrey Perlman e Kshitij Minglani, por serem aliados tão incríveis. E a Rajesh Shetty e Omesh Sharma, pela orientação e pelos conselhos.

À minha equipe na Mindvalley, especialmente Ezekiel Vicente, TS Lim, Wu Han, Klemen Struc, Miriam Gubovic, Anita Bodnar, Eni Selfo, Alessio Pieroni, Seerat Bath, Marisha Hassaram, Kathy Tan, Wayne Liew, Agata Bas, Laura Viilep, Kadi Oja, Olla Abbas, Natalia Sloma, Alsu Kashapova, Jason Campbell, Nika Karan, John Wong, Kevin Davis, Riyazi Mohamed, Chee Ling Wong, Shafiu Hussain, Vykintas Glodenis, e para todos os outros na Mindvalley que garantiram que nossa empresa permanecesse funcionando perfeitamente enquanto me afastei brevemente para escrever este livro. Sou muito grato pelos seus esforços diários, suas perspectivas e seu compromisso com a união, a transformação e o amor pelo planeta.

Aos parceiros de negócios com quem atuo para levar transformação para o mundo: Rene Airya e Akira Chan, da *Little Humans*; Ajit Nawalkha, da *Evercoach*; Klemen Struc, da Soulvana.

Meu colaborador editorial, Kay Walver, pela sua escrita genial, suas habilidades de narrador e seu compromisso incansável de levar mais ferramentas e uma educação transformadora para o mundo. Você foi um grande parceiro na criação deste livro.

A minha editora, Donna Loffredo, e a equipe na Penguim Random House, por acreditarem neste livro. Vocês desempenharam um papel fundamental na definição de cada aspecto dele, do conteúdo ao *design* da capa, passando pelas estratégias de *marketing*.

Ao meu diretor de RP, Allison Waksman, por conduzir a estratégia de RP para este livro e por toda a sua experiência como meu conselheiro de RP.

A Celeste Fine e John Maas, meus agentes na Park & Fine Literary and Media, que foram grandes apoiadores do meu trabalho desde o primeiro livro.

Às mentes criativas que contribuíram com seu talento para a criação deste livro, inclusive a equipe de produção de vídeo da Mindvalley, a equipe de *design* e a equipe de *design* de experiência de aprendizado, pelo trabalho com a experiência *online*. Obrigado a Tanya Tesoro, pelo belo *design* de capa; Melissa Koay, por liderar a criação da Quest; e a toda a equipe de vídeo e de *design* criativo da Mindvalley por trazer talento coletivo para este projeto.

Um superobrigado a toda a minha equipe na Mindvalley, nossos clientes, assinantes e fãs. Vocês são a espinha dorsal do que fazemos. Sem vocês, a Mindvalley e este livro simplesmente não existiriam.

À tribo da Mindvalley e aos estudantes das nossas Jornadas, por me permitirem adorar meu trabalho todos os dias e pelo compromisso com um planeta mais consciente e vidas mais inspiradas para vocês e para o resto do mundo.

Aos professores que ofereceram sabedoria a este livro:

Drima Starlight, por ter sido tão importante nos primórdios da Mindvalley e pelo processo de valores que foi determinante para o nosso sucesso contínuo e, agora, para o sucesso de tantos outros; Cameron Herold, por sua técnica da Visão Clara, que levou meu negócio às alturas; Srikumar Rao, por sua sabedoria prudente, sua tutoria e apoio nos altos e baixos; Lisa Nichols, por acreditar em mim desde cedo, e pela sua amizade e parceria na área do desenvolvimento pessoal; Reverendo Michael Beckwith, pela orientação espiritual, pelo processo de Visão de Vida e pelo seu compromisso com a transformação no planeta; Naveen Jain, por me surpreender com suas ideias inovadoras que revolucionaram a forma como administro meus negócios; Richard Branson, por sugerir que eu escrevesse o primeiro livro, que me trouxe a este livro e por me convidar para participar do *mastermind* na ilha de Necker, e por ser um exemplo de como a vida e os negócios podem fluir com facilidade juntos; Bob Proctor, por me sacudir e me fazer pensar melhor; Ken Wilber, por ser o pai da Teoria Integral, cujos modelos moldaram meu trabalho e muitas das ideias deste livro; Tim Urban, pelo seu *blog* genial que trata dos assuntos mais relevantes de que o mundo precisa saber, de forma sagaz e envolvente; Tom Chi, pela sua posição diante da humanidade e por ser um exemplo de como os líderes devem se comportar nos negócios; John Ratcliff, por inspirar outros líderes a enxergarem pessoas com seu programa Gestor dos Sonhos; Daniel Pink, pelo seu compromisso com uma liderança compassiva e com o crescimento das equipes; Patty McCord, por lembrar ao mundo que as pessoas são líderes a partir do momento em que entram em qualquer lugar; Elon Musk, por ser um pioneiro que define um padrão impecável de como pensar dez anos à frente; Barack Obama, por sua mentoria e inspiração; Larry Page, por compartilhar o sistema OKR, que transformou a forma como trabalhamos na Mindvalley; Doug McGuff, pelo treinamento *Super Slow* e por me ajudar a reverter minha idade biológica; Simon Sinek, por destacar a importância de compartilhar o porquê; Jim Collins, por me incentivar a colocar as pessoas certas no meu barco.

Aos líderes intelectuais que não estão mais conosco, mas que influenciaram minha vida e as ideias deste livro:

Buckminster Fuller, por me mostrar como lidar com problemas impossíveis; Terrence McKenna, por ajudar pessoas a viverem de acordo com suas próprias opiniões, por sua sabedoria transformadora e por contribuir com minha visão de mundo; Rumi, por sua orientação espiritual e seus poemas que me acompanharam e moldaram a forma como trabalho; Martin Luther King Jr., por nos inspirar a viver com coragem; e Abraham Maslow, por revolucionar o campo da psicologia humana com sua pirâmide das necessidades.

SOBRE O AUTOR

Vishen Lakhiani é fundador e CEO da Mindvalley, uma plataforma de aprendizagem *online* que combina mídia, produção de vídeo, tecnologia e eventos no mundo real para construir um império educacional, e que tem mais de dois milhões de alunos. Ele é o autor do *best-seller* do *New York Times O Código da mente extraordinária*, traduzido para mais de vinte idiomas. Vishen agora está trabalhando para expandir a presença da Mindvalley em todo o mundo, com o objetivo de levar seus professores, sua tecnologia e seus programas a uma centena de sistemas escolares nacionais e a todas as empresas presentes na lista *Fortune 500* nos próximos anos.

Livros para mudar o mundo. O seu mundo.

Para conhecer os nossos próximos lançamentos
e títulos disponíveis, acesse:

🌐 www.**citadel**.com.br

Ⓕ **/citadeleditora**

📷 **@citadeleditora**

🐦 **@citadeleditora**

▶ Citadel – Grupo Editorial

Para mais informações ou dúvidas sobre a obra,
entre em contato conosco por e-mail:

✉ contato@**citadel**.com.br